사주명리가 『주역』을 만나다.

간지역학비결 강의

이산주역

박규선

철학박사

woland7@daum.net

干支易學秘訣講義

天干과 地支가
八卦를 만나다.

이산 박규선 지음

간지역학비결강의

발 행 | 2024년 6월 12일
저 자 | 이산 박규선
펴낸이 | 한건희
펴낸곳 | 주식회사 부크크
출판사등록 | 2014.07.15.(제2014-16호)
주 소 | 서울특별시 금천구 가산디지털1로 119 SK트윈타워 A동 305호
전 화 | 1670-8316
이메일 | info@bookk.co.kr

ISBN | 979-11-410-8945-0

www.bookk.co.kr
ⓒ 간지역학비결강의 2024

CONTENT

머리말 8

길을 찾는 그대에게 10

제1강 우주를 담은 『주역』 17

제2강 나는 누구인가? 23

제3강 우연과 확률적 규칙성 31

제4강 역학의 갈래 38

제5강 범주화 41

제6강 오행과 팔괘의 상관성 47

제7강 오행과 천간의 상관성 53

제8강 팔괘와 천간의 상관성 56

제9강 지지는 인문적 의미가 내재된 시간 59

제10강 사주팔자는 나의 좌표 63

제11강 사주가 『주역』을 만나다 67

제12강 하도와 낙서 73

제13강 나? 乙木이야 79

제14강 안녕, 난 甲木이야 85

제15강 꽃(丙)과 열매(丁) 88

제16강 무기(戊己)가 주관하는 선·후천 90

제17강 가을 농부(庚辛) 94

제18강 생명을 품은 물(壬癸) 98

제19강   오행(木)과 문왕팔괘도   101

제20강   오행(火)과 문왕팔괘도   107

제21강   오행(金)과 문왕팔괘도   111

제22강   오행(水)과 문왕팔괘도   115

제23강   오행(土)과 문왕팔괘도   118

제24강   중토(中土)에 대한 고찰   125

제25강   終始(☶艮土)와 交易(☷坤土)   129

제26강   도를 아십니까?   134

제27강   오행의 순환원리   146

제28강   사주명국의 기본구조   153

제29강   음양의 편재와 사물의 특성   157

제30강   신강·신약의 판별   160

제31강   일간 중심의 사회적 관계성   162

제32강   사회적 관계성을 표현하는 십신   166

제33강   시공간적 위치, 근묘화실   176

제34강   일간 중심의 육친관계   182

제35강   운이 접속될 때 사주팔자가 작동한다   187

제36강   대운에 대한 고찰   189

제37강   십이운성이란 무엇인가?   193

제38강   인생행로의 파도, 십이운성   197

제39강   12벽괘 12지지 12운성의 상관성   203

제40강 십이운성의 통변 원리 206

제41강 시간, 순행과 역행에 대한 담론 210

제42강 록(祿)과 왕(旺)의 기세 215

제43강 생왕묘의 삼합과 맹왕고의 방합 217

제44강 지장간 223

제45강 지장간의 순환원리 230

제46강 상극에서 상생으로 233

제47강 삶을 흔드는 천간 합충 237

제48강 삶을 흔드는 지지 합충 243

제49강 슈퍼바이저, 용신 248

제50강 용사지신 253

제51강 소용지신 257

제52강 용사신의 활용 260

제53강 사주팔자 해석의 원칙 263

제54강 사주팔자 실전 간명 268

제55강 확률게임 274

제56강 아이덴터티(identity) 279

제57강 동일한 사주의 다른 삶 281

제58강 사주팔자 균형잡기 293

제59강 균형과 조화 298

제60강 사주 디자이너 301

머리말

　현대는 인터넷의 영향으로 누구나 쉽게 사주명리학 이론을 접하는 시대이다. 유튜브, 블로그 등에는 『주역』과 사주명리를 비롯한 온갖 술수, 무속, 예언, 과학의 파편들이 정제되지 않은 채 정보의 홍수를 이루며 흘러 다니고 있다. 『주역』과 달리 사주명리는 경전이 정해진 바가 없으므로 저마다 논리로써 자신의 주장을 내세우는 특징을 가진다. 사주는 통계학이라지만 정작 사주팔자에 대한 통계는 없다.

　사주학은 통계학이라기보다 논리학이자 해석학에 가깝다고 할 수 있다. 다만 해석의 기준이 되는 고전은 경전의 위치에 있지 않다 보니 저마다 해석의 기준은 달라질 수밖에 없고, 항상 오류에 대한 문제가 남게 된다.

　사주명리학은 과학이라기보다 인문학이다. 사주의 해석에 과학적 잣대를 들이대면 오류의 한계에 봉착할 수밖에 없다. 그래서 사주분석은 확정성보다는 확률성의 관점으로 볼 수밖에 없다. 이것이 오히려 양자물리학의 불확정성의 원리에 부합한다. 확정성의 관점에서 간명을 하다 보면 결국은 정해진 대로 흘러간다는 운명론으로 귀착될 수밖에 없고, 해석의 오류에 봉착하게 됨으로써 마침내는 혹세무민(惑世誣民)으로 귀결되기 쉽다.

　본서는 현대과학인 양자물리학 이론을 『주역』과 사주명리학에 접목하여 해석의 영역을 넓히고 있다. 오류라는 한계를 품은 채 기존의 질서를 그대로 수용하기보다는 보이지 않는 양자 물리학적 세계를 보이는 현상의 세계로 가져와 일치시킴으로써 사주명리학의 지적 갈증을 풀어주고 있다.

공자님은 『주역』 「계사전」에서 "易與天地準역여천지준"이라고 하여 역(易)은 천지 만물을 준거하여 만들었음을 밝히고 있다. 보이지 않는 근원에서 작용하는 음양은 오행의 생극 시스템에 의해 현상의 세계에서 상(象)과 문자(文字)로 드러난다. 상은 『주역』 팔괘(八卦)가 담당하고, 문자는 천간(天干)이 담당한다. 그러므로 천간을 기반으로 구성된 사주팔자는 음양이라는 근원을 함께 공유하고 있는 『주역』 팔괘를 만날 때 비로소 완전체를 이룬다고 할 수 있다.

본서는 만물의 근원에서 작용하는 음양을 탐구한 양자물리학, 그리고 음양이 상으로 표상된 『주역』의 팔괘와 문자로 표현된 사주명리학이 함께 어우러져 길흉의 해석을 넘어 지적 갈증의 해소라는 지식을 선물한다. 그리고 사주팔자는 개인의 자유의지 발현에 따라 얼마든지 변화시켜 나갈 수 있다는 사주 디자이너의 개념을 도입하여 설명한다.

필자는 『易學의 中和論 研究』라는 논문으로 철학박사 학위를 받았다. 부제는 「역리(易理)와 양자물리(Quantum Physics)의 공통성을 중심으로」이며, 이 연구논문의 실적을 중심으로 역학의 진수를 쉬운 어체로 담아내고자 하였다. 사주명리학은 단순히 길흉을 보는 점서가 아니라, 사시 순환에 따라 생장성쇠를 순환하는 인간에 대한 깊은 애정을 담고 있는 인간학(人間學)이라 할 수 있다. 본서를 통해 사주명리학의 질적 수준을 높이는 계기가 되기 바란다.

2024년 2월

이산 박규선
철학박사

길을 찾는 그대에게

　왜 사는가에 대한 진지한 고민 없이 현학적이고 유희적인 언어로 포장된 술수들이 넘쳐나는 세상입니다. 근원에 대한 질문보다는 포장된 모습에 열광합니다. 개념정리가 되지 않은 채 클릭을 유도하는 언어유희 방식의 강의가 난무합니다. 전체를 조망하고 통찰하기보다는 국부적인 문자 해석에 함몰되어 혹세무민하는 말들이 강물처럼 세상을 흘러다닙니다.

　사주팔자(四柱八字)는 음양과 오행이 상호작용을 통하여 펼쳐낸 인사(人事)를 표상합니다. 보이지 않는 세계, 양자 물리학적 영역에서 사물을 만드는 기본 요소인 양자장(氣)이 보이는 세계인 현실영역에서 정의되고 문자로 범주화된 것이 천간입니다. 천간(天干)은 사물의 근원에서 작용하는 음양(陰陽)이 시각적으로 문자화된 것이죠. 상(象)으로 표상된 것이 『주역』의 팔괘(八卦)이고, 문자화된 것이 사주팔자를 구성하는 간지(干支)입니다. 『주역』과 『사주명리학』은 서로 상호관계성을 가지고 있습니다. 그래서 『주역』을 알면 『사주명리학』의 지평을 크게 넓힐 수가 있는 것입니다.

　세상은 나 혼자인 것 같지만, 만물의 근원에서는 음양이 서로 대립하면서도 의존하며 상호작용을 통해 다양한 변화를 만들어내고 있습니다. 음양의 상호작용이 만들어내는 만물도 역시 대립과 화해를 반복하며 중화를 통해 새로움을 창조해내고 있죠. 음은 양 없이 존재할 수 없고, 양 역시 음 없이는 생존할 수가 없습니다. 유형의 세계에 존재하는 우리는 홀로 인 것 같지만, 무형의 세계에서는 파동으로 서로 연결되어있다는 사실에 주목해야 합니다. 우리는 유형(有形)과 무형(無形)이 동체이면(同體裏面)의 모습으로 존재하는 동일체입니다. 『노자』는 이를 "유무상생(有無相生)"이라 정의하고 있습니다.

양자물리학은 우주를 '분리된 대상'들의 집합체가 아닌 상호연결된 관계성의 네트워크라고 말하고 있습니다. 우주 속의 모든 대상은 단일한 에너지가 만들어내는 다양한 형상에 지나지 않으며, 장재(張載)는 이를 '기(氣)의 일시적인 취산(聚散) 활동'이라고 표현하고 있습니다.

> 太虛는 無形으로 氣의 本體이다. 그것이 모이고 흩어짐은 변화하는 일시적인 형태일 뿐이다.[1]

장재(張載)에 따르면, 기(氣)는 단지 모이고 흩어짐이 있을 뿐이며 생겨나거나 소멸하지 않습니다. 그러므로 장재에게 있어 생(生)과 사(死)는 기의 취산(聚散) 활동의 유형으로서, 형질(形質)이란 물에서 얼음이 뭉쳤다가 흩어지는 일시적인 형태에 불과할 뿐입니다. 즉, 태허(太虛)를 이루고 있는 기는 물질적이며, 사물이란 단지 기의 취산 활동으로 모였다가 흩어지는 일시적인 형태, 즉 객형(客形)이라는 것이죠. 사물이란 기가 잠시 응취되어 있는 일시적 형태이므로 이를 잠시 왔다가는 손님으로 비유하여 장재는 이를 객형이라 하였습니다. 기는 흩어지더라도 태허라는 기의 원질(原質)은 보존되는 것이며 허무(虛無)로 돌아가는 것이 아니므로, 기의 세계는 증감 없이 영구하다는 유물론적 관점을 취하고 있습니다.

> 기의 취산(聚散)은 태허에서 비롯되는데, 얼음이 물에서 얼었다 녹는 것과 같으며, 태허가 기라는 것을 알면 무(無)라는 것은 없다.[2]

---

1) 張載, 『正蒙』, 「太和」, "太虛無形 氣之本體 其聚其散 變化之客形爾"
2) 張載, 『正蒙』, 「太和」, "氣之聚散於太虛 猶氷凝釋於水 知太虛卽氣 則無無"

기가 응취하면 형태를 이루고, 흩어지면 기의 상태인 태허로 돌아갈 뿐입니다. 기는 형체가 없으나 무형의 상(象)이 있는 것이므로 기가 보이지 않는다고 하여 절대 없음, 즉 허무(虛無)는 아닌 것이죠. 단지 드러나지 않음[幽유]과 드러남[明명]의 구별이 있을 뿐 유무(有無)의 구별은 아니라는 것입니다. 텅 빈 태허가 보이지 않는 氣라는 사실을 안다면 결국 無라는 것은 없다 하는 것이죠.

　　장재는 무형(無形)의 상(象)을 유(幽)로, 유형(有形)의 형(形)을 명(明)으로 변별하여 '무(無)는 없다(無無)'라는 논리를 전개함으로써, "유는 무에서 비롯되며(有生於無유생어무), 천지 만물은 무를 근본으로 한다(天地萬物以無爲本천지만물이무위본)"라는 왕필(王弼)의 노장현학(老壯玄學)을 부정하고 있습니다.

　　　양자장(量子場)은 근본적인 물리적 실체, 즉 공간 어디에나 존재하는 연속적인 매체로 여겨진다. 소립자들은 단지 그 장(場)의 국부적인 응결에 불과하다. 에너지의 집결로서 그것들은 왔다가 가 버림으로써 개체의 특성이 상실되고 바닥의 장으로 융합된다.[3]

　　사물의 형성에 대한 동양 철학적 개념의 기(氣)와 양자 물리학적 개념인 장(場)의 설명은 서로 유사합니다. "양자장에서와 같이 場 – 또는 氣 – 은 모든 물체의 기초가 되는 본질일 뿐만 아니라 파동의 형태로서 상호작용을 수행합니다."[4] 물이 얼면 유형의 실체가 되고, 녹으면 다시 본원인 물로 돌아가는 것은 기의 바다인 태허에서 기의 취산에 따라 사물이 일시적인 형태를 갖추었다가 다시 태허로 돌아가는 것과 이치가 같죠. 이것은 우주 어디에나 존재하는 연속적인 매체로서의 양자장이 에너지의 국부적인 응결로 사물이라는 일

---

3) 프리초프 카프라, 김용정·이성범 공역, 『현대물리학과 동양사상』, 범양사, 2017, p.275.
4) 프리초프 카프라, 김용정·이성범 공역, 『현대물리학과 동양사상』, 범양사, 2017, p.280.

시적인 실체를 이루었다가 다시 장의 바다로 융해되는 것과 같은 것이니, 사물이란 '변화의 일시적인 형태'로서 '객형(客形)'이라 할 수 있습니다. 즉, 얼음이라는 개체가 녹으면 개체의 특성이 사라지고 형체가 없는 물로 돌아가듯이, 국부적인 에너지의 응결체인 소립자가 분해되면 개체의 특성이 사라지고 형체가 없는 무형의 에너지 장으로 회귀하는 것입니다.

한민족의 정신을 품고 있는 『천부경』은 다음과 같이 말하고 있습니다.

一妙衍萬往萬來用變不同本
일묘연만왕만래용변부동본

하나(一)가 시작하여 묘리(妙理)를 한없이 펼쳐내니
삼라만상이 가고 오며 무수히 쓰임을 달리하지만
본(本)이 되는 하나(一)는 변함이 없다.

천지인 만물은 생장수장(生長收藏)의 이치로써 끝없이 순환하며 天과 地, 理와 氣, 有形과 無形, 陽과 陰, 낮과 밤이 서로 고리(環환)를 이루며 하나(圓원)를 완성하고 있습니다. 그 하나(一)는 묘리(妙理)로써 만물만상(萬物萬象)을 펼쳐내며, 가고 오고 한없이 순환하지만 본디 하나(一)라는 본질에는 변함이 없는 거죠.

'루프 양자 중력이론(Loop Quantum Gravity)'은 수학적 형식으로 이러한 공간 원자와 원자들 간의 진화를 정의하는 방정식을 설명합니다. '루프(loop)', 즉 '고리(環)'라고 부르는 이유는 모든 원자가 고립되어있는 것이 아니라 다른 비슷한 것들과 고리로 연결되어 공간의 흐름을 이어주는 관계 네트워크를 형성하기 때문입니다.[5]

---

5) 카를로 로벨리, 김현주 역, 『모든 순간의 물리학』, ㈜쌤앤파커스, 2016, p.81-82

서로와 서로를 연결하는 원리인 환(環)은 우주에 존재하는 사물들을 그물 같은 관계망으로 구성하여 사물 간의 상호작용, 상호의존, 상호관계를 형성하는 공존시스템이라 할 수 있습니다. 사물 개체는 독존(獨存)이 아니라 관계망 속에서 상호연결되어 타자(他者)를 필수적인 구성요소로 서로 의존하며, 끊임없는 상호작용을 통하여 자신의 존재를 보장받고 있죠. 상대와의 공존을 통해 자신의 존재를 확인받는 것입니다.

　　만물은 '독존(獨存)'이 아니라 우주적 연결망 속에서 전일성(全一性)으로 공존하며, 이는 타자를 필수 불가결한 존재로 인정하여 상호의존함으로써 존재할 수 있음을 의미합니다. 본서는 천인지(天人地)가 서로 고리(環)를 이루어 공존하는 상호관계성의 시스템을 '환존(環存)'이라 정의합니다.

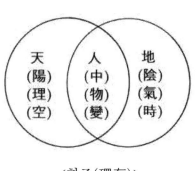

<환존(環存)>

　　사주팔자는 일간(나)을 기준으로 나머지 간지와 상호작용을 통하여 '나'라고 하는 독특한 존재를 표현해냅니다. 일간(日干) 혼자서는 '나'라고 하는 복잡다단한 존재를 모두 표현할 수는 없겠죠. 마찬가지로 사주 여덟 글자로 정의된 '나'는 또 다른 사주팔자와 상호작용을 통해 '우리'라고 하는 독특한 존재를 만들어냅니다. 그리고 우리는 또 다른 '우리'를 만나 독특한 '공동체'를 창조해내죠.

　　『주역』은 이것을 "보합대화(保合大和)"[6]라는 멋진 어휘로 정의하고 있습니다. 주희(朱熹)는 대화(大和)란 음양이 모인 충화지기(沖和之氣)이며, 보합(保合)이란 이미 생겨난 중화지기(中和之氣)를 온전하게 보전하는 것이라 주석하고 있습니다.[7] 대화(大和)는 음양의 상호작용으로 이루어내는 균형과 조화의 최고단계로서 수많은 중화 중화가 모여 상호

---

6) 『周易』, 乾卦「象傳」, "保合大和 乃利貞"
7) 朱熹, 『周易本義』, "大和陰陽會合沖和之氣也 (……) 保合者 全於已生之後"

작용을 통해 최고의 가치로써 지향하는 목적지점이라고 할 수 있죠.

음양의 상호작용은 대립과 대대를 통해 균형과 조화를 찾아가며 중화를 지향합니다. 중화는 음양의 미묘한 차이가 만들어내는 다양한 접점을 의미하며, 이것은 중화와 중화가 모여 더 큰 중화를 이루며 전일성(全一性)을 이루는 우주적 대조화(大調和)를 지향한다는 것을 의미합니다.

각기 사물의 개체 변화는 부분적으로 불균형을 야기할지 몰라도 우주 총체적으로는 균형과 조화를 이루고 있어 근원적으로는 음양의 합을 이루고 있는 태극처럼 안정되어 있다는 의미입니다. 『주역』은 이것을 "천하의 모든 변화는 항상 하나로 귀일(歸一)된다."[8]라고 표현하고 있습니다.

우주의 한구석 지구라는 별의 한 모퉁이에서 광대무변(廣大無邊)한 공간을 가득 채운 별들을 바라보며 인간은 존재에 대한 까닭을 끊임없이 궁구해왔습니다. 하늘과 땅은 무엇이며 나는 왜 이곳에 있는지에 대한 탐구는 호기심 많은 이성적 인간으로서 마땅히 품을 수 있는 의심이고 또한 당연한 권리이기도 했습니다.

> 아우구스티누스는 하느님이 세상을 창조하기 전에 무엇을 하고 계셨을까 하는 물음에 대해서 그가 들었던 대답이라고 농담조로 보고한다.
> "깊은 신비를 조사하려는 너 같은 자들을 위해 지옥을 만들고 계셨다."[9]

에덴동산의 우화는 인간의 호기심을 원천적인 원죄의 틀에 씌워 단죄함으로써 인간의 지적 탐구를 무지의 울타리에 가두는 우를 범하고 있습니다. 무지가 곧 선이 되고 지혜가 악이 되는 논리는 인간의 의식을 예속화시키는 결과를 가져오죠. 카를로 로벨리는 "무지에 만족하고 이

---

8) 『周易』, 「繫辭傳下」, 第1章 "天下之動 貞夫一也"
9) 카를로 로벨리, 김정훈 역, 『보이는 세계는 실재가 아니다』, ㈜쌤앤파커스, 2018, p.258.

해하지 못하는 것을 무한이라 부르면서 앎을 다른 곳에 위임해버리는 사람처럼 무지한 사람은 없다"라고 말합니다.

현대물리학인 양자역학은 보이지 않는 극미의 영역으로 들어가 우주 만물의 근원을 들여다보고 있습니다. 언젠가 과학이 삶과 죽음, 인간의 존재 목적을 밝혀줄 날이 올까요?

『주역』이나 『사주명리학』은 아직 과학이 밝혀내지 못하는 인간의 신비로운 삶의 파노라마, 그리고 과학과 종교의 영역을 대신하고 있습니다. 과학이 답을 주지 못하는 생로병사의 의미와 존재의 목적, 삶의 이치를 설명해주고 있죠. 과학과 철학은 동체이면이라 할 수 있습니다. 양자역학을 공부하다 보면 이게 철학인지 종교인지 과학인지 아리송할 때가 많습니다. 양자물리학은 동양 철학적 용어를 빌려 설명하지 않으면 3차원적 세계관의 과학적 언어로만 설명하기는 뭔가가 부족하죠.

『주역』이나 『사주명리학』을 단순히 술법이나 술수로 취급하기에는 그 의미가 너무나 크다고 할 수 있습니다. 지금도 동양철학의 샘물인 『주역』과 『양자물리학』의 접점을 모색하는 시도가 계속되고 있죠. 학문적으로 곧 조우할 날도 머지않았다고 생각합니다.

우주를 생성하는 근원인 음양(陰陽)과 지구의 사시 순환을 표상한 오행(五行), 그리고 이것을 상(象)으로 표현한 『주역』, 문자로 표현한 간지(干支), 나의 좌표인 사주팔자(四柱八字)를 통해 스스로 자기 자신을 돌아보고, 주체적으로 존재를 탐구하는 계기가 되기를 바랍니다.

제1강 우주를 담은 『주역(周易)』

나는 누구일까요?

내가 존재하는 이 우주는 도대체 무얼까요?

우리는 누군가에 의해 창조된 걸까요?

나는 지금 어디를 가고 있는 거지요?

셀 수 없는 무수한 밤하늘의 별들을 바라보며 누구나 그래왔듯이 우리는 숱한 날을 생각하고 생각합니다.

그러나 복잡다단하고 무한무량한 우주 삼라만상을 이해한다는 것은 우주의 한구석 먼지보다도 더 먼지 같은 극미세한 지구에 사는 한 개인으로서는 불가능한 일이라 할 수 있습니다.

그렇다면 우리는 우주를, 그리고 인간을 어떻게 규정하고 이해해야 할까요?

어떤 이는 무한(無限)에 대해서 본 적도 없고, 누군가에게 전해 들은 신에게 모든 걸 믿고 맡겨 버리고 말죠. 어떤 이는 무지에 대해 자신을 인정하고 스스로 무지를 탐구하며 찾아 나서기도 합니다.

우선 우주를 몇 개의 개념으로 개략화시켜 보죠. 몇 개의 카테고리로 범주화하는 것입니다. 미세한 것 하나하나를 분석한다는 것은 무한부량한 행성 하나하나를 세는 것과 같고, 우리 몸을 구성하는 원자들의 숫자를 세는 것과 같을 것입니다. 사실상 불가능에 가깝죠.

『주역(周易)』은 우주 삼라만상을 「건(乾)·태(兌)·리(離)·진(震)·손(巽)·감(坎)·간(艮)·곤(坤)」이라는 8개의 괘상으로 간략화시키고 있습니다. 지구상의 만물을 8개로 범주화(category)한 것이죠. 이것은 『전체와 부분』이라는 하이젠베르크의 원리로 설명할 수 있습니다. 전체 속에 부분이 있고 부분은 곧 전체와 같다는 이론입니다. 나의 일부분인 유전자 세포 하나를 떼어 내 나라고 하는 전체를 똑같이 복제하는 현대 과학도 가능한 이론입니다. 신라의 의상대사는 이것을 일중다 다중일(一中多 多中一)이라고 간단하게 설명하고 있습니다. 『주역』은 『계사전』에서 '역여천지준(易與天地準)'이라 하여 '역(易)은 천지(天地)와 똑같다'라고 정의를 내리고 있습니다. 지구는 곧 우주의 축약인 셈이죠. 우리는 지구를 앎으로써 우주를 이해할 수가 있습니다.

아무튼, 『주역』의 8개의 괘상을 이해하면 우주 삼라만상의 복잡다단한 변화를 이해할 수 있는 것은 물론 우주의 창조원리, 그리고 더 나아가 "나"라고 하는 존재 이유도 탐구할 수가 있습니다.

괘상은 3개의 효로 구성되어 있습니다. 즉, 음효(--)와 양효(一) 2개의 부호를 가지고 3효로 구성된 8개의 괘상을 만들 수가 있습니다. 현대물리학인 양자역학은 물상의 근원으로 들어가면 결국 음과 양의 대칭성을 발견할 수 있다고 합니다. 음양의 대립과 상호작용을 통하여 원자를 형성하고, 원자는 분자를, 분자는 물질을, 그리고 물질은 생명을 잉태하게 되는 것이지요.

물상	천(天)	택(澤)	화(火)	뢰(雷)	풍(風)	수(水)	산(山)	지(地)
속성	건(乾)	태(兌)	리(離)	진(震)	손(巽)	감(坎)	간(艮)	곤(坤)
괘상	☰	☱	☲	☳	☴	☵	☶	☷

<우주 창조원리를 표상한 복희팔괘도(우주역)>

그림을 보면 팔괘도 내부의 태극문양은 음과 양을 의미합니다. 즉 빨간색은 양효(─), 파란색은 음효(--)를 상징하죠. 이 음양의 상호대립과 상호작용을 통해 음효와 양효로 이루어진 다양한 괘상 8개를 생산합니다. 이것이 바로 복희팔괘라고 하는 동양철학의 근간이 되는 『주역』의 시작점입니다.

이 8개의 괘(소성괘)를 상하로 중첩하면 6개의 효로 이루어진 대성괘가 만들어집니다. 3효로 이루어진 8개의 복희팔괘가 "본체"라면, 6효 이루어진 대성괘는 모두 64개로서 "작용"을 의미합니다. 즉 8괘가 우주의 기본 요소라고 한다면, 64괘는 그 기본 요소가 상호작용을 통하여 만물의 변화를 다양하게 표현한 것이라 할 수 있습니다.

『주역』「계사전」에서는 이것을 다음처럼 표현하고 있습니다.

> 역(易)에 태극(1)이 있으니, 이것이 양의(2)를 내고, 양의가 사상(4)을 내고, 사상이 팔괘(8)를 내니, 팔괘가 길흉을 정하고, 길흉이 대업을 생하도다.[10]

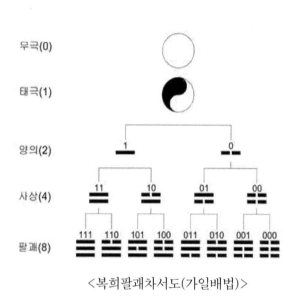

<복희팔괘차서도(가일배법)>

이것을 수리로 표현하면 1-2-4-8이 되고 더 나아가면 16-32-64로 이어지면서 64괘로 확장이 됩니다. 자세히 들여다보면 2진법 수리가 드러나는 것을 알 수가 있죠. 『주역』에서는 이 수리적 원리를 가일배법(加一倍法)이라 하고 있습니다.

즉, 음양미분(陰陽未分)의 혼돈 상태인 무극(0)에서 상반된 음양으로 분별 됨으로써 질서를 잡은 태극(1), 대립

---

10) 『주역』, 「계사전상」 제11장, "易有太極 是生兩儀 兩儀生四象 四象生八卦 八卦定吉凶 吉凶生大業"

인자인 음양은 대립과 상호작용을 통하여 사상(四象)을 낳고, 음효와 양효 2개의 효로 이루어진 사상은 팔괘(八卦)를 생성함으로써 만물만상은 8개의 카테고리로 범주화됩니다.

상괘 / 하괘	0	1	2	3	4	5	6	7
0	000000 0	000001 1	000010 2	000011 3	000100 4	000101 5	000110 6	000111 7
1	001000 8	001001 9	001010 10	001011 11	001100 12	001101 13	001110 14	001111 15
2	010000 16	010001 17	010010 18	010011 19	010100 20	010101 21	010110 22	010111 23
3	011000 24	011001 25	011010 26	011011 27	011100 28	011101 29	011110 30	011111 31
4	100000 32	100001 33	100010 34	100011 35	100100 36	100101 37	100110 38	100111 39
5	101000 40	101001 41	101010 42	101011 43	101100 44	101101 45	101110 46	101111 47
6	110000 48	110001 49	110010 50	110011 51	110100 52	110101 53	110110 54	110111 55
7	111000 56	111001 57	111010 58	111011 59	111100 60	111101 61	111110 62	111111 63

<2진법 수리로 정렬된 「복희역64괘방도」>

　태극은 음양이 동등하게 나뉘어 상호작용함을 보여주고 있으며, 3개의 효로 구성된 괘(卦)는 음양이 어느 한쪽으로 편중되어 있음을 알 수가 있습니다. 그러나 8괘의 구성요소인 24효를 보면 양효 12개, 음효 12개로 완전한 균형을 이루고 있음을 보여주고 있죠. 마찬가지로 우주의 다양한 양태는 8괘를 상하로 중첩시킨 64괘로써 복잡다단한 모습으

로 드러나지만, 64괘를 구성하는 음효와 양효의 수는 음효 192개 양효 192개로서 전체 384개를 균등하게 구성하고 있음을 알 수가 있습니다.

독일의 철학자이자 수학자인 라이프니츠가 송대의 소강절 선생이 발견한 가일배법(加一倍法)이라는 『주역』의 생성원리를 보고 컴퓨터의 기본원리인 이진법을 창안했다는 것은 이미 널리 알려진 사실이죠.

아무튼, 음과 양으로 형성된 『주역』 8괘는 무한한 우주 삼라만상을 개략한 것으로서 8괘를 중첩한 64괘의 작용을 통해 우리는 우주를 읽고, 사시의 변화를 읽고, 인간의 생로병사의 길흉을 읽을 수가 있습니다. 『주역』을 안다는 것은 우주를 아는 것이고 우주 속의 나 자신을 아는 것이지요. 『주역』은 하느님이 주신 보물입니다.

제2강 나는 누구인가?

나는 누구인가?

주민등록번호는 대한민국 영토 내에서 나의 시공간적 위치를 표시합니다. 주민등록번호가 공개되면 내가 언제 어디에 있는지, 지금 내가 무엇을 하고 있는지 나에 대한 모든 시공간 정보가 오픈되죠. 옛날에는 서로 결혼할 때에 사주단자에 사주팔자를 서로 보내 교환했습니다. 서로에게 모든 것을 오픈하는 것입니다. 사주팔자가 지금의 주민등록번호라고 생각하면 되겠죠.

사주팔자는 천간(天干)과 지지(地支)로 구성된 여덟 글자를 말합니다. 천간은 순수오행을 말하고, 지지는 오행으로 분류한 1년 12개월을 표현하죠.

10천간: 甲乙丙丁戊己庚辛壬癸
　　　　갑을병정무기경신임계

12지지: 子丑寅卯辰巳午未申酉戌亥
　　　　자축인묘진사오미신유술해

"애고 내 팔자야" "무자식이 상팔자" "다 팔자소관이지 뭐" "팔자가 꼬였나 봐"

우리가 무심코 내뱉는 팔자타령은 바로 천간과 지지로 구성된 나의 사주 여덟 글자를 말합니다. 우리가 알든 모르든 우리의 삶 속에는 사주팔자에 대한 인식이 무의식 저변에 내재하고 있는 것이죠.

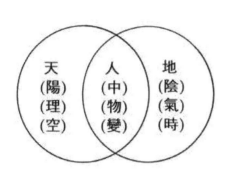

<환존(環存)의 원리>

천간(空)을 세로축에, 지지(時)를 가로축에 그래프로 배치하면 人(變)의 시공간적 위치가 드러납니다. 공간(天)과 시간(地)이 서로 만나 인(人)이라는 변화(變)를 만들어내는 것이죠.

대립적 성질인 양과 음이 밀고 당기면서 합일점을 찾아 중화를 이루어내는 것과 이치가 같습니다.

천지인(天地人)은 공시변(空時變)으로 대신할 수가 있습니다. 천(天)이 공간이라면 지(地)는 만물이 생로병사를 경험하는 시간입니다. 나(人)는 하늘(天)과 땅(地)이 서로 만나 상호작용함으로써 생한 물(物)입니다. 그러므로 천간(天干)과 지지(地支)를 안다면 시공간(時空間) 속의 나라는 존재를 인식할 수가 있는 것입니다.

태어난 생년월일시를 천간과 지지로 전화(轉化)한 것이 사주팔자입니다. 나의 사주팔자 속에는 나의 시공간에 대한 DNA가 내장되어 있습니다.

음양은 어떻게 시작되는 것일까?

음양이 나뉘지 않고 혼일된 상태를 무극이라고 합니다. 무극이란 음양이 미분된 상태로서 상호작용이 없는 적연부동한 "텅 빔"이라고 할 수 있죠. 그런데 이 "텅 빔" 속에서 만물이 시작됩니다. 만물이 시작되는 "텅 빔"은 결코 절대 없음, 즉 공무(空無)가 아니라 묘유(妙有)입니다. 노자(老子)는 이를 유무상생(有無相生)이라고 표현하고 있죠. 노자가 『도덕경』에서 언급한 "유(有)는 무(無)에서 나온다(有生於無유생어무)"라는 구절에서 무(無)는 결코 절대 없음(空無)이 아닌 묘한 있음(妙有), 즉 공즉묘유(空卽妙有)인 셈이지요. 유형(有形)과 무형(無形)은 동체이면으로서 동일체를 구성하고 있는 하나(一)일 뿐입니다. 『반야심경』에서 말하는 공즉시색(空卽是色) 색즉시공(色卽是空)을 의미하는 것이라 할 수 있습니다,

송대의 기본체론자(氣本體論者)인 장재(張載)는 그의 저서 『정몽』에서 이것을 태허(太虛)라고 정의했는데, 보이지도 않고 만져지지도 않고 느껴지지도 않지만, 이곳에서 만물만상(萬物萬象)이 태어난다고 했습니다. 양자 물리학적 관점에서 보면 태허(太虛)는 에너지의 바다, 즉 Quantum Field(양자장)를 의미합니다.

> 태허(太虛)는 무형(無形)으로 기(氣)의 본체(本體)이다. 그것이 모이고 흩어짐은 변화하는 일시적인 형태일 뿐이다.[11]

호수(太虛)의 물(氣)은 얼면 얼음(物)이 되고 녹으면 다시 물로 돌아갑니다. 사물이란 얼음처럼 기(氣)의 일시적인 응취라고 장재는 표현하고 있죠. 일시적인 응취(凝聚)가 풀리면 다시 사물은 에너지(氣)의 바다인 태허로 돌아가는 것입니다. 사물이란 휘몰아치는 기(氣)의 바다에서 일시적으로 기가 응결된 한순간 한 단면일 뿐입니다. 장재는 이것을 객형(客形)이라는 멋진 표현을 사용하고 있죠. 사물이란 손님처럼 일시적으로 머문 기의 형상, 일시적으로 형상을 만들고 다시 흩어지는 구름입니다.

기(氣)의 취산(聚散)이 태허(太虛)에서 말미암음은 마치 얼음의 얼고 녹음

---

11) 張載, 『正蒙』, 「太和」, "太虛無形, 氣之本體, 其聚其散, 變化之客形爾."

이 물로부터 말미암은 것과 같다. 따라서 태허가 곧 기임을 알면 무(無)의
세계란 없다는 것을 알게 된다.[12]

양자장(量子場)은 근본적인 물리적 실체, 즉 공간 어디에나 존재하는 연속
적인 매체로 여겨진다. 소립자들은 단지 그 장(場)의 국부적인 응결에 불과
하다. 에너지의 집결로서 그것들은 왔다가 가 버림으로써 개체의 특성이 상
실되고 바닥의 장으로 융합된다.[13]

여기에서 기(氣)는 음양을 의미합니다, 역학적(易學的) 의미에서의
기는 현대물리학적 관점에서 장(Quantum Field)이 됩니다.

극미의 영역인 양자장은 눈으로 볼 수 없고 만질 수도 없고 느껴지
지도 않죠, 현대물리학에서 말하고 있는 장(場), 역학(易學)에서 말하고
있는 기를 이해하기 위해서는 시각화를 통해 개념을 정리하여야 합니
다. 기(氣)나 장(場)은 만물의 근원인 음양(陰陽)입니다. 우주를 이해하
기 위해서는 만물만상을 낳는 근본 에너지인 氣(場)를 이해해야 하겠
죠. 즉 음양의 시각화를 통해서 만물을 낳는 근원을 이해함으로써 눈에
보이는 사물을 이해하는 것입니다.

만물의 근원, 극미의 세계로 들어가 보면 볼수록 점차 입자는 세밀해
질수록 파동에 가까워집니다. 양자물리학을 공부하다 보면 사물의 근원
을 들어가면 갈수록 입자이면서 파동이라는 수수께끼 같은 상황과 마주
하게 됩니다. 양자물리학에서는 양자장의 마술적인 요소를 언어로 표현
하기가 어려워 동양철학에서 기(氣)라는 용어를 차용하여 설명하고 있
죠.

간단히 말하면, 입자일 때는 보이는 세계, 파동일 때는 보이지 않는
세계로 설명할 수가 있습니다. 셀 수 있는 입자는 다(多)가 되고, 셀 수
없는 파동은 일(一)이 되죠. 우주 만물은 입자일 때는 다(多)이지만, 파

---

12) 張載, 『正蒙』, 「太和」, "氣之聚散於太虛, 猶氷凝釋於水, 知太虛卽氣, 則無無."
13) 프리초프 카프라, 김용정·이성범 공역, 『현대물리학과 동양사상』, 범양사, 2017,
    p.275.

동일 때는 다시 하나(一)가 됩니다. 다즉일(多卽一)이면서 일즉다(一卽多)가 되는 것이죠, 의상대사는 이것을 "하나 속에 만물이 들어있고 만물은 각각 하나를 품고 있다(一中多 多中一)"라고 멋지게 정의하고 있습니다. 무한무량한 우주 삼라만상은 천태만상이지만 하나의 유기적 동일체라고 할 수 있는 것입니다.

음양미분(陰陽未分)의 상태, 상대성인 음양의 대립이 없는 무극은 "텅 빔(空)"입니다. 이 적연부동한 텅 빔 속에는 만물의 씨앗인 천지인(DNA)이 내장되어 있습니다. 어느 순간 음양이 삐끗 어긋나면서 서로 대립하며 상호작용을 시작합니다. 음양이 어긋난다는 것은 음양이 대소·장단·강약(大小·長短·强弱)으로 상호대립을 시작한다는 것을 의미합니다.

음양이 완전한 상호균형을 이루고 있다면 음양의 대소·장단·강약이

드러나지 않아 작용이 없는 무극(無極)이 되고, 0.0000000……1이라도 어긋나는 순간 대소·장단·강약이 발생하면서 상호작용이 시작되는 것입니다. 이것은 현대물리학적 개념으로 천지창조의 순간, 즉 빅뱅(bigbang)이라고 할 수 있습니다. 『주역』은 이것을 "태극(太極)"이라고 명명하고 있습니다.

<태극>

태극의 S라인은 음양이 대소·장단·강약으로 나뉘어 상호대립하면서도 상호보완하며 완전한 태극원을 이루고 있습니다. 태극이 상징하는 음양의 대립(對立)과 대대(對待)는 상대적(相對的)이면서도 상보적(相補的)인 원리를 보여주고 있습니다. 정중앙은 대소·장단·강약이 없는 완전한 균형점을 이루는 무극의 자리입니다.

무극은 태풍의 눈으로서 살짝 벗어나기만 해도 태풍의 회오리(음양의 상호작용)에 휘말리게 되는 것이죠. 상하 운동을 하는 시소의 정중앙이 무극의 자리입니다. 음이든 양이든 중앙지점을 살짝만 어긋나도 상하

운동이 시작되는 것이죠. 음이든 양이든 중앙지점을 살짝만 어긋나도 상하 운동이 시작되는 것이죠. 상반된 성정의 음과 양이 상충과 화해를 반복하면서 음양의 상호작용으로 만물의 창조를 시작하는 것입니다.

옛 성인들은 우주 만물을 낳는 양자 물리학적 만물만상의 근원인 음양을 이미 들여다보고 있었습니다.

『도덕경』
道生一 一生二 二生三 三生萬物
도생일 일생이 이생삼 삼생만물

道(無)는 하나(태극)을 낳고, 태극은 陰陽을 낳으니 陰陽은 천지인을 낳고 천지인은 만물을 낳는다.

『주역』
易有太極 太極生兩儀 兩儀生四象 四象生八卦
역유태극 태극생양의 양의생사상 사상생팔괘

易(無)은 태극을 품고 있으니 태극은 陰陽을 낳고 陰陽은 사상을 낳고 사상은 팔괘를 낳는다.

『천부경』
天二三 地二三 人二三 大三合六 生七八九
천이삼 지이삼 인이삼 대삼합육 생칠팔구

천(天)은 음양으로 만물을 낳고, 지(地)는 음양으로 만물을 낳고, 인(人)은 음양으로 만물을 낳으니 천지인(天地人)이 합하여 육六(64괘)이 되고, 24절기로 표상되는 지구의 사시사철 생로병사를 순환하는 생장수장의 이치를 드러낸다.

역학(易學)에서 음양은 「--(음) -(양)」이라는 부호로 표시합니다.

양자역학(量子力學)에서는 「+(양) −(음)」으로 표시하고 있습니다. 이로써 우리는 보이지 않는 극미의 영역, 만물을 낳는 근원을 시각적으로 표상함으로써 만물의 생성원리를 설명할 수가 있게 되었습니다.

『주역』은 음양을 「-- −」이라는 부호(象)로 표시하고, 『사주명리학』은 천간(天干)이라는 문자(文字)로 표현하고 있습니다.

오행(五行)은 만물을 목화토금수(木火土金水) 다섯 가지의 성질로 분류한 것을 의미합니다.

음양이 만물을 낳는 동력원이라고 한다면, 오행은 음양으로 작동시키는 만물의 순환시스템이라고 할 수 있습니다. 오행이란 음양에서 사상을 거쳐 오행 장치로 시스템화된 것으로 오행에도 음양의 성정이 내재하고 있습니다.

오행이 분화되어 상으로 표상된 것이 『주역』 팔괘(八卦)이고, 문자로 표현된 것이 『사주명리학』의 천간(天干)입니다.

<주역과 사주명리의 상관관계>

무극 ⇨ 태극 ⇨ 음양 ⇨ **四象(5土)** ⇨ **8괘(象): 64괘(주역)**
무극 ⇨ 태극 ⇨ 음양 ⇨ **四時(5土)** ⇨ **10천간(文字): 60갑자(명리)**

오행에서 문자로 분화된 천간을 살펴보겠습니다.

목(木)은 甲木(양)과 乙木(음)으로 나뉘고, 화(火)는 丙火(양)와 丁火(음)로 나뉘고, 토(土)는 戊土(양)와 己土(음)로 나뉘고, 금은 庚金(양)과 辛金(음)으로 나뉘고, 수는 壬水(양)와 癸水(음)로 나뉘어 음양의 성정을 표현합니다. 5토는 중토(中土)로서 사계절의 중앙에서 사계절이 표현하는 사상과 작용하니 이를 오행이라고 합니다.

천간을 물상적으로 이해를 할 때 『주역』 팔괘는 대단히 중요합니다. 우주 만물을 생성하는 기운인 오행이 단순히 눈에 보이는 사물을 비유해서 판단하는 것은 견강부회하는 실수를 범할 수도 있습니다. 『주역』

의 괘상은 성인이 앙관부찰(仰觀俯察) 함으로써 만물의 근원에서 작용하는 에너지(氣)인 음양을 시각화함으로써 물상을 표상한 것이므로『주역』의 괘상을 통하여 천간을 이해하는 것이『사주명리학』을 고도로 인문·철학화하는 방법이라 할 수 있습니다.

오행	木		火		土		金		水	
음양	양	음	양	음	양	음	양	음	양	음
천간	甲	乙	丙	丁	戊	己	庚	辛	壬	癸
괘상	☳	☴	☲	☲	☷	☶	☱	☰		☵

음양에서 발화한 목화금수(木火金水) 사상(四象)이 중앙의 5토와 상호작용함으로써 우주 만물의 구성요소인 팔괘를 내고 64괘의 상을 펼쳐내는 것을 연구하는 것이『주역학』입니다.

巽☴風 乙	離☲火 丙丁	坤☷土 己
震☳雷 甲	土	兌☱澤 庚
艮☶山 戊	坎☵水 癸壬	乾☰天 辛

<천간과 문왕팔괘도>

중앙의 5토가 목화금수(木火金水) 사시(四時)를 돌려 10천간을 내고 60갑자를 펼쳐내는 것을 연구하는 것이『사주명리학』입니다.

지지(地支)는 춘하추동 사시를 1년 12개월이라는 단위로 나누어 사시 순환을 표현하는 방법입니다. 지지는 천간에 의해 음양오행의 성정을 부여받게 됩니다.

제3강 우연과 확률적 규칙성

극미의 영역을 탐구하는 양자물리학은 보이지 않는 세계에서 일어나는 작용을 '불확실성'으로 규정하고 있습니다. 연기론이 적용되는 현실 세계는 원인과 결과가 서로를 의지하며 연결이 되고 있죠. 어떤 결과는 반드시 그 원인이 있다는 것입니다. 무게가 정확히 측정되는 돌을 정확히 측정되는 힘으로 던지면 정확한 거리가 산출됩니다. 너무나도 당연히 수학적이면서도 과학적인 근거를 가지고 있습니다. 그래서 우주선은 정확하게 지정된 장소에 착륙할 수가 있는 것이죠.

그런데 극미의 영역인 원자(atom)의 세계에서는 물질로 상징되는 현실 세계의 수학적 규칙성이 아무런 의미가 없는 수수께끼 같은 마법 세상이 펼쳐집니다.

극미의 세계를 구성하는 원자는 원자핵과 전자로 이루어져 있으며, 원자핵은 양성자와 중성자로 이루어져 있습니다. 그리고 양성자와 중성자는 각각 여러 개의 쿼크(quark)로 이루어져 있으며, 앞으로 과학의 진전에 따라 더 깊은 미세의 영역에서는 새로운 발견이 계속해서 이루어질 수 있음도 간과할 수 없습니다.

양자물리학이 정의하고 있는 양자장(Quantum Field)의 세계는 하이젠베르크의 불확정성의 원리가 지배하고 있습니다. 전자(電子)는 여기에 있다가 아무런 규칙 없이 저기에 나타나죠. 그래서 극미의 영역은 확률적으로 규칙성을 판단할 수밖에 없는 불확실성을 기반으로 합니다.

현상의 세계에 적용되는 수학적 이치가 무용한 원자의 불확정성은 어찌 되었든 만물을 구성하는 기본 질료입니다. 즉 극미의 불확정한 움직임은 현상 세계의 확정적인 사물을 구성한다고 하는 것이죠.

원인과 결과가 뚜렷한, 보이는 세계의 만물을 구성하는 극미의 원자는 원인과 결과가 아무런 연관이 없이 움직이고 있습니다. 모순이라고할 수 있죠. 그래서 보이지 않는 극미 세계는 확률적 통계를 가지고 움직임을 판단할 수밖에 없습니다. 당연히 이들이 구성하고 있는 보이는 세계의 만물도 확률적 통계를 가지고 불확실성으로 판단할 수밖에 없어야 합니다.

그러나 현실에서 우리는 원인과 결과를 서로 연결하여 판단하고 있습니다. 우리는 현 세상을 원인과 결과가 연결되는 연기론적 세계관으로 바라보고 있죠. 그래서 선한 자는 천국에 들어가고 악인은 지옥에 간다는 종교적 보상 논리가 성립됩니다.

현대물리학이 발견한 사물의 초미세 영역으로 들어가 보면 거시세계에서 발견되는 원리와 그 법칙이 무시되는 또 다른 신비한 마술과 같은 세계를 마주하게 됩니다. 모든 물질은 초미세 입자인 원자로 이루어져 있으며, 원자는 그 안에 쿼크(quark)라는 이름의 더 작은 요소들을 포함하고 있죠. 입자는 더 깊이 안으로 들어가 보면 결국 파동으로 나타나고, 이는 양자장이라는 "입자와 파동의 이중성"[14]으로 귀결됩니다. 미시세계는 거시세계에서의 "위치와 운동량의 법칙"[15]이 무시되는 불

---

14) 파동-입자 이중성(波動粒子二重性, wave-particle duality)이란 양자역학에서 모든 물질이 입자와 파동의 성질을 동시에 지니고 있음을 의미한다. 고전역학에서는 파동과 입자가 매우 다른 성질을 지니지만, 양자역학에서는 두 개념을 하나의 개념으로 통합한다. 토마스 영은 이중슬릿 실험에서 입자성과 파동성 동시에 나타날 수 있음을 밝혀냈다.

15) 거시세계를 다루는 고전역학에 의하면 전자의 위치와 운동량은 전자가 어떤 상태에 있든지 항상 동시 측정이 가능하지만, 미시세계를 다루는 양자물리학에서는 위치와 운동량을 동시에 측정할 수 없다고 본다(불확정성의 원리).

확정한 상태에 놓여 있습니다. 초미세 영역인 원자 세계에서의 모순적이고 무질서하며 불확정한 상태가 어느 시점과 어느 지점에서 거시세계의 기계적인 인과율이 적용되기 시작하는지는 아직 과학적으로 증명된 바는 없습니다.

뉴턴은 신(神)이 입자와 입자들 사이에서 작용하는 힘, 그리고 변하지 않는 불변의 법칙을 태초에 창조하였다고 생각했습니다. 그래서 '모든 사건은 그것에 따른 원인을 가지고 있다'라고 보았죠. 그런데 양자론은 원인 없이 일어나는 결과를 허용함으로써 '원인과 결과'의 인과론적 사슬을 끊어버리게 됩니다.

> 금세기 초 원자 세계의 불확정성이 발견되기 전까지는, 모든 물체는 엄격히 역학(力學)의 법칙을 따르는 것으로 추측되었다. 그 역학의 법칙이 작용하기 때문에 별들은 궤도를 돌고, 총에서 튀어 나간 탄알은 곧장 과녁에 가서 맞는다고 생각되었다. 원자는 그 내부의 구성 성분들이 정확한 시계처럼 회전하고 있는, 마치 태양계를 축소한 모형과 같은 것으로 상상되었다.
> 그것은 환상임이 밝혀졌다. 1920년대에 원자의 세계는 암흑과 혼돈으로 가득 차 있다는 것이 드러났다. 전자 같은 입자는 전혀 정해진 궤도를 따르는 것 같지 않다. 한순간에는 그것이 여기서 발견되고, 다음 순간에는 엉뚱하게 저기에 있다. 전자뿐만 아니라 모든 원자 이하의 입자들-심지어 원자 전체-은 어떤 특정한 운동에 속박되지 않는다. 우리가 일상적으로 체험하는 모든 단단한 물체들은 그 내부를 자세히 들여다보면 덧없는 허깨비들의 대소동으로 변해버린다. 불확정성은 양자론의 근본적인 성분이다. 그것은 곧바로 '예측할 수 없음'으로 귀결된다.[16]

양자물리학에 따르면 '입자의 위치를 정확하게 측정하려고 하면 그 입자의 운동량이 정확하지 않게 되고, 운동량을 측정하려고 하면 그 위치가 정확하지 않게 됩니다.' 그러므로 양자(量子)의 미시적 세계는 불확실성이 지배하는 우연성에 기반을 두게 되고, 그러므로 예측은 확률적으로 판단할 수밖에 없게 되죠. 이러한 미시세계의 근원적인 불확정

---

16) 폴 데이비스, 류시화 역, 『현대물리학이 발견한 창조주』, 정신세계사, 2020, p.159.

성은 과학적 측정기술과는 아무런 관련이 없습니다.

그렇다면 지금까지 우리의 삶을 지배해온 '원인과 결과'를 기본으로 하는 인과론적 사고의 틀은 완전히 무시하는 것이 옳은 것일까요? 현대과학의 주류인 양자물리학이 발견한 원자 세계의 불확정성이 자연의 본질이라면 우리는 어떻게 이 세상을 이해하고 예측할 수 있을까요?

사실, 극미의 영역에서 일어나는 불확정성의 원리가 지배하는 우연성은 너무나 미세하므로 현상 세계에 사는 우리로서는 그것을 보거나 느낄 수가 없습니다.

우리는 광대무변한 우주와 극미세한 양자장의 세계를 어떻게 정의해야 할까요? 우리는 보이는 세계와 보이지 않는 세계를 이해하기 위하여 그 대상을 간략하게 부호화함으로써 보다 쉽게 이해할 수 있는 방법이 있습니다.

여덟 개로 구성된 『주역(周易)』의 팔괘(八卦)는 음과 양이라는 두 개의 대립적 기운이 상호작용을 통하여 만물을 낳는 이치를 시각화한 것입니다. 우리는 괘의 상호작용을 통해 만물의 변화와 인사의 길흉과 득실의 이치를 이해할 수가 있습니다.

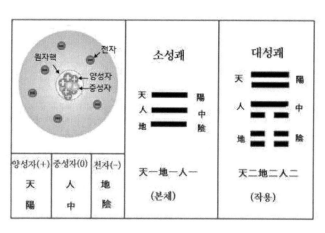

<원자(物)과 괘상(易)의 비교>

물질의 최소 단위인 원자는 '양성자(+), 중성자(0), 전자(-)', 즉 '양중음(陽中陰)' 3개의 요소로 이루어져 있고, 이것을 괘상으로 치환하면 天人地(陽中陰) 삼효(三爻)로 구성된 괘상(卦象)으로 표상할 수 있습니다. 그리고 원자와 원자가 상호작용함으로써 형성

하는 사물은 천지인(天地人) 삼효(三爻)가 상하로 중첩되어 육효(六爻)로써 상호작용하는 64괘로 표상할 수 있는 거죠.

만물의 근원에는 음양의 대칭성이 존재하며, 이는 우주 만물을 생성하는 근원적인 작용 원리가 됩니다. 양성자(+)와 중성자(0), 전자(-)로 구성된 미시세계의 원자는 음양의 상호작용으로 사물을 형성되고, 음효(--)와 양효(-)는 상호작용을 통해 만물을 표상한 天地人 三爻를 구성합니다. 원자(原子)가 양성자(陽), 중성자(中), 전자(陰)로 구성되어 있듯이, 괘(卦)도 양·중·음(陽·中·陰)로 구성됩니다. 괘상(卦象)과 물상(物象)의 근원적인 형태는 그 구성과 형태에 있어서 논리성이 일치한다고 볼 수 있습니다.

그렇다면 허공에 던져진 주사위와 주사위가 표상해 내는 괘상(卦象)의 의미는 무엇일까요? 공간에 던져진 주사위도 공간 입자 그 자체이므로 파동과의 공명을 이루면서 시공간의 변화와 작용을 그대로 표상해 냅니다. 즉, 주사위는 불확정한 상태에 놓여 있는 氣의 흐름 중의 한 단면을 그대로 포착하여 표상해 내는 것이죠. 그러므로 주사위를 통해 포착해낸 미시세계의 불확정성의 한 단면을 64괘로 전환하여 분석함으로써 거시세계의 인과관계 및 만물의 작용과 변화, 그리고 人事의 吉凶·得失을 읽어낼 수가 있습니다. 궁극적으로 인간은 괘(卦)의 해석을 통해 예지를 발휘하여 피흉추길(避凶趨吉)함으로써 득실을 판단하여 생존의 이로움을 취할 수가 있는 것입니다.

그러므로 보이는 것(顯현)과 보이지 않는 것(微미) 모두는 서로 그물망처럼 전일성(全一性)으로 연결됨으로써 허공 속에 던져진 주사위가 주변과 공명을 이루며 하나의 괘상으로 모습을 드러낼 때, 우리는 그 괘상의 변화를 분석함으로써 길흉·득실(吉凶·得失)을 점칠 수가 있습니다. 허공으로 던져진 주사위가 포착해낸 괘상(卦象)은 인사(人事)는 물론 주변의 환경, 그물망처럼 연결된 시공(時空)의 생태학적 변화까지도 포함하고 있습니다.

송대(宋代)의 리본체론자(理本體論者)인 정이(程頤) 선생은 "보이는 영역(有形)과 보이지 않는 영역(無形)에는 서로 간격이 없다(顯微無間 현미무간)"라는 멋진 표현을 하고 있는데, '나'라는 본체는 보이는 육신도 있지만, 현미경을 자세히 들여다보면 보이지 않는 원자들의 영역도 동시에 함께 구성요소로써 공존하고 있음을 알 수가 있습니다. 나는 유형(有形)과 무형(無形)이 함께 동체이면(同體裏面)으로써 하나의 동일체를 이루고 있는 존재입니다. 노자(老子)의 『도덕경』에 나오는 유무상생(有無相生)의 뜻이라 할 수 있죠.

생년월일시를 부호화한 사주팔자(四柱八字)는 내가 태어날 때 변화의 순간을 포착하여 에너지의 흐름을 천간(天干)과 지지(地支)로 문자화한 것이라 할 수 있습니다. 불확정성의 원리가 지배하는 극미 세계의 우연성은 우리 눈에는 보이지 않지만, 여덟 글자로 이루어진 사주팔자라는 인생의 명국(命局) 위에서는 확률적 규칙성으로 드러나게 되죠. 극미 세계의 불확정성이 사시 순환이라고 하는 현상계의 규칙성에 대입됨으로써 우리는 그 우연의 덩어리, 우연과 우연들이 모여서 만들어내는 확률 구름 속에서 어느 정도의 규칙성을 찾아낼 수가 있습니다. 사주팔자란 바로 극미 세계의 우연성, 즉 만물을 만들어내는 극미 세계의 우연의 확률성이 현상계에 확률적 규칙성으로 드러나고, 그 확률이 만들어내는 규칙성 속에서 우리는 내일을 예측할 수가 있는 것입니다. 사주팔자라는 여덟 글자 속에 내재된 확률적 규칙성을 통해서 우리는 그 안에 흐르고 있는 우연성의 이치를 확률적으로 분석할 수가 있는 것이죠.

우주적 관점에서 보면 시간이란 그냥 우연들의 덩어리에 불과한 짧은 찰나이지만, 현상계에서 숨 쉬며 사는 인간의 시간은 결코 짧은 시간이라 할 수 없습니다. 우연과 우연들이 모여서 하나의 확률 덩어리를 이루고, 그 확률 덩어리가 모인 확률 구름 속에서 우리는 우리에게 주어진 삶 속에서 반복과 순환하는 규칙성을 찾아냅니다. 바로 역학(易學)의 역할이라고 할 수 있죠. 우리는 지금 역학을 통해서, 우연들이 모인 확률 구름 속에서 변화의 이치를 탐구하고 있는 것입니다.

우연과 우연이 모여서 확률의 덩어리를 만들고, 덩어리 모여 확률 구름을 만들어냅니다, 사주팔자는 바로 우연들이 모인 확률의 순간을 포착하여 사시 순환이라고 하는 현상계의 규칙성에 대입함으로써 어느 정도 확률적으로 내일을 예측할 수가 있습니다. 우리가 보고 느끼는 이 세상은 결국 우연과 우연과 우연들이 모여서 확률 구름을 이루며 어느 정도의 루틴(routine)을 만들어내고 있는 것이라 할 수 있겠습니다.

오늘은 바로 극미 영역의 불확실성이 만들어내는 우연의 순간입니다. 우리는 우연이라고 하는 찰나를 우연으로 느끼지 못할 뿐입니다. 확률적 규칙성을 통해서 어느 정도 루틴으로 판단하고 있을 뿐이죠.

세상은 우연의 산물입니다. 우리가 만나는 사람들, 조건들, 상황들, 모든 것이 다 극미의 영역에서 음양의 상호작용이 만들어내고 있는 우연의 산물입니다. 우리는 오늘을 우연과 우연의 덩어리가 모여 만들어내는 일련의 규칙성으로, 즉 어느 정도 확률적 규칙성이 만들어내는 흐름의 루틴을 토대로 내일을 예측할 수가 있습니다.

우리는 변화의 순간들을 맞이할 때마다 그것이 나에게 득(得)이 되는지, 아니면 실(失)이 되는지를 판단합니다. 송대(宋代)의 주희(朱熹)는 "동즉변화(動卽變化)"라는 말을 했습니다. 즉, 내가 움직이지 않으면 변화는 일어나지 않는다는 것이죠. 미세의 영역에서 작용하는 우연이라는 변화는 끊임없이 일어나고 있지만, 내가 느끼는 현상계에서는 움직이지 않으면 아무 일도 일어나지 않습니다. 물론 미시계의 불확정성을 근본으로 하는 거시계도 불확정적인 우연성이 끊임없이 작용하고 있지만, 너무 미세해서 우리는 그 불확실성, 우연성을 보고 느끼지 못하고 있을 뿐입니다. 어쨌든 우연과 우연의 모음인 확률 구름이 만들어내는 확률적 규칙성으로서, 우리는 만물을 개념화한 『주역』 64괘의 변화를 통해서, 그리고 지구 안에서의 나의 좌표를 문자화한 사주팔자를 통해서 내일의 변화를 예측할 수가 있게 되었습니다.

제4강 역학의 갈래

음양의 상호작용으로 형성된 『주역』의 8괘는 문자가 아니라 상(象)입니다. 문자가 없던 시절 괘상(卦象)으로 압축된 의미를 통하여 우주 만물을 이해했던 거죠. 상은 함축된 의미가 커서 어느 정도 공부에 도달하지 못하면 그 뜻을 헤아리기가 쉽지 않습니다. 그러나 문자로 표현되는 경우에는 그 뜻을 표현하는 문자에 한정되어 이해하기는 쉽지만, 의미의 폭이 작아지는 단점이 있습니다.

어쨌든 『주역』에 관한 기본적인 이론과 상식, 역사적 줄거리에 대하여 잘 아시는 분들도 『주역』의 괘상과 괘·효사에 대해서는 정작 그 깊이는 잘 모르고 있는 경우가 많죠.

천간과 지지 여덟 글자로 구성된 『사주명리학』도 『주역』의 괘상과 마찬가지로 상반된 대립인자인 음양의 상호작용으로 시작이 됩니다. 음과 양의 상호작용으로 발생한 사상(四象)은 주역적 측면에서는 [노양⚌, 노음⚏, 소양⚎, 소음⚍]으로 드러나고, 그리고 명리학적 측면에서는 목화금수 사상을 조율하는 토를 포함하여 오행으로 드러나게 됩니다.

우주 만물의 형성과정과 작용을 정의하고 있는 『주역』은 음양의 작용으로 형성된 괘상(卦象)과 그 괘상을 풀이하는 괘사(卦辭)를 통칭합니다. 그렇다면 지구의 사시 순환에 따른 만물의 생장성쇠의 원리로 설명되는 오행(五行)은 어떤 과정을 통해서 주역에 접목된 것일까? 그리고 오행을 근간으로 만들어진 사주명리(四柱命理)는 『주역』과 어떤 상관관계를 맺고 있는 것일까?

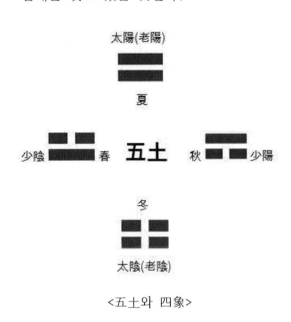

<五土와 四象>

『주역』은 기본적으로 음효(--)와 양효(一)로써 팔괘를 형성하고, 괘사(卦辭)와 효사(爻辭), 상수(象數) 및 효변(爻變)을 활용하여 우주 만물의 성쇠의 이치를 설명하고 있으며, 『사주명리』는 천간과 지지를 오행에 배속하여 생극제화의 원리로써 피흉추길(避凶趨吉)의 이치를 설명하고 있습니다.

사상(四象)은 「복희팔괘차서도」를 보면 단순히 음효와 양효가 한 번 더 음양의 분화과정을 거친 단계에서 나온 상입니다. 음양이 분화되어 사상을 이루고, 사상이 한 번 더 분화하여 팔괘를 이루는 과정에서 어떻게 오행이 자리매김하고, 춘하추동 사시(四時)와 관계를 맺게 되었을까요?

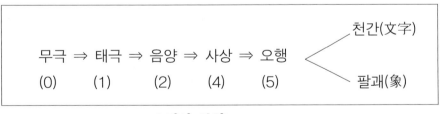

<오행의 분화>

『춘추번로』의 「오행상생」편을 보면 "천지의 기(氣)는 합해져서 하나가 되고, 나뉘어서 음양이 되고, 다시 갈라져서 사시(四時)가 되고, 펼쳐져서 오행이 된다(天地之氣 合而爲一 分爲陰陽 判爲四時 列爲五行)"라고 하고 있는데, 이 문장은 [一氣-陰陽-四象-五行]의 분화과정을 설명하는 것이라 생각합니다. "일분위음양(一分爲陰陽)"은 송대의 철학자 주희가 "하나가 나뉘어 둘이 되다"라는 "일분위이(一分爲二)"의 원리로써 정의를 내리고 있습니다.

모두 『주역』「계사전」서 말하는 "태극생양의(太極生兩儀)"를 가리키는 말이죠. 이러한 논리는 소강절 선생이 복희팔괘의 형성원리를 2진법 수리로 설명한 가일배법(加一倍法)에서 종합이 됩니다. 숫자로 나타내면 1-2-4-5의 분화과정이 되죠. 이처럼 사상은 분화과정 단계에서부터 춘하추동 사시(四時)를 결부시켜 해석되어왔음을 알 수가 있습니다.

『자평진전』을 보면, 일기(一氣)에서 음양으로 나누어지고, 음양에서 사상(四象)으로 나뉘는데, 이 사상이 바로 수화목금(水火木金)의 사행(四行)이고, 이 사행의 응결 때문에 토(土)가 생하여 오행(五行)이 갖추어짐을 이야기하고 있습니다. 간단하게 정리하면 '一氣-陰陽-四象(=四行)-五行'이 되고, '1-2-4-5'라고 하는 형태로 일기(一氣)에서부터 오행까지의 분화과정을 설명하는 것이 됩니다. 그러므로 사주로 표현되는 『명리학』은 『주역』의 사상(四象)에 뿌리를 두고 사시 순환으로 생성되는 목화토금수(木火土金水) 오행을 따라 천간(天干)으로 분가해 나온 것으로 이해할 수가 있습니다.

즉, 우주역인 복희팔괘의 생성과정에서 사상(四象)에 오행(五行)의 개념이 들어오면서 두 갈래의 길로 나뉘어 가는데, 하나는 오행이 우주역인 복희팔괘도를 돌려 재배열한 것으로서 지구의 사시 순환을 표상하는 지구역인 후천문왕팔괘도(象)가 되고, 다른 하나는 오행이 각각 음양으로 분화되어 문자(文字)로 표현하는 천간(甲乙丙丁戊己庚辛壬癸)이 되는 것입니다.

제5강 범주화

우리 인간은 지구상에서 사시순환의 수레바퀴를 벗어나지 못하고 생로병사를 반복하고 있습니다. 시공간의 한계에 갇혀 있는 인간의 역사는 우리를 낳은 자연과 끊임없는 투쟁, 그리고 화해를 반복하며 운명에 적응해오고 있는 과정이라 할 수 있습니다.

우주는 무한무량하고 천태만상입니다. 무수한 우주의 별 중에 지구라는 먼지에 얽혀살고 있는 우리로서는 우주를 감히 정의 내리기가 어렵습니다. 단지 생존이 삶의 화두였던 원시를 지나 이제는 우주를 향해 우주탐사선을 보내고 보이지 않는 극미 세계를 들여다보는 양자물리학의 시대로 접어들고 있습니다.

이제는 비로소 나는 누구인지, 도대체 무엇을 하고있는 건지, 왜 여기에 있는 건지, 어디로 흘러가고 있는 건지, 우리의 처음은 무엇인지, 우리의 끝은 어디인지, 지금까지 품어왔던 질문들을 구체적으로 탐구하고 찾아가는 시대입니다. '전지전능하고 그 자체가 사랑이라는 하느님이 우리를 창조했다면 우리의 삶은 왜 이리도 모진 것일까'라는 어린 시절부터 품어왔던 질문은 이제 초보적인 의문에 불과할 뿐이죠. 우리는 이 세상을 이해하기 위해서 수많은 가정을 세우고 질문을 찾아왔습니다. 어떤 이는 질문을 포기하고 종교에 귀의함으로써 평안함을 추구하기도 하죠.

시공간에 갇혀 생사의 한계를 넘지 못하는 인간이 광대무변한 우주 삼라만상을 이해하기 위해서는 복잡다단함을 간략하게 범주화하는 것이 필요합니다. 무한무량하고 천태만상으로 복잡다단한 우주 삼라만상을 이해하기 위해서는 우선 간략하게 범주화하고 개념화시키는 작업이 전제되어야 하겠죠. 하나하나를 찾아 들어가 전체를 정의하는 방법도 있지만, 그것은 과학자의 영역이고, 인문학을 공부하는 사람으로서는 전체를 추상화하고 개념화함으로써 몇 가지로 분류하는 범주화 작업이 필요하다 할 수 있습니다.

사물에 대한 범주화와 정의가 이루어지면 사물을 대하는 관점의 논리적 정형화가 가능해집니다. 즉 사물에 대한 시각은 사물을 대하는 인간의 태도를 규정함으로써 인간의 존재 이유와 목적, 만물에 대한 관점 등 존재에 대한 인문적 논리를 형성할 수 있게 되는 것이죠.

> 『易』은 (천하 만물을) 간략하게 범주화함으로써 천하의 이치를 얻는다. 천하의 이치를 얻어 中和를 세운다.[17]

『주역』은 인간의 지각을 넘어서는 무한무량한 우주 삼라만상을 단순하게 8개의 괘상으로 범주화함으로써 간략하게 개념화시킨 부호를 통해서 복잡다단한 우주 만물의 이치를 통찰하는 인문과학 철학서입니다.

음양의 대소·장단·강약(大小·長短·强弱)이라는 미묘한 차이에 의해 생성되는 다양한 음양의 편재(偏在)는 다양한 양태의 상호작용을 일으키며 다양한 중화를 세움으로써 서로 다른 특성(identity)을 가진 만물만상(萬物萬象)을 형성합니다. 그러므로 광대무변한 우주를 이해하는 기본방식은 복잡한 구성을 간단하게 범주화시키는 데 있다고 할 수 있죠.

복희팔괘는 우주 만물을 여덟 개의 물성(物性)으로 나누고 이를 부호화시켜 논리를 부여함으로써 만물을 한눈에 이해할 수 있도록 하고 있습니다. 즉, 하늘(1天☰), 못(2澤☱), 불(3火☲), 우레(4震☳), 바람(5風☴), 물(6水☵), 산(7山☶), 땅(8地☷) 등으로 만물의 극성을 범주화하

---

17) 『周易』, 「繫辭傳上」 第1章, "易簡而天下之理得矣 天下之理得而成位 乎其中矣"

고, 1에서 8까지 생성 순서대로 수(數)를 부여함으로써 물성(物性) 간의 작용과 수리적 이치를 드러낼 수 있도록 하였습니다. 괘(卦)는 음(--)과 양(-)이라는 두 개의 기호를 사용하여 세 번을 거듭하여 삼획(三劃)을 이루는데, 전통적으로 괘의 생성과정은 가일배법(加一倍法)이라는 이진법 논리를 갖춘 「복희팔괘차서도」의 생성원리를 활용하여 설명하고 있습니다.

우주의 시원(始原)과 만물의 궁극적 존재에 대한 인문철학적 질문은 현대물리학인 양자역학에서도 여전히 동시 진행 중입니다. 만물을 범주화한 팔괘가 천인지 삼효(天人地 三爻)로 구성되듯이, 양자역학에서도 분자 물질을 구성하는 원자(atom)는 양(陽)의 성질인 양성자(陽性子)와 음(陰)의 성질이 전자(電子), 그리고 양성자(陽性子)와 함께 원자핵(原子核)을 이루고 있는 중성자(中性子)로 구성됩니다. 이것을 괘상으로 치환하면 天人地 삼재(三才)로 구성된 괘상으로 표상할 수 있습니다. 그리고 원자와 원자가 상호작용함으로써 형성하는 물질은 天人地 삼효(三爻)가 상하로 중첩되어 육효(六爻)로써 상호작용하는 64괘로 표상할 수 있습니다.

미시영역의 '양성자(陽), 중성자(中), 전자(陰)'로 구성된 원자들의 상호작용은 거시영역에서 각각의 사물로 개체화되어 물상(物象)으로 드러납니다. 즉, 물질의 생성을 위한 원자 상호 간의 작용은 사물을 그대로 본떠 표상한 괘상의 상호 간의 작용에도 그대로 드러나는 것입니다.

현대물리학적 관점에서 극미의 세계를 들여다보면 기본적으로 양의 성질을 띤 '양성자(+)와 중성자(0)가 원자핵을 이루고 있고 그 주위를 음의 성질인 전자(-)'가 불규칙하게 돌고 있는 형태를 띠고 있습니다. 입자이면서 동시에 파동이라는 불확정성 원리가 바탕을 이루고 있음을 밝히고 있죠.

기본체론자(氣本體論者)인 송대의 장재(張載)는 "기(氣)는 대립된 양체(음양)가 하나로 통일되어있는 일물(一物)로서, 하나로 통일되어있기에 신묘한 것이며 대립된 양체(兩體)를 지니고 있으므로 변화하게 된다."[18]라는 말로써 만물을 낳는 음양의 신묘한 이치를 설명하고 있습니다. 그리고 "천지의 기(氣)는 비록 흩어지고 모이고 공격하고 빼앗음이 백 가지 길이나 (무수히 많은 양상을 가지고 있으나), 그 이치는 순하여 어긋나지 않는다."[19]라고 하여 하나(一)에서 비롯되어 다양한 형질을 갖추지만, 그 이치는 결국 하나에서 시작된 음양이기(陰陽二氣)를 벗어나지 않는다고 하였습니다.

음양의 상호작용이 만들어내는 각각의 중화(中和)는 물리학적으로 무수한 양태를 만들어내고, 인문학적으로는 다양한 가치(윤리적 장치)를 만들어내지만 근본적으로 동체이면(同體裏面)의 대립적 양체(兩體)인 음양을 벗어나지 않는다는 것입니다. 중화가 함유하는 다양한 윤리적 장치란 '철학, 종교, 도덕, 선악, 윤리……'등 상호작용을 통하여 생성해내는 공동체의 생존을 위한 사회적 합의를 의미하며, 더 크게는 도(道), 리(理) 중(中)등 인문철학적 가치를 의미합니다.

역(易)은 물상을 그대로 본떠 만든 것이니 물상(物象)과 괘상(卦象)은 근원적으로 이치를 함께 공유한다고 할 수 있습니다. 그러므로 만물의 상호작용과 변화를 알고 싶다면 만물을 범주화한 괘상(卦象)의 상호작용과 변화를 통해 그 의미와 득실을 분석할 수 있습니다.

하늘을 표상한 건乾(양)과 땅을 표상한 곤坤(음)이 상호작용하면서 64괘의 변화를 통해 만물의 변화를 그려내는 것이니, 공자(孔子)는 이것을 "건곤(乾坤)은 역(易)의 문(門)이니, 건(乾)은 양물(陽物)이고 곤(坤)은 음물(陰物)이다. 음양(陰陽)이 합하여 덕(德)이 되고 강유(剛柔)가 형체(形體)를 이룬다. 역(易)으로써 천지의 법칙을 체득하여 신명한 덕에 통달하니"[20]라고 정의하고 있습니다. 또한 "하늘☰과 땅☷이 자

---

18) 張載, 『正蒙』, 「參兩」, "一物兩體氣化 一故神兩故化"
19) 張載, 『正蒙』, 「太和」, "天地之氣 雖聚散攻取百塗 然其爲理也 順而不妄"

리를 정함에 산☰☰과 못☱☱이 기운을 통하며, 우레☳☳와 바람☴☴이 서로 부딪히며, 물☵☵과 불☲☲이 서로 해치지 아니하면서 팔괘(八卦)가 서로 섞인다."[21]라고 하여 물상(物象)을 본뜬 괘상(卦象)의 변화를 통하여 음양의 상호작용에 의한 변화의 이치를 해석하고 있습니다.

　"홀로 고립되어 존재하는 이치를 가진 사물은 없다(物無孤立之理)"라는 장재(張載)의 말처럼 양자 물리학적 관점에서 보면 우주에는 음이든 양이든 홀로 존재할 수 있는 이치란 없다는 것을 알 수 있습니다. 개체의 존재는 필수적으로 상대적 존재를 전제하고 있습니다. 이는 만물이란 완전한 상호 그물망 속에서 서로 유기적으로 연결되어 상호의존하며 전일성(全一性)으로 존재하고 있음을 의미합니다. 그러므로 대립과 화해, 모순과 조화는 물리학적으로도 인문학적으로도 상호공존을 위한 우주의 근원적인 존재 원리라 할 수 있습니다.
　사주학은 상반된 대립인자인 음과 양이 서로 대립하고 화해하는 일련의 상호작용을 통해 중화를 이루어 가는 과정에서 발생하는 물리적이고 인문적인 상호공존의 논리를 통해 우주로부터 부여받은 여덟 글자인 사주팔자를 해석함으로써 단순히 길흉찾기가 아닌 인간애를 담은 인간학을 추구합니다.
　사주팔자를 기본 구성요소로 하는 시주 명리학은 술서(術書)가 아닌 인간학(人間學)입니다. 인간의 운명은 사시순환이라는 사슬을 벗어나지 못합니다. 그래서 만물의 근원에서 작용하는 보이지 않는 음양을 괘상(卦象)으로 시각화했듯이, 사주명리학은 사시순환에 따라 간지(干支)라는 문자로 드러내 표현함으로써, 우리는 문자화된 만물의 생성순환의 이치를 품은, 생년월일시(生年月日時)를 간지로 전화(轉化)한 사주팔자의 상호작용을 통해 자연으로서의 인간을 분석할 수가 있는 것입니다.

---

20) 『周易』, 「繫辭傳下」 第6章, "子曰 乾坤 其易之門邪 乾陽物也 坤陰物也 陰陽合德 而剛柔有體 以體天地之撰 以通神明之德"
21) 『周易』, 「說卦傳」 第3章, "天地定位 山澤通氣 雷風相薄 水火不相射 八卦相錯"

간지는 우주 만물의 생성 이치를 품은 문자이고, 우리는 누구나 할 것 없이 간지로 구성된 사주팔자를 우주로부터 부여받고 있습니다.

천간은 만물을 木火土金水 오행의 원리에 따라 '甲乙丙丁戊己庚辛壬癸'로 범주화하고, 각각의 문자에 오행에 따른 사물의 성정을 개념화하고 있습니다.

지지는 만물이 사시순환에 따른 생로병사의 순환을 표현하기 위해 12단위, 즉 '子丑寅卯辰巳午未申酉戌亥'라는 12개의 문자로써 시간을 표현한 것입니다. 숫자로 표현된 시간은 자연과학적 시간을 의미하지만, 문자로 표현된 시간은 인문적 의미를 내포하고 있는 시간이라 할 수 있습니다.

자연의 일부로서의 인간,

만물의 생장성쇠 이치를 품은 간지,

간지(干支)에 인간(人間)의 성정을 개념화시키고 범주화한 것은 가히 코페르니쿠스적인 혁명적 사고의 전환이라 할 수 있습니다.

우리는 사주팔자를 분석함으로써 자연과 더불어 순환하는 인간의 이치를 들여다볼 수 있게 되었습니다.

나는 누구일까요?

사주팔자를 들여다보세요.

자연으로서의 '나'가 있습니다.

자연과 더불어 순환하며 생명을 숨 쉬는 내가 있습니다.

제6강 오행과 팔괘의 상관성

　목화토금수 오행과 지구의 사시 순환을 표상하는 문왕팔괘도(지구역)의 상관관계를 살펴봅니다.

　우주 만물의 근원으로 계속해서 들어가다 보면 음양의 대칭성을 마주하게 됩니다. 이는 양자물리학에서 하는 얘기죠. 상반된 성정을 가진 "음양의 대립과 상호작용"이 우주 만물을 토해내는 근원입니다. 하이젠베르크의 「전체와 부분」의 관점에서 보면 지구는 우주의 한 부분에 해당하죠.

<태극음양도>

　우주를 상징하는 태극은 음양이 균형과 조화를 이루면서 완전한 원을 이루고 있는 모습을 보여줍니다. 음과 양이 만나는 접면은 어느 지점이든 음양의 대소·장단·강약의 관계를 이루고 있죠. 음양이 맞닿고 있는 S라인 접면에서 발생하는 수많은 접점은, 양이 길면 음이 짧고 음이 길면 양이 보조를 맞춤으로써 완전한 원을 만들어내고 있습니다. 태극은 음양이 서로 균형을 이루고자 하는 상호작용이 일어나는 원리를 의미합니다.

태극의 중앙은 음양의 상호작용이 멈추는 지점입니다. 고요한 태풍의 눈을 생각하면 쉽게 이해되죠. 시소(seesaw)도 완전한 평형을 이루면 상하작용을 멈추게 됩니다. 정중앙의 균형지점은 역학적으로 음양의 상호작용이 멈춘 무극(無極)으로 비유할 수 있습니다.

이에 반하여 우주의 한 부분인 지구는 음양의 불균형으로 이루어져 있습니다. 즉 우주를 상징하는 태극의 한 부분, 음양이 접하는 접면의 한 지점에 해당하는 것이니 항상 음양이 대소·장단·강약이라는 불균형과 모순의 상태에 처해 있다고 할 수 있습니다. 그래서 지구는 음양의 상호균형을 이루기 위해 사시를 따라 에너지의 이동을 발생시킴으로써 지구에 거주하는 우리의 삶은 언제나 바람 잘 날이 없는 것일지도 모르겠습니다.

공전과 자전에 따라 사시 순환과 밤낮이 발생하고, 춘하추동에 따라 발생하는 에너지의 불균형은 균형을 이루기 위한 에너지의 이동을 일으킴으로써 복잡다단한 상호작용이 일어나게 되는 것이죠. 다시 말하자면, 아이러니하게도 불균형과 모순은 지구 에너지(氣)의 이동을 발생시킴으로써 만물이 생육하는 동인(動因)이 되는 것입니다. 우주의 부분에 해당하는 지구는 사시가 순환하는 과정에서 춘하추동 사계절로 분별 되고, 이것은 목화토금수라는 오행으로 인문화(人文化)됩니다. 그리고 지구의 사시순환 과정의 인문화 작업을 통해 음양에서 오행으로, 오행에서 천간으로, 그리고 천간을 통해서 『사주명리학』이라는 창을 열게 됨으로써 인간을 탐색하는 또 하나의 인문적 도구를 갖추게 되는 것이지요.

태극에서 음양의 삼변분화(三變分化)로 펼쳐진 팔괘(八卦)가 우주역이라고 하는 복희팔괘도입니다. 그리고 춘하추동 사시를 돌리는 목화토금수 오행의 작용으로 복희팔괘도가 재배열된 것이 지구역인 문왕팔괘도입니다.

복희팔괘도는 선천역으로서 우주의 창조원리를 표상하는 우주역이 되고, 문왕팔괘도는 후천역으로서 지구의 사시 순환의 원리를 표상하며, 만물의 생장성쇠를 표현하는 지구역이 됩니다.

즉, 문왕팔괘도는 오행의 작용으로 복희팔괘도의 순서가 木火土金水에 맞게 재배열된 것으로서 지구의 춘하추동 사시의 순환을 표현합니다.

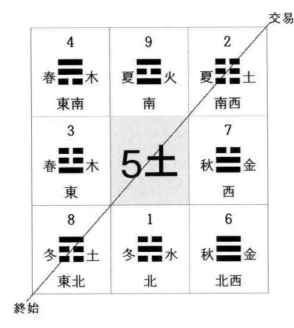

<오행과 문왕팔괘도>

그러므로 문왕팔괘도는 우주역인 복희팔괘도와 달리 지구의 변화를 표현하는 지구역으로서 지축(艮山≡≡, 坤土≡≡)을 중심으로 공전과 자전이 만들어내는 사계절과 밤낮을 표현하고, 생장수장의 이치로 생로병사를 거듭하는 지구상 만물의 순환과 인간의 존재 원리를 설명하게 되는 것입니다.

그러므로 천간과 지지로 표현되는 『사주명리학』을 제대로 알기 위해서는 기본적으로 지구역인 문왕팔괘도에 대해서 이해를 해야 합니다.

우리는 지구 내에서 사시 순환을 따르면서 생로병사를 거듭하는 만물 중의 하나입니다.

천간과 지지의 성질은 바로 지구역인 문왕팔괘도의 원리를 근거로 해서 규정됩니다. 즉 문왕팔괘도에 천간과 지지를 배정하여 상(象)을 문자(文字)로 전화(轉化)시킨 그것으로 생각하면 됩니다. 그러므로 『주역』의 기본을 모르고 사주팔자부터 배우고자 한다면 뿌리를 모르고 가지의 무성함만을 쫓는 것이라 할 수 있겠습니다.

목(木)은 계절로서는 나무가 생장하는 봄이 되며, 진괘(震卦☳)와 손괘(巽卦☴)가 해당됩니다. 즉 목오행(木五行)은 봄의 성질로서 나무의 성질을 상징하는 진괘와 손괘가 이를 표상하고 있는 것입니다.

화(火)는 계절로서는 열매를 키우는 여름이 되며, 리괘(離卦☲)가 해당됩니다. 즉 화오행(火五行)은 여름의 성질로서 불의 성질을 상징하는 리괘가 이를 표상하고 있는 것입니다.

금(金)은 계절로서는 열매를 수렴하는 가을이 되며, 태괘(兌卦☱)와 건괘(乾卦☰)가 해당됩니다. 즉 금오행(金五行)은 가을의 성질로서 수렴된 열매, 양기를 가득 채운 금기(金氣)를 상징하는 태괘와 건괘가 이를 표상하고 있습니다.

수(水)는 계절로서는 수렴·정화된 양기를 저장하는 겨울이 되며, 감괘(坎卦☵)가 해당됩니다. 즉 수오행(水五行)은 겨울의 성질로서 정화된 양기, 즉 생명을 저장하고 있는 물을 상징하는 감괘가 이를 표상하고 있습니다.

토(土)는 계절로는 각 계절이 환절하는 간절기(間節氣)로서 간토(艮土☶)는 감수(坎水☵)를 극함으로써 겨울이 품고 있는 생명을 깨워 양(陽)이 주도하는 상극의 건도(乾道) 시대를 시작하는 늦겨울, 초봄이 됩니다.

곤토(坤土☷)는 금화상쟁(金火相爭)을 교역하는 기운으로서 여름의 뜨거운 양기와 가을의 서늘한 금기(金氣)를 중재함으로써 음(陰)이 주도하는 상생의 곤도(坤道) 시대를 시작하는 늦여름, 초가을이 됩니다.

지금은 양이 주도하는 건도 시대에서 양기가 극성을 부리는 막바지에 있다고 대부분 종교가 전하고 있습니다. 양기가 극성을 부리는 상극 시대 음이 주도하는 상생 시대로의 전환이 이루어지는 금화교역(金火交易)의 시기라 할 수 있습니다.

태극	양 (陽)			중 (中)		음 (陰)		
오행	木	火		土		金		水
괘상	☳ 진 (震)	☴ 손 (巽)	☲ 리 (離)	☶ 간 (艮)	☷ 곤 (坤)	☱ 태 (兌)	☰ 건 (乾)	☵ 감 (坎)
사시	춘 (春)	하 (夏)		중토 (中土)		추 (秋)		동 (冬)
선 천 후천	선천 (乾道) 상극 세상			종 시 終 始	교 역 交 易	후천 (坤道) 상생 세상		

서남방의 곤토(坤土☷)는 남방의 병화(丙火☲)와 서방의 경금(庚金☱)이 충돌하는 금화상쟁을 중재하고 조정함으로써 음이 주도하는 곤도(坤道)의 시기로 무난하게 넘어갈 수 있도록 하는 중재자 임무를 수행합니다.

즉 '화생토(火生土)–토생금(土生金)'이라는 곤토(坤土)의 중재로 화극금(火克金)이 아니라 화생금(火生金)이 되는 것이죠. 그리고 나서 금생수(金生水)로 이어지는 후천 상생의 도가 만들어집니다.

후천은 상극을 주도하는 양이 아니라 상생으로 이끌어 가는 음이 주도하는 세상입니다. 상극 세상에서 상생으로의 전환이 이루어지고 있는 현시대는 곤토☷의 중재자 성향을 가진 대인들의 출현을 학수고대하고 있습니다.

곤토☷는 계절상으로 여름과 가을의 중간지대로서 양기가 가득 맺힌 열매☲를 받아드려 삭힘으로써 알갱이와 쭉정이를 선별하는 성정을 가지고 있죠. 선별된 알갱이는 서늘한 숙살지기의 가을 금기(金氣)가 수렴하고 정제함으로써 순수한 양기(☰)만을 겨울의 수기(水氣☵)에 저장하도록 하여 다음 세대를 준비하도록 하는 것입니다.

순백한 정기(正氣)만이 다음 세대의 씨앗이 될 수 있습니다. 불순물이 제거되지 않은 씨앗은 다음 세대를 위한 생명의 씨앗이 될 수 없겠죠.

생로병사의 순환은 자연의 이치입니다.
이것을 알고 깨닫는다면
타인의 속삭임,
신비를 포장한 종교의 감언이설도
코웃음 칠 수 있는 지혜를 갖추게 될 것입니다.
내가 올라탄 사주팔자는 내가 선장입니다.
내 운명의 주장은 내가 되어야죠.
운명이란 숙명이 아니라
내가 명(命)을 운영하며 디자인(design)한다는 적극적 의미가 있습니다.
타인의 사탕발림,
사이비 종교의 속삭임에 휘둘리지 마세요.
내 운명의 키를 잡으세요.
내 배의 키잡이는 다른 이에게 맡기는 것이 아닙니다.

동양철학의 샘물인 『주역』과 『사주 명리학』을 공부함으로써 자신이 탄 배의 키를 스스로 운전할 수 있는 묘리를 탐구하시기 바랍니다.

제7강 오행과 천간의 상관성

천간(天干)은 지구의 사시 순환원리를 [갑을병정무기경신(甲乙丙丁
戊己庚辛壬癸)]이라는 10개의 문자로 표현한 것입니다. 음양의 상호작
용으로 사상(木火金水)이 나오고, 5토황극(土)이 사상과 작용함으로써
10개의 구성요소를 펼쳐내니 이것이 곧 천간입니다.

천간은 세상의 시공간을 정의하기 위한 범주화의 구성요소로 활용이
됩니다. 10개의 천간에 사물의 특성과 인간의 성정을 분류, 범주화함으
로써 세상을 개략화할 수가 있는 것이죠.

앞서 오행과 지구의 사시 순환을 표상한 문왕팔괘도(지구역)의 관계
를 살펴보았습니다. 팔괘는 상(象)이고, 천간은 문자(文字)라는 차이가
있지만 서로 상관성이 있죠. 천간이란 바로 문왕팔괘도에 천간을 대입
해서 그 의미를 규정한 것이기 때문입니다.

그러므로 팔괘를 안다면 천간의 의미는 저절로 알게 되겠죠. 그런데
『사주명리학』을 공부하는 분 중에는 『주역』 팔괘의 원리를 모르고 천
간을 공부하신 분들이 의외로 많은 것을 보게 됩니다. 이는 뿌리를 모
르고 가지의 무성함만을 쫓는 결과라 할 수 있겠습니다.

사상(四象)은 계절적인 기운과 결합하여 목화금수(木火金水)로 표현
됩니다. 그리고 목화금수 사상을 돌려 팔괘를 형성하는 것은 '작용하는

태극'인 五土(皇極황극)인데, 이는 목화금수 4가지의 기운을 함께 버무린 복합적인 성질을 가지고 있습니다.

중앙의 황극(皇極)은 실제 만물을 생장수장(生長收藏)의 이치로써 생로병사(生老病死)를 순환시키는 '작용하는 태극(太極)'이며, 춘하추동(時) 사방팔방(空) 모든 기운에 관여합니다.

태극이 천지인을 품고 있는 추상적 기운으로서 '체(體)'라고 한다면, 황극은 태극이 펼쳐낸 사상을 돌리는 실제 '작용하는 태극'으로서 '용(用)'이 되는 셈이죠.

『회남자』「천문훈」에는 다음과 같은 내용이 있습니다.

갑을인묘(甲乙寅卯)는 목(木)이고,
병정사오(丙丁巳午)는 화(火)이며,
무기사계(戊己四季)는 토(土)이고,
경신신유(庚辛申酉)는 금(金)이며,
임계해자(壬癸亥子)는 수(水)이다.

여기에서 무기(戊己)는 목화금수(木火金水)가 표현하는 춘하추동 사계(春夏秋冬)를 관장하는 토 기운입니다. 즉, 토는 목화금수의 충기(沖氣)가 응결된 복합적 기운을 의미합니다. 무기(戊己)는 목화금수를 돌리는 중토(中土)로서 사계절의 축이 됩니다.

다음 도표를 보면
목화토금수 오행에 천간 10개가 음과 양으로 구분되어 각각 배정되어 있습니다.

五行	木		火		土		金		水	
天干	甲	乙	丙	丁	戊	己	庚	辛	壬	癸
陰陽	양	음	양	음	양	음	양	음	양	음
四時	春		夏		中		秋		冬	

<사시 오행에 따른 천간>

목(봄)에는 갑을(甲乙),

화(여름)에는 병정(丙丁),

금(가을)에는 경신(庚辛),

수(겨울)에는 임계(壬癸)

가 사계절의 특성을 표현하는 역할을 합니다.

이것을 인간의 성정(性情)에 적용하면 10가지의 양태로 범주화할 수
가 있습니다. 만물을 개념화한 천간(天干)에 인간의 성정을 적용하여
범주화하였다는 것은 인간학(人間學)에 대한 가히 혁명적인 사고의 전
환이라 할 수 있겠습니다.

인간은 춘하추동 사시와 동서남북 공간에 영향을 받으며 생로병사를
순환하는 만물 중의 하나입니다.

제8강 팔괘와 천간의 상관성

　지구의 순환을 표상하는 『주역』은 8개의 괘상으로 표현하고(문왕팔괘), 『사주명리』는 10개의 천간으로 표현합니다.

　팔괘(八卦)는 상(象)이고,
　천간(天干)은 문자(文字)입니다.

　팔괘와 천간은 어떤 상관성이 있을까요?
　천간의 의미를 공부하기 전에 오행으로 분류된 팔괘(八卦)의 의미를 이해해야 합니다. 분류가 같거든요.
　그런데 문자로 표현하는 의미는 문자의 틀에 뜻이 한정되지만, 상으로 표현하는 의미는 그 폭이 굉장히 넓습니다.
　팔괘로 상징되는 『주역』은 태극에서 음양의 상호작용을 통해 사상(四象)을 낳고, 사상은 五土에 의하여 사시순환을 표상하는 8개의 괘상으로 드러납니다.
　팔괘는 선천역인 복희팔괘도와 후천역인 문황팔괘도로 나뉩니다.제1강에서 언급한 선천역은 우주역을 상징하고, 후천역은 지구의 사시순환과 만물의 생장수장의 이치를 표상한 지구역을 상징하죠. 즉, 문왕팔괘

巽☴風 乙	離☲火 丙丁	坤☷土 己
震☳雷 甲	**土**	兌☱澤 庚
艮☶山 戊	坎☵水 癸壬	乾☰天 辛

< 천간과 문왕팔괘도(지구역)>

도(지구역)는 춘하추동 사시(四時)와 동서남북 사방(四方)을 나타냅니다. 그리고 사시순환에 따른 생장수장(生長收藏)의 순환 이치와 원형이정(元亨利貞), 인의예지신(仁義禮智信) 등, 생로병사(生老病死)를 순환하는 인문·철학적 의미를 드러냅니다.

『주역』은 불립문자(不立文字)로서 괘상이라는 부호(符號)로 표상되어 의미의 확장이 무한하고, 괘(卦)·효사(爻辭)가 달려있어 길흉회린무구(吉凶悔吝無咎)에 의한 사색과 성찰, 반성과 도덕적 수양 등 자각이라는 철학적 탐색을 통해 인문적 자아를 성장시킬 수 있다는 점이 사주팔자를 토대로 하는 사주명리학과 다른 점이라 할 수 있겠습니다.

『주역』은

때와 균형을 찾는 적극적인 개념으로서 "특정한 때(時)에 특정한 위치에서 어떻게 처신해야 하는가?"라는 시중(時中)의 의미가 있으며 괘·효사의 음미와 사색, 그리고 실천을 통한 성인(聖人)의 경지에 뜻을 두고 있습니다.

『사주 명리학』은

천간과 지지라는 문자를 통해 음양과 오행을 드러내고, 사시(四時)와 사방(四方)을 나타내며, 오행의 생극제화(生剋制化)를 통해 인사(人事)

의 길흉을 판단합니다.

 천간은 음양오행을 품고 있으나 문자(文字)가 갖는 의미의 한계에 갇혀 있고, 간지(干支)로 표현된 사주팔자(四柱八字)는 『주역』과 같은 괘·효사가 없어 음미와 사색을 통한 성찰, 자각, 도덕적 수양과 같은 인문학적 행위를 할 수 있는 근거가 없기 때문에 명(命)의 결과만을 해석해야 하므로 통변자의 인격과 풍부한 인문학적 소양을 필요로 합니다.
 사주명리는 때와 대세를 따르는 수동적 개념으로서 수시(隨時)의 의미가 있으며, 처세의 때를 알아 부귀(富貴)를 이루고자 하는 현실적인 목적을 두고 있습니다.

 오행으로 분류된 팔괘와 천간의 상관관계를 정리하면 다음과 같습니다.

오행	木		火		土		金		水	
천간	甲	乙	丙	丁	戊	己	庚	辛	壬	癸
음양	양	음	양	음	양	음	양	음	양	음
괘상	☳ 震 진	☴ 巽 손	☲ 離 리		☶ 艮 간	☷ 坤 곤	☱ 兌 태	☰ 乾 건	☵ 坎 감	
사시	春		夏		中		秋		冬	

<오행으로 분류한 팔괘와 천간>

제9강 지지는 인문적 의미가 내장된 시간

    1년은 12개월입니다. 봄 여름 가을 겨울 4계절로 나뉘고, 3개월씩 12개월을 배당하죠. 4계절 춘하추동은 환절기를 표상하는 토를 포함하여 목화금수 오행으로 정의됩니다.

    지지(地支)는 1년 12개월을 표현하는 문자입니다. 자축인묘진사오미신유술해(子丑寅卯辰巳午未申酉戌亥)가 바로 1년 12개월을 문자로 대신하는 12지지입니다. 그런데 여기서 생각해봐야 할 것은 숫자가 아니라 문자로 시간이 표시된다면 각각의 시간은 단순한 수(數)가 아닌 어떤 인문적 의미를 갖게 된다는 점입니다.

    <태극과 12지지>

    12시간이 문자로 표현된 12지지는 어떤 원리가 숨어있을까요?

    인묘진(寅卯辰)은 봄, 사오

미(巳午未)는 여름, 신유술(申酉戌)은 가을, 해자축(亥子丑)은 겨울에
해당합니다.

지지	寅	卯	辰	巳	午	未	申	酉	戌	亥	子	丑
월	1	2	3	4	5	6	7	8	9	10	11	12
계절	봄			여름			가을			겨울		

천간과 지지의 상호관계를 보면 다음과 같습니다

오행	木		火		土		金		水	
천간	甲	乙	丙	丁	戊	己	庚	辛	壬	癸
지지	寅	卯	巳	午	辰 戌	丑 未	申	酉	亥	子
음양	양	음	양	음	양	음	양	음	양	음

천간 무기(戊己)는 중앙토(土)로서 사계절을 돌리는 황극의 개념입니
다. 진술(辰戌)은 戊土(양), 축미(丑未)는 己土(음)가 되어 사계절의 전
환기에 위치하는 기운입니다. 각 계절의 끝에 위치합니다.

진(辰)은 봄의 끝자락,
미(未)는 여름의 끝자락,
술(戌)은 가을의 끝자락,
축(丑)은 겨울의 끝자락에서
계절의 전환을 돕는 환절기의 기운입니다.

여기에서 이런 질문이 가능하죠?

왜, 갑(甲)은 인(寅)과 짝이 되고, 을(乙)은 묘(卯)와 짝을 이루고 있을까? 이 질문에 대한 대답은 지장간을 이해한 후에 가능합니다.

지장간이란 지지가 품고 있는 2~3개의 천간을 말합니다. 지지가 내장하고 있는 천간의 성질에 의하여 지지의 성격이 규정되는 것이지요. 그래서 지지는 순수오행인 천간보다 조금 복잡한 양상을 띠고 있습니다.

<태극과 간지>

그림으로 표현하면 다음과 같습니다.

태극이 중심에서 음양의 상호작용을 통해 천간을 배치하고, 천간은 춘하추동 사시와 12개월을 의미하는 지지의 성격을 규정합니다.

어쨌든, 五行(5)은 음양(2)이 작용하는 내적 원리가 되어 10天干을 펼쳐내고(天氣), 인문적 의미를 내포한 10天干이 펼쳐낸 외적 현상인 12地支는 춘하추동 사계절 12순환과 기후를 인문적으로 표현한 것이라 정의할 수 있겠습니다.

문자(文字)로 표현된 천간의 의미를 알기 위해서는 상(象)으로 표현된 팔괘의 의미를 이해하여야 하고, 지지의 성격을 알기 위해서는 천간의 의미를 알아야 합니다. 주역의 팔괘와 사주명리학의 간지는 서로 상(象)과 문자(文字)라는 상호보완적 관계에 있는 것이죠.

지지는 단순히 자연과학적 시간을 표시한 것이라기보다는 인문 철학적 의미가 내장된 인문적 시간이라는 표현이 맞을 것 같습니다. 그래서 현대의 자연과학적 시간의 틀에 맞추기 위하여 무리하게 정확성을 추구한다면 오히려 본래의 의미가 상실되는 결과가 초래될 수 있습니다.

다음은 지지가 표현하는 시간입니다. 사주팔자 분석에 필수적이므로 잘 알아두어야 합니다.

地支	인(寅)	묘(卯)	진(辰)	사(巳)	오(午)	미(未)	신(申)	유(酉)	술(戌)	해(亥)	자(子)	축(丑)
월(陰)	1	2	3	4	5	6	7	8	9	10	11	12
시간	3-5	5-7	7-9	9-11	11-13	13-15	15-17	17-19	19-21	21-23	23-1	1-3
음양	+	-	+	+	-	-	+	-	+	+	-	-
오행	목기(木氣)			화기(火氣)			금기(金氣)			수기(水氣)		
계절	봄(春)			여름(夏)			가을(秋)			겨울(冬)		
조후	습(濕)			난(暖)			조(燥)			한(寒)		

지지로 표시되는 춘하추동(春夏秋冬) 사계절은 한난조습(寒暖燥濕)이 일어나면서 그 자체가 목화토금수(木火土金水) 오행 기운을 발현시키는 환경이라 할 수 있습니다.

제10강 사주팔자는 나의 좌표

여덟 글자로 표현되는 사주팔자의 기본구조를 살펴봅니다.

사주명리학은 단순히 사람의 길흉을 점치는 술법이 아니라 우주에 홀로 던져진 나를 규정하는 인간학(人間學)이라고 할 수 있습니다.

사주팔자를 기본구조로 하는 사주명리학은 태어난 년월일시(年月日時)의 간지(干支)를 가지고 일간인 "나"를 중심으로 오행생극 작용과 다양한 추명 방법을 통해 운명을 감정하는 이론입니다.

여덟 글자로 구성된 사주명국의 주인은 바로 나이며, 나는 내 인생을 운영하는 선장이라 할 수 있습니다.

나는 우주 만물을 형성하는 오행의 집합체로서, 일간(日干)인 나를 중심으로 다른 오행과의 생극작용을 통해 변화를 만들어냅니다. 변화를 만들어내고, 그 변화를 운영하는 것은 사주의 주체인 바로 '나'인 것이죠.

우주 만물을 형성하는 오행은 자연 그 자체이기 때문에 오행 중의 하나인 '나' 역시 자연 그 자체입니다.

그러므로 우주를 운행하는 '사주명국'이라는 배의 선장인 '나'는 운명이라는 물길을 따라 순행하느냐, 아니면 물길을 거슬러 역행하느냐를 스스로 선택하여야 합니다. 선택에 따라 명운은 달라지는 것이죠.

사람은 누구든 자신의 의지와 관계없이 사주명국이라는 운명선에 올라탈 수밖에 없습니다. 생로병사라는 틀은 인간이 짊어져야 할 숙명입니다.

8개의 글자로 구성된 사주명국이라는 배는 좋고 나쁨이 없습니다. 다만 운명이라는 강의 흐름을 제대로 올라타느냐, 아니면 흐름을 놓치거나 제 때에 올라타지 못해 결국 힘들게 노를 저어 나아가야 하느냐 하는 것은 오롯이 자신의 몫인 것이죠.

모든 것은 자신의 선택과 결정에 달려있습니다.

사주명리는 태어난 연월일시로 표현한 여덟 글자(八字)의 간지가 4개의 기둥(四柱)을 이루고 있어 사주팔자(四柱八字)라고 합니다.

時	日	月	年	
丁	乙	丙	壬	천간: 내적작용(天氣)
亥	未	午	寅	지지: 외적작용(地氣)

<年月日時가 간지로 표현된 사주명국>

하늘의 천간오행은 땅에서 계절이 만들어내는 지지오행과 상호작용을 통해 그 속성을 발현합니다.

천간(天干)은 천기(天氣)로서 형이상학적이고 추상적인 내적작용을 의미하고, 지지(地支)는 지기(地氣)로서 형이하학적이고 현실적인 외적작용을 의미합니다,

위의 사주명국을 보면 일간인 을목(乙木)이 '나'를 상징합니다.

을목이 주체가 되어 다른 간지와의 생극제화 상호작용을 통해 상호관계를 만들어내죠. 그리고 오행생극의 원리로써 간지 여덟 글자에 흐르는 기의 흐름을 분석함으로써 일간의 길흉 득실을 판단합니다.

사주팔자는 하늘의 기운인 천간(天)과 땅의 기운인 지지(地)가 만들어내는 나(人)의 좌표라 할 수 있습니다.

천간오행	지지오행
하늘 (추상적 공간)	땅 (구체적 공간, 지구)
10천간 甲乙丙丁戊己庚辛壬癸	12지지 子丑寅卯辰巳午未申酉戌亥
천기(天氣)	지기(地氣)
본체(本體)	작용(作用)
불변(不變)	변용(變用)
상(象)	형(形)
생기(生氣)	형질(形質)
비현실적	현실적
추상적	구체적
본질적 기운	현상적 기운
천성, 본성, 성품 타고난 기질	직업, 사회성, 적성, 성향, 특성, 재능, 환경
일월(日月)을 비롯한 오성(五星)이 순환하며 만들어내는 순수오행	사시 순환을 통해 계절적 기운이 만들어내는 조후(오행기운)

사주팔자를 분석하는 것은,

하늘의 뜻(天干)이 땅(地支)에서 제대로 이루어지고 있는가를 살펴보는 것입니다. 하늘과 땅의 우주순환 법칙인 음양오행이 체계화되어 문자로 나타난 것이 사주팔자(四柱八字)입니다.

목화토금수 오행이 내면에 프로그래밍(programming)이 된 개개인의 사주가 자연의 순환질서에 제대로 순응하면서 순리대로 흐르고 있는가를 살펴보는 것이죠. 사주팔자 분석의 목적은 춘하추동 사시가 순환하면서 운에서 들어오는 기운이 나의 사주팔자에 득(得)이 되는가, 또는 실(失)이 되는가를 판단하여 피흉추길의 방법을 찾아 득이 되는 방향으로 나아가는 것이라 할 수 있습니다.

내가 누구인지?
여긴 어디쯤인지?
나는 길을 제대로 가고 있는 것인지?
알고 싶은가?

그렇다면
나의 사주팔자를 펼쳐놓고
좌표를 측정해 보시라.

제11강 사주가 『주역』을 만나다

우주역인 복희팔괘도(선천역)는

음양의 대립과 상호작용을 기본원리로 팔괘를 드러냄으로써 우주의 창조원리를 밝히고 있습니다. 태극(1)에서 음양(2)이 분별 되어 나뉨으로써 상반된 대립인자의 상호작용이 일어나고, 사상(4)이 나옴으로써 팔괘(8)가 일어나 우주 삼라만상이 펼쳐지는 것을 표상합니다.

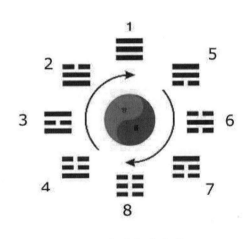

<선천복희팔괘도>

마주 보는 괘상은 양괘와 음괘로 음양의 상호대립 관계를 나타냅니다. 대립하는 수리를 합하면 9가 되고, 만물을 펼쳐내는 태극수 1을 더하면 10이 됩니다. 1이 펼쳐지면 10이 되고 10이 수렴되면 1이 되니 태극(1)과 만물(10)은 결국 본원이 같은 것이지요. 이것은 일즉다 다즉일(一卽多 多卽一)의 논리로 설명할 수 있습니다. 하나(一)이면서 다(多)이고, 다(多)이면서 하나(一)라는 것이죠.

단군 시대 한민족의 경전인 『천부경』은 "일시(一始)"라는 첫 문장으로 시작합니다.

"一始", 즉 우주 삼라만상은 '하나(一)에서 비롯된다'라는 선언이죠. 현대물리학의 빅뱅(bigbang)으로 비유할 수 있는 어마무시한 선언이라 할 수 있습니다.

우주 만물은 상반된 대립인자인 음양의 상호작용이 일어나 중화(中和)를 낳음으로써 생명을 반복하며 순환합니다.

마주 보는 괘는 서로 반대인 배합 관계를 이루고 있으며, 또한 양괘와 음괘로 서로 대립하고 있죠. 우주 삼라만상은 상반된 성질의 대립인자인 음과 양이 서로 대립과 화해를 반복하며 상호작용을 통해 토해내는 것입니다.

양(陽)　　음(陰)
건(乾)☰ ： 곤(坤)☷
간(艮)☶ ： 태(兌)☱
감(坎)☵ ： 리(離)☲
진(震)☳ ： 손(巽)☴

복희팔괘도를 보면,

좌측 건태리진(乾兌離震)은 초효가 양입니다. 양을 뿌리로 괘상이 성립되죠. 우측 손감간곤(巽坎艮坤)은 초효가 음으로서 음을 뿌리로 하여 괘상이 성립되었음을 알 수가 있습니다. 선천복희팔괘도의 「태극음양도」와 원리가 일치하고 있습니다.

지구역인 문왕팔괘도(후천역)는

오행의 순환원리를 근간으로 팔괘를 펼쳐냄으로써 지구 만물의 생장수장(生長收藏)의 이치를 밝히고 있습니다. 오행의 순환에 따라 우주역을 표상한 복희팔괘도가 재배열된 것이 지구역을 표상한 문왕팔괘도입니다. 문왕팔괘도는 지구의 사시 순환에 따른 오행의 생극 원리를 담고 있죠. 그러므로 오행의 원리를 담고 있는 천간과 상관성을 가지고 있습니다.

우주 만물의 기저에는 음양의 대립과 상호작용이라는 근원적인 대칭 구조가 있습니다. 바로 만물의 시작점인 태극, 양자 물리학적으로 우주가 시작되는 빅뱅(bigbang)이라고 할 수 있습니다.

태극을 구성하는 음양은 만물의 생성순환시스템인 목화토금수 오행을 펼쳐내고, 오행은 상(象)으로써 문왕팔괘도를 이루고, 문자(文字)로는 천간을 드러냅니다.

오행의 생극작용에 의해 재배열된 팔괘를 원도에 배치하면 다음과 같습니다.

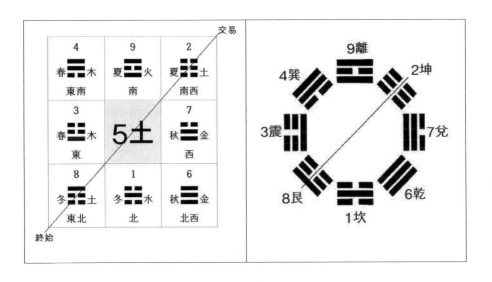

바로 지구의 춘하추동 사시를 표상한 문왕팔괘도(지구역)입니다.

마주 보는 괘의 수리를 합하면 항상 10이라는 완성을 지향하고 있음을 알 수가 있죠. 즉, 구궁도 안에서 상하·좌우·대각선의 수를 합해도 항상 10 이 됩니다. 우주를 펼쳐낸 복희팔괘도 중앙의 수는 10을 상징하고, 우주의 부분에 해당하는 지구의 순환원리를 표방한 구궁도의 수리는 10을 지향합니다. 지구의 변화가 아무리 변화무쌍해도, 인간의 삶이 아무리 복잡다단해도 10을 넘어서지는 않지요. 결국은 부처님 손바닥 안이라는 얘기입니다.

팔괘의 수리는 다음 강의에 이어지는 하도와 각서를 공부하면 쉽게 이해가 될 것입니다.

문자로 표현된 사주팔자를 제대로 이해하기 위해서는 상으로 표상된 문왕팔괘도(지구역)와의 상관성을 이해해야 합니다.

중앙의 5土가 사상(四象)과 작용하여 여덟 개의 상(象)을 펼쳐낸 것이 『주역』의 팔괘(八卦)가 되고, 중앙의 5토가 사시(四時)와 작용하여 10개의 문자로 표현된 것이 『사주명리학』의 천간(天干)입니다. 12지지는 계절에 따라 시간을 분류한 것이고요.

▷주역과 명리의 상관관계

無極(0) ⇨ 太極(1) ⇨ 陰陽(2) ⇨ ┌ 四象(5土) 8괘(부호): 64괘(주역)
                              └ 四時(5土) 10천간(문자): 60갑자(명리)

오행으로 천간과 괘상의 상호관계를 분류하면 다음과 같습니다.

오행	木		火		土		金		水	
천간	甲	乙	丙	丁	戊	己	庚	辛	壬	癸
음양	양	음	양	음	양	음	양	음	양	음
괘상	☳ 震 진	☴ 巽 손	☲ 離 리		☶ 艮 간	☷ 坤 곤	☱ 兌 태	☰ 乾 건	☵ 坎 감	
사시	春		夏		中		秋		冬	

<천간오행과 문왕팔괘>

천간과 지지, 그리고 문왕팔괘를 오행으로 분류하여 배치하면 다음 그림이 됩니다.

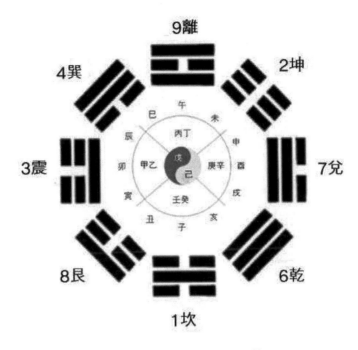

<간지와 문왕팔괘도(지구역)>

중앙의 「태극음양도」는 戊土(양)와 己土(음)가 되고, 戊己(土)를 중심으로 갑을(목), 병정(화), 경신(금), 임계(수)가 순환하는 구조입니다. 인묘진은 봄, 사오미는 여름, 신유술은 가을, 해자축은 겨울에 해당합니다. 戊土는 艮土☶에 작용하는 양(陽)적인 기운으로서 선천의 상극 원리가 작용하는 甲乙·丙丁을 펼쳐내고, 己土는 坤土☷에 작용하는 음(陰)적인 기운으로서 후천 상생의 원리가 작용하는 庚辛·壬癸를 펼쳐냅니다.

천간 10개의 문자와 지지 12개의 문자를 조합하면 60개의 조합이 나오는데 이것을 60갑자(甲子)라고 합니다. 사주팔자는 바로 이 60갑자를 활용하여 우주에서의 인간의 좌표를 표시하는 기호가 되는 것입니다.

사주팔자는 음양과 오행을 기본원리로 생년월일시를 간지(干支)로 표상함으로써 사람의 인사적 길흉을 밝혀 피흉추길을 추구하는 데 목적이 있습니다. 음양과 오행을 품은 천간과 지지가 생극제화라는 상호작용을 통해 득실과 길흉을 드러내는 것이죠.

時	日	月	年	
壬	戊	壬	癸	天
戌	辰	戌	卯	地
辛丁戊	乙癸戊	辛丁戊	甲乙	人

<천간(天), 지지(地), 지장간(人)으로 구성된 사주팔자>

"아이고, 내 팔자야."

라고 할 때, 팔자(八字)란 생년월일시를 천간과 지지로 전환하여 만든 여덟 글자로 구성된 사주명국을 의미합니다.

무진(戊辰) 일주를 『주역』의 괘상으로 표현하면 산풍고(山風蠱) 괘가 됩니다.

蠱 元亨 利涉大川 先甲三日 後甲三日
고 원형 이섭대천 선갑삼일 후갑삼일

고(蠱)는 크게 형통하다.
대천을 건너는 것이 이로우니 先甲三日 後甲三日이로다.

당신의 모든 게 여덟 글자에 다 들어있다니,
놀랍지 않은가?
궁금하지 않은가?

제12강 하도와 낙서

　복희가 나라를 다스릴 때 황하에서 용마(龍馬)가 짊어지고 나온 것이 하도(河圖)라는 그림입니다. 복희는 하도를 바탕으로 선천역인 복희팔괘를 고안했다고 전해집니다. 하도는 오행작용으로 펼쳐낸 우주 본체를 보여주고 있죠.

　낙서(洛書)는 우임금이 치수할 때 나타난 거북이의 등에 그려진 것을 나타낸 것이며, 이를 보고 후대에 문왕이 후천역인 문왕팔괘를 고안했다고 합니다. 이는 선천역인 복희팔괘를 체(體)로 하는 지구역으로서 서로 체(體)와 용(用)의 관계를 형성하고 있습니다.

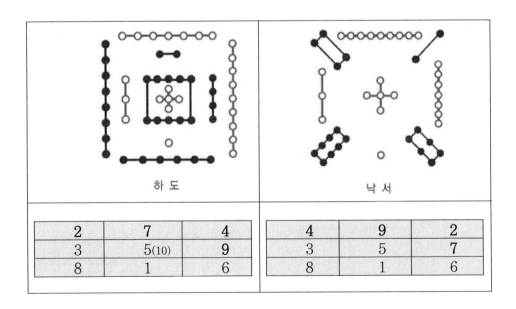

하 도

2	7	4
3	5(10)	9
8	1	6

낙 서

4	9	2
3	5	7
8	1	6

☞흰색은 홀수(양), 검은색은 짝수(음)를 의미한다. 낙서를 보면 중앙의 5는 5土를 의미하는데, 하도와 달리 10이 보이지 않는다. 그리고 하도에서의 2·7과 4·9가 낙서에 서는 4·9와 2·7로 순서가 바뀌어있음을 알 수 있다.

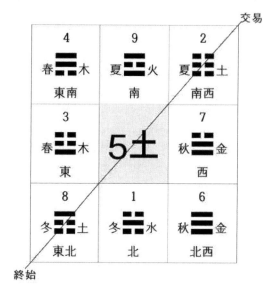

하도의 중앙수 5는 五土(5)로서 四象(4)을 돌리는 五行(5)의 중심인 황극(皇極)을 상징합니다. 10은 우주의 완전한 틀을 의미하는 천수(天數)를 의미하죠. 즉, 5土를 둘러싼 하도의 10은 태극(1)이 시생하여 만물로 펼쳐진 완전성(10)을 의미합니다. 즉 5土가 만물을 펼쳐내는 우주 공간, 즉 십천(十天)을 상징하죠.

복희팔괘도는 우주 본체를 그린 것으로서 완전함(10)을 체(體)로 합니다. 하도의 2·7과 4·9가, 낙서에서 4·9와 2·7로 서로 자리를 바꿈을 함으로써 오행에 변화가 일어나게 되죠. 이때 에너지의 불균형이 발생함으로써 작용이 일어나게 되고(상극), 이로 인하여 지구운행과 사시작용을 표현하는 문왕팔괘도가 만들어지게 됩니다.

문왕팔괘도는 2·7과 4·9가 자리를 바꾼 낙서의 수와 수리적 결합을 함으로써 하도의 상생과 반대되는 상극작용이 발생합니다. 그러나 이러한 상극작용은 복희팔괘도가 표상하는 우주의 완전성을 나타내는 천수 10(十天)을 벗어나지 않으니, 작용을 통해서 천수 10을 드러내게 됩니다. 작용이란

4	9	2
3	5	7
8	1	6

<낙서(구궁도)

상하·좌우·대각선의 합 10이 되는 것을 말하며, 5土까지 포함하면 하도의 중앙수, 우주 조화의 근원인 15수가 나오게 되죠.

우주 조화의 근원을 의미하는 15수란 만물의 화생 작용(時)을 일으키는 5(土)와 우주(空)를 의미하는 10(天)의 합을 말합니다.

구궁도로 짜인 낙서의 수리는 마방진이라고 하며, 『격암유록』의 남사고 선생은 마방진 15수를 15진주(眞主)라고 표현하기도 했습니다.

하도와 낙서는 서로 체용(體用) 관계로서 복희역과 문왕역도 체용 관계로 설명이 됩니다. 하도는 천지창조의 원리를 설명하는 우주 설계도이고, 복희팔괘도는 설계도에 따라 삼라만상을 펼쳐낸 우주역이라 할 수 있습니다.

낙서는 천지운행과 변화의 원리를 설명하며, 문왕팔괘도는 공전과 자전을 통해 사시사철의 작용과 그에 따른 변화를 표상하는 지구역이 됩니다.

오행(五行)이란 상대성으로 인해 불일치되는 에너지의 이동을 통해서 서로 부딪히고 화합하면서 상생과 상극작용을 일으키는 것을 설명합니다. 서로 완전한 균형을 이루고 있다면 상호작용은 일어날 수가 없겠죠. 상호작용이란 에너지가 불균형을 이루고 있을 때 균형을 이루기 위해 에너지가 이동하면서 일어나는 것이기 때문입니다. 하도의 2·7(火)과 4·9(金)가, 낙서에서 4·9(金)와 2·7(火)로 서로 자리바꿈(金火交易)을 함으로써 강유(剛柔)가 부딪히면서 조화를 이루기 위한 에너지의 이동이 일어나면서 상극작용이 발생합니다. 즉, 하도에서 2·7(火)이 4·9(金)를 시계방향으로 뒤따르다가(상생), 낙서에서 갑자기 4·9(金)가 뒤돌아서 맞부딪히니(상극), 전체가 시계 반대 방향으로 돌게 되면서 [火克金-金克木-木克土-土克水-水克火]라는 상극작용을 만들어내는 것입니다.

위에서 설명한 상생과 상극의 원리를 하도와 낙서의 그림으로 표현해 보겠습니다. 막연하게 물상적으로 이해하던 오행의 생극 원리가 여기에서 시작됩니다.

선천(先天)은 양(陽)이 주관하는 건도(乾道)의 세상입니다. 양이 주관하는 상극의 원리로써 만물을 키우는 세상이죠. 후천(後天)은 음(陰)이 주관하는 곤도(坤道)의 세상입니다. 음이 주관하는 상생의 원리로써 만물을 수렴하는 세상입니다.

지구역인 문왕팔괘도로 선·후천의 상생·상극의 원리를 풀이하면 다음과 같습니다.

(1) 하도의 상생 원리

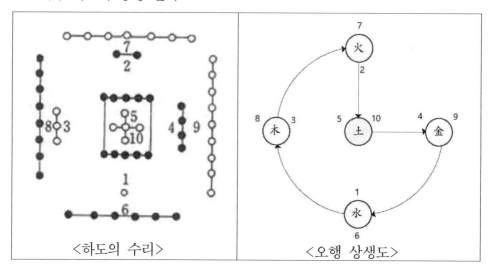

| <하도의 수리> | <오행 상생도> |

☞ 상생(相生): 水生木->木生火->**火生土⇒土生金**->金生水

☰ ⇒ ☲ ⇒ ☶

火 (生) 土 (生) 金

양이 주관하는 선천의 상극작용은 음이 주관을 시작하는 후천(後天)의 초입에서 곤토(☷)의 중재로써 상생작용으로 전환되는 금화교역(金火交易)의 모습을 보여주고 있습니다.

(2) 낙서의 상극 원리

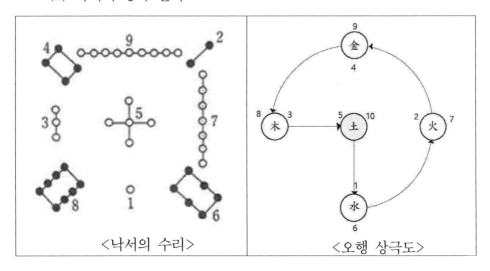

<낙서의 수리>　　　　　　<오행 상극도>

☞ 상극(相克): 木克土⇒土克水->水克火->火克金->金克木

☷ ⇒ ☷ ⇒ ☳

木 (克) 土 (克) 水

　음이 주관하는 후천의 상생작용은 양이 주관을 시작하는 선천(先天)의 초입에서 간토(☶)의 종시(終始) 작용으로 인하여 상극으로 전환되는 모습을 보여줍니다.

　위의 설명을 천간 지지와 함께 지구역인 문왕팔괘도에 표시하여 전체를 조감하면 다음과 같습니다.

　중앙의 戊己(土)는 5土 황극(皇極), 즉 천지인(天地人)을 품고 있는 '추상적인 태극'이 아니라 천지인 만물을 펼쳐내는 실제 '작용하는 태극'입니다. 土(戊己)가 木(甲乙), 火(丙丁), 金(庚辛), 水(壬癸)와 상호

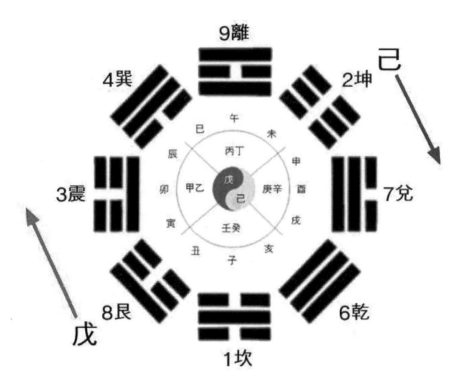

<태극이 펼쳐낸 간지와 문왕팔괘도의 終始(☶艮土)와 交易(☷坤土)>

작용을 통해 팔괘(八卦)로 표상되는 지구의 만물만상을 표현하는 모습을 상징합니다.

만물의 종시(終始)를 움켜쥐고 있는 동북방의 艮土☶와 상극에서 상생으로의 금화상쟁(金火相爭)을 중재하는 서남방의 坤土☷가 지구의 축이 되어 사계절 만물의 순환을 돌리는 역할을 합니다.

艮土☶는 감수(坎水☵)를 극함으로써 품고 있던 생명(생기)을 깨우고 양이 주관하는 건도(乾道) 상극 세상, 甲乙·丙丁을 시작하죠. 坤土☷는 씨앗(생기)을 품은 열매☵를 받아 태금☱을 생함으로써 음이 주관하는 곤도(坤道) 상생 세상, 庚辛·壬癸를 시작합니다.

제13강 나? 을목(乙木)이야

아래 도표에서 사주팔자 여덟 글자 중에 나를 상징하는 것은 일간 을목(乙木)입니다. 다른 7개의 글자는 내가 지구에 태어나 관계를 맺고 있는 기운이죠. 나는 그들과의 관계에 의하여 규정되는 존재라고 할 수 있습니다.

을목(乙木) 혼자서는 "나"라고 하는 존재를 표현할 수가 없습니다.

시주 (정해)	일주 (을미)	월주 (병오)	년주 (임인)
합	-	충	합충
식신	일간(나)	상관	정인
丁	乙	丙	壬
亥	未	午	寅
정인	편재	식신	겁재
戊 정재	丁 식신	丙 상관	己 편재
甲 겁재	乙 비견	己 편재	丙 상관
壬 정인	己 편재	丁 식신	甲 겁재

<일간 乙木(나)>

나는 굉장히 복잡한 관계의 설정을 통하여 만들어진 복잡다단한 존재입니다.

갑목(甲木)은 양기(陽氣)로 땅을 뚫고 자라는 새싹같이 혈기가 왕성하여 굽힐 줄 모르는 청년같은 감성적 성정의 소유자라면,

을목(乙木)은 음기(陰氣)로 성숙한 큰 나무를

상징하며, 바람에 굽힐 줄 아는 유연성과 부드러움, 비바람을 경험한 원숙함, 타협이 가능하고 합리적이며 이성적 성향의 소유자를 말합니다.

을목은 가지를 늘어뜨린 성숙한 나무이며, 때에 따라 담을 타고 넘어가는 담쟁이덩굴 같은 성정을 가리키기도 합니다.

을목(乙木)을 『주역』의 괘상으로 표상하면 손풍(巽風☴)이 됩니다. 만물이 왕성하게 성장하는 봄의 기운을 상징하죠. 땅(초음)에 뿌리를 두고 2개의 양기가 상승 확장하는 바람처럼 자유분방한 기운을 의미합니다. 격식이나 관습에 얽매여 정신이나 행동이 구속되는 것을 싫어하죠.

<을목(乙木☴)의 성정>

부드러운 바람처럼 피해가고 담쟁이 넝쿨처럼 굽히며 넘어가기도 하지만 때로는 정면으로 부딪치고 넘어트리는 태풍 같은 강한 기질도 있습니다.

갑목이 경험이 미숙한 청소년 같은 성정이라면 을목은 사회에 나가 산전수전을 경험하고 있는 청년 같은 성정이라 할 수 있습니다. 갑목이 아직 세상 물정을 모르고 무조건 직진하려는 철없는 성정이라면 을목은 비바람은 피하면서 시의적절하게 몸을 숙일 줄 아는 철이 든 성정이라 할 수 있겠죠.

막힌 곳은 피해가고 굽힐 줄 아는 부드러운 성정, 타협할 줄 아는 유연성, 뻗어가려는 기상과 부드러운 굴신의 성질을 함께 가지고 있는 강인한 기질의 소유자라 할 수 있습니다. 외면적으로는 부드럽고 합리적이지만 내면적으로는 타협할지언정 꺾이지 않는 기상도 있구요.

와, 그렇다면 갑목보다 을목이 훨씬 더 멋지네요.
아닙니다.
모든 것은 주변의 나머지 7개의 간지와의 상관성에 의하여 설정되기 때문에 그 의미는 상대적이라 할 수 있습니다. 직진해야 할 때 머뭇거리거나, 잠시 멈추어야 할 때 그대로 직진한다면 내게 이로운 시의적절한 행동이라고 할 수는 없겠죠.

사주팔자, 즉『사주 명리학』이란
일간(나)을 중심으로 다른 여타 7개 간지와의 상호관계를 분석하여 일간인 나의 인생길에서 어떤 선택을 함에 있어 길흉 득실을 따져 피흉추길(避凶趨吉)을 하고자 함에 그 목적이 있다 할 수 있습니다.
『경제학』, 『경영학』, 『통계학』 등등 학문 대부분은 인간이 경험하고 누적해온 다양한 분야를 분석하고 통계를 냄으로써 인간이 미래를 선택하는 데 있어서 확률적 도움을 주려는 데 그 목적이 있다 할 수 있습니다.

그런데,
생로병사(生老病死)라는 시공간적 한계에 갇혀 있는 생물학적 인간에 대하여 피흉추길을 목적으로 하는 미래 예측에 관한 학문은 공식적으로는 없다고 할 수 있습니다.
왜냐하면,
미래 예측은 비과학적이라고 치부하여 종교적 영역이라는 울타리에 가두고 있기 때문이죠. 지금은 현대과학인『양자물리학』분야에서 초미세 영역을 연구, 새로운 발견을 계속하고 있습니다.『양자물리학』을 공부하다보면 물리(物理)라기보다는 형이상학적이고 철학적인 설명으로 가득하다는 것을 알 수가 있습니다.

종교적 신(神)의 전매특허인 창조 영역도 언급하고 있습니다.

『주역』의 중(中)
『노자(老子)』의 무(無),
정이(程頤)의 리(理),
장재(張載)의 기(氣)

라는 동양 철학적 용어들이 수없이 등장합니다.

인간과 유사한, 아니 인간보다도 더 우월한 AI가 인간의 영역을 대체해가고 있는 게 현실입니다. 얼마 전 애플에서 나온 제품은 이제 눈빛으로, 생각만으로도 동작을 실행하고 제어합니다. 사실 무선전화기, 인터넷, TV 등등 현대과학의 산물들은 예수가 바다 위를 걸은 기적에 못지않은 것들이죠.
이제 기적의 영역은 현실로 과학으로 이미 곁에 다가와 있습니다. 무지의 영역을 신에게 위임하고 이해하지 못하는 것을 무한(無限)이라고 부르며 애써 외면하는 것은 지식인의 자세라고 할 수 없습니다. 무당이 날카롭게 벼린 작두 칼날 위를 걷는 것은 이제 신비라고도 할 수 없는 시대로 진입하고 있습니다.

지금 여러분의 손에는
요술공주 세리의 요술봉보다 더 강력한 핸드폰이 쥐어져 있습니다. 말로 명령하면 곧바로 알아듣고 실행합니다. 앞으로 더욱 세련되고 업그레이드된 요술봉으로 마술같은 더 많은 기적을 현실로 경험하게 될 것입니다. AI가 만들어내는 기적은 이제 현실입니다.

『주역』이 미신이라고요?
『명리학』이 비과학적이라니요.
인간의 경험과 예지력이 결집된 인문학으로서 인류의 소중한 자산입니다.
누적된 경험과 자료의 분석을 통해서 미래를 예측하려는 것은 생로병사라는 시공간의 한계에 갇혀 있는 인간으로서 당연한 권리이자 의무입니다.
무지에 대해 생각하고 질문을 던지는 것은 살아있는 인간의 권리이자 의무이지 결코 죄가 될 수 없습니다. 만난 적도 없는 신(神), 누군가에게 전해 들은 본 적도 없는 신(神)에게 모든 것을 일임하고, 그것이 마치 지혜로운 지식인인양하는 것은 인간으로서의 권리를 포기하는 거나 다름이 없습니다. 물론 자신이 믿고자 하는 것을 믿는 것은 자유입니다. 그것을 비판하려는 것은 아닙니다. 다만 무지의 영역에 대하여 당당히 질문을 던지는 것을 두려워하는 것을 지적하고자 하는 것이죠. 그것은 죄의 영역이 아닙니다.

자신의 한계와 무지를 알지만
지식의 원천을 다른 것들에게 위임하려 하지 않는 당당한 외침,
그것은 무한에 맞서는 작고 신중하며 더없이 지성적인 선언,
몽매주의에 반대하는 선언입니다.
광대한 우주이지만 유한합니다.
오직 우리의 무지만이 무한할 따름입니다.

우리의 무지를 직시하고 받아들여 그 너머를 보려고 하고, 우리가 이해할 수 있는 것을 이해하려고 노력하는 쪽이 더 멋진 일입니다. 무지를 받아들이는 것이 미신과 편견에 빠지지 않는 길이기 때문만이 아니라, 무지를 받아들이는 것이 가장 진실하고 가장 아름다운 것이며 가장 정직한 길이기 때문입니다.

카를로 로벨리의 말입니다.

양자물리 학자인 카를로 로벨리의 또 다음 말은 우리에게 많은 것을 시사합니다.

아우구스티누스는 하느님이 세상을 창조하기 전에 무엇을 하고 계셨을까 하는 물음에 대해서 그가 들었던 대답이라고 농담조로 보고한다.
"깊은 신비를 조사하려는 너 같은 자들을 위해 지옥을 만들고 계셨다."

지금까지의 들었던 지식을 내려놓고,
에덴동산과 선악과의 진정한 의미를 생각해 보시기 바랍니다.

제14강 안녕, 난 갑목(甲木)이야.

사주 명리학은 인간의 성정을 천간으로 분류하여 10가지로 정의를 내리고 있습니다. 지구상에는 인간을 비롯한 만물이 태양을 공전하는 지구가 만들어내는 춘하추동 사시를 따라 목화토금수라는 오행의 특성을 만들어내며 생로병사를 경험하고 있습니다.

인간은 춘하추동이라는 계절의 변화에 영향을 받으면서 적응하며 살아가는 존재입니다.

시주 (정묘)	일주 (갑신)	월주 (계해)	년주 (계묘)
상관	일간(나)	정인	정인
丁	甲	癸	癸
卯	申	亥	卯
겁재	편관	편인	겁재
甲 비견 -- 乙 겁재	戊 편재 壬 편인 庚 편관	戊 편재 甲 비견 壬 편인	甲 비견 -- 乙 겁재

<일간 甲木(나)>

봄에는 따스한 옷으로 갈아입고,

무더운 여름에는 얇은 옷을 입게 되죠.

가을에는 떨어지는 낙엽을 바라보며 쓸쓸함을 곱씹게 되고요.

겨울에 여름옷을 입고 사는 사람은 없습니다.

에스키모인들이 태양이 작

열하는 아프리카에서 적응하기란 쉽지 않죠. 반대로 아프리카인들이 얼음집인 이글루에서 산다는 것은 상상할 수도 없는 일입니다.

계절적 환경은 그 지역 사람들의 성정과 육체적인 특성을 만들어냅니다. 풍수학이란 환경에 영향을 받는 인간들의 공간적 영역을 연구하는 학문이고, 사주명리학이란 춘하추동 사시를 따라 적응해 가는 인간의 시간적 특성을 연구하는 학문입니다.

인간의 특성을 춘하추동 사시의 변화에 따라 오행으로 분류하고, 오행의 음양적 특성에 따라 펼쳐진 10천간에 인간의 성정을 배정하고 분류한 것은 정말이지 코페르니쿠스적 사고의 전환이라고 할 수 있겠습니다.

하나에서 음양으로 분별되고, 상반된 성정을 가진 음양은 대립과 상호작용을 통해 사상을 낳고, 사상은 5토와 작용하여 팔괘(상)와 천간(문자)을 펼쳐내죠. 그러므로 천간을 이해하기 위해서는 문자적인 해석만이 아닌 팔괘와의 상관성을 함께 공부해야 하는 것입니다.

오행	木		火		土		金		水	
천간	甲	乙	丙	丁	戊	己	庚	辛	壬	癸
음양	양	음	양	음	양	음	양	음	양	음
괘상	☳ 震 진	☴ 巽 손	☲ 離 리		☶ 艮 간	☷ 坤 곤	☱ 兌 태	☰ 乾 건	☵ 坎 감	
사시	봄(春)		여름(夏)		中		가을(秋)		겨울(冬)	

<천간오행과 문왕팔괘>

봄의 특성에 속하는 목오행에는 갑목(甲木)과 을목(乙木)이 있습니다.

목기(木氣)는 사랑으로 생명을 낳고 기르는 어진 성격의 소유자로 인의예지신(仁義禮智信) 오상(五常)중에 인(仁)에 해당됩니다.

갑목☳은 목기(木氣)의 시작으로서, 지구역을 상징하는 문왕팔괘 중

<갑목(甲木☳)의 성정>

에서 진괘(震卦☳)에 해당되죠. 진괘☳는 맨 아래 초양이 2개의 음효를 뚫고 나오는 형상을 하고 있습니다. 겨우내 땅속에 있던 씨앗이 드디어 발아하며 물러진 땅 위로 솟구쳐 나아가려는 모습을 표상합니다. 그래서 갑목은 태동하는 봄의 씨앗과 새싹, 쑥쑥 자라나는 청소년기의 나무를 상징하죠. 상향, 직진하려는 성향을 가지고 있습니다.

일을 시작하고 추진하는 힘이 강합니다. 갑목을 일간으로 가지고 있는 사주팔자는 창조적 성향이 있으며, 미래지향적이죠. 웬만한 난관에는 부러지지 않고 뚫고 나아가는 불굴의 투지력을 가지고 있습니다. 앞장서서 이끌고 나아가려는 리더(leader)로서의 욕구가 강하며, 혈기왕성하고 자존심이 강하여 남에게 잘 굽히지 않는 성정의 소유자라 할 수 있습니다.

제15강 꽃(丙)과 열매(丁)

여름의 특성에 속하는 화오행(火五行)에는 丙火(양)와 丁火(음)가 있으며, 지구역인 문왕팔괘도로 보면 이화괘(離火卦☲)에 해당합니다. 무성하게 흐트러진 양의 기운이 균형을 갖추어 질서를 잡은 모습이죠. 2개의 양이 가운데 음으로 인해 상하로 분별 되어 질서를 잡은 모습입니다. 만물이 질서를 잡는다는 것은 인사적으로 보면 상하로 예를 갖추는 것이 됩니다. 그래서 화오행은 인의예지신(仁義禮智信) 오상(五常) 중에 예(禮)에 해당합니다.

여름의 외형은 무성해 보이지만 내면은 음(陰)해지는 때이므로 양(陽)은 생장을 멈추고 그 대신 열매에 양기를 채우며 서서히 결과를 만들어 가는 수렴의 시기로 접어들게 됩니다.

이화(離火☲)는 만물이 왕성하게 펼쳐진 여름으로서 기운이 가장 왕성한 장년기에 해당합니다. 그래서 화(火☲)는 원형이정(元亨利貞) 사덕(四德) 중에 형(亨)이 되는 것이죠.

병화(丙火)는 완성, 질서, 만개, 화려, 정점의 의미가 있으며, 화려하고 밝지만, 실속을 차리는 성정을 가지고 있는 것이 특징입니다.

병화가 양화(陽火)인 태양이라면, 정화는 음화(陰火)인 촛불입니다. 그러므로 태양처럼 화려하고 외향적이며 밝은 성정을 가진 병화에 비해

<병화(丙火☰)의 성정>

촛불인 정화는 소심하고 소극적인 성정으로서 사색을 좋아하며, 외형적으로는 명랑하지만 욱하면 초가삼간을 태우는 성격도 숨어있다고 할 수 있습니다.

손풍괘(☴)에 해당하는 을목(乙木)이 자유분방하게 기(氣)를 발산하는 청년기 나무의 성정이라면, 병화는 음효를 중심으로 양효가 상하로 분별 되어 질서를 잡아가는 모습을 보여줍니다. 즉, 무분별한 기의 발산이 아니라 음을 중심으로 기가 수렴되고 있는 모습이죠.

병화(丙火)는 열매를 맺기 위하여 장성한 나무에 핀 꽃을 상징합니다. 양기의 무한 팽창이 아니라 흩어진 기가 꽃으로 수렴되어 질서를 잡아가는 모습을 보여줍니다. 즉, 병화(丙火)는 씨앗을 만들기 위하여 꽃을 피우며 흩어진 기를 수렴하기 시작하는 때입니다. 12개월을 상징하는 『주역』의 12벽괘를 보면 병화는 중천건(重天乾☰☰)괘에 해당합니다. 기운이 만개한 모습을 나타내죠.

정화(丁火)는 씨앗을 품은 열매를 상징합니다. 병화가 수렴한 기운으로 만든 열매입니다. 그 안에는 다음 세대를 잇기 위한 씨앗을 품고 있죠. 12개월을 상징하는 『주역』의 12벽괘를 보면 천풍구(天風姤☰☴)괘에 해당됩니다. 맨 아래 초

<정화(丁火☲)의 성정>

음(初陰)이 꽃에 주입되는 양기를 끊어 열매를 만든 모습을 상징합니다. 늦여름 열매가 땅(坤土☷☷)에 떨어지고 삭혀짐으로써 알갱이와 쭉정이로 선별되면 알갱이만을 가을 금기가 거두어드릴 것입니다.

제16강 무·기(戊·己)가 주관하는 선·후천

토오행(土五行)에는 무토(戊土)와 기토(己土)가 있습니다.

무토(戊土)는 양(陽) 오행으로서 지구역인 문왕팔괘도 동북방의 간괘(艮☶)에 해당하고, 기토(己土)는 음(陰) 오행으로서 서남방의 곤괘(坤☷)에 해당됩니다.

艮☶괘는 하늘(3양)이 땅(1.2음)을 처음 터치하는 상으로서, 생명이 긴 겨울의 휴식을 마치고 깨어나는 모습을 상징합니다.

坤☷괘는 뜨거운 여름의 화기(火氣)를 식혀 금기(金氣)로 수렴될 수 있도록 하는 금화교역(金火交易)이라는 중재자적 역

交易

巽☴木 乙	離☲火 丙丁	坤☷土 己
震☳木 甲	土	兌☱金 庚
艮☶土 戊	坎☵水 癸壬	乾☰金 辛

終始

<오행(土)과 문왕팔괘도>

할을 수행합니다.

간괘==는 산(山)을 상징하며 천간 무토(戊土)가 되고,
곤괘==는 넓은 땅 대지(土)를 상징하며 천간 기토(己土)가 됩니다.

간토(艮土==)는 지구 만물의 마침과 시작(終始종시)을 조율하는 위치에 있습니다. 음을 종식시키고 양이 주도하는 건도(乾道) 세상을 시작하죠.

<무토(戊土==)의 성정>

즉, 지구의 사시순환을 표상하는 문왕팔괘도를 보면, 동북방의 간토==가 북방의 감수==를 극함으로써(土克水) 음이 주관하는 상생의 곤도 세상(坤道)을 마감 지우고(終), 진목==은 간토==를 극함으로써(木克土) 양이 주관하는 상극(相剋) 건도 세상을 시작하는 것입니다(始). 그래서 동북방에 위치한 간토==는 지구역인 문왕팔괘도에서 종시(終始)의 역할을 한다고 하는 것입니다.

아마도 『주역』을 조금이라도 아시는 분들은 우리나라가 간방(艮方)이라고 하여 후천시대에 세계를 주도하는 국가가 될 것이라는 말을 들어본 적이 있을 겁니다. 간방(艮方)은 동북방(東北方)에 위치한 우리나라를 가리키죠. 세상의 종시(終始)를 움켜쥐고 있는 위치에 있습니다.

무토(戊土)는 양(陽) 오행으로서 문왕팔괘도의 동북방 간괘(艮山==)에 해당하므로 산처럼 성정이 진중하고 무게가 있으며, 남성적이고 우

직합니다. 일의 마침과 시작에 있어 신중함이 드러나죠. 그러나 지나치게 되면 신중함은 고집과 아집이 되고, 일의 진척이 더딘 결과를 낳기도 합니다.

기토(己土)는 음(陰) 오행으로서 지구역인 문왕팔괘도의 서남방 곤괘(坤土☷)에 해당됩니다. 즉, 곤토(坤土)는 火(여름)가 金(가을)을 극하는 금화상쟁(金火相爭)을 중재함으로써 화생토(火生土) 토생금(土生金)으로 자연스럽게 상생으로 이어지도록 하는 중재 역할을 수행합니다. 곤토는 양기의 수렴과 음기의 시작을 조율하는 위치에 있으며, 음이 주도하는 곤도(坤道) 세상을 주관하는 오행입니다.

<기토(己土☷)의 성정>

여름의 양기를 가득 머금은 열매를 받아드려 씨앗을 선별함으로써 가을에 넘기는 중재자적 기운입니다. 생장(生長)하는 양의 기운인 목화(木火)에서 수장(收藏)하는 음의 기운인 금수(金水)로 넘기는 금화교역(金火交易)을 수행하는 것이죠. 화극금(火克金)으로 충돌하는 금화상쟁(金火相爭)의 기운을 상생으로 화해시킴으로써 성장 분열하는 여름에서 수렴 통일하는 가을로 순조롭게 넘어가도록 하는 가교 역할을 하는 것입니다.

기토(己)는 『주역』 팔괘로 보면 곤(坤)괘에 해당하므로 온갖 곡식을 품은 넓은 평야처럼 품이 넓고 자애로운 모성애를 상징합니다. 여성적이고 유순한 성정을 지녔죠. 상극을 상생으로 중재하는 중재자적 성향이 있으며, 지나치면 꼼꼼하고 인색한 면이 드러나기도 합니다.

무토(戊)는 만물이 생장하는 봄 여름에 해당하는 건도(양)의 바탕이므로 만물을 기르는 습(濕)을 머금은 옥토에 해당합니다.

기토(己≡≡)는 양기를 머금은 열매를 받아드려 삭힘으로써, 알갱이와 쭉정이를 분리 수렴하는 가을 겨울에 해당하는 곤도(음)의 바탕이 되므로 습(濕)이 없는 조토(燥土)에 해당합니다. 습하면 알갱이까지 삭혀버리고 말겠죠.

무토(戊≡≡)는 양이 주도하는 선천 건도시대에 상극으로 생장하는 봄(木)과 여름(火)을 주관하는 바탕이 되고,

기토(己≡≡)는 음이 주도하는 후천 곤도시대에 상생으로 수렴하는 가을(금)과 겨울(수)을 주관하는 바탕이 됩니다.

토(土)는 인의예지신(仁義禮智信) 오상(五常)중에 신(信)에 해당합니다. 토(土)는 목화(木火)와 금수(金水)의 바탕이 되는 중토(中土)로서, 가운데(中)에서 목화금수 사상과 상호작용하며 기운을 조절하는 중화적 성정을 지녔기 때문입니다. 중앙에서 사상의 중재자 역할을 할 수 있는 것은 목화금수의 믿음(信)이 없다면 불가하겠죠.

제17강 가을 농부(庚辛)

가을에 속하는 금오행(金五行)에는 경금(庚金)과 신금(辛金)이 있습니다.

지구역인 문왕팔괘도를 보면 경금은 태괘(兌卦☱), 신금은 건괘(乾卦☰)에 해당합니다.

<수렴(收斂)>

경금(庚金)은 음이 양을 포장하여 수렴하는 태괘(☱)의 상입니다. 곤토(坤土☷)의 중재 과정을 거쳐 음이 양을 포장하는 수렴작용을 시작하는 단계죠. 토(土)가 금(金)을 낳고, 금(金)이 수(水)를 낳는 후천 상생시대의 시작입니다.

목화(木火)라는 양의 발산작용(乾道)이 경금에서는 수축 작용하는 음의 운동(坤道)으로 전환이 됩니다. 양이 주관하는 건도(乾道)에서 음이 주관하는 곤도(坤道)의 시기로 접어드는 것이죠. 화생토 토생금(火生土 土生金)이라는 토의 중재 과정을 통해 수렴단계로 전환이 되어 가는 것입니다.

<경금(庚金☰)의 성정>

계절로는 결실을 수확하는 가을입니다. 여름 내내 양기를 가득 머금은 열매가 땅(☷)에 떨어져 숙성되고 삭혀지죠. 천간 기토(己土☷)가 삭혀놓은 열매는 의(義)로운 숙살지기(肅殺之氣) 기운인 경금(庚金☰)에 의해 알갱이와 쭉정이로 분리되어 올바르게 걸러집니다. 태괘☱는 음이 양을 안에 가득 담고 있는 모습을 상징하죠.

경금(庚金)은 흑백논리가 분명하여 시시비비를 가리며 끊고 맺음이 분명한 성격입니다. 불의를 보면 참지 못하고, 의협심이 강해 다소 호전적으로 보일 수도 있지만 내면은 양기를 축적하고 있는 의외로 따뜻하고 정이 많은 사람입니다.

신금(辛金)은 경금이 시작한 수렴작용을 완성하는 기운입니다. 괘상으로는 건괘(乾卦☰)에 해당이 되는데 이는 경금(庚金)이 알갱이(☰)만을 수렴하여 축적해 놓은 순수한 양기를 의미합니다. 다음 세대의 순환을 위한 생명의 씨앗(生氣)으로서 겨울의 수기(水氣☵)에 저장됩니다.

신금☰은 순수한 양기(陽氣)의 정수만을 축적해 놓은 기운이므로 내면이 순수하고 의로우며 냉정하죠. 옳고 그름을 분명히 하는 성정으로 주관이 굳세고 논리적이며 자기 생각이 분명한 사람입니다.

경금☰이 다듬어지지 않은 원석에 해당한다면, 신금☰은 불순물이 제거된 순수한 양기의 집합체로서 날카롭게 벼려진 칼날처럼 섬세하고 정밀하며 까다롭습니다.

신금☰은 경금☰이 불순물을 제거하여 안에 담아놓은 순수한 양기를 의미하죠. 다음 세대의 시작을 위한 순백한 정기(씨앗)로서 겨울을 상징하는 감수(坎水☵)에 의해 저장이 됩니다. 이후 종시(終始)를 움켜쥐고 있는 간토☶에 의해 깨워지며 새로운 건도(乾道) 세상을 시작하게 되는 것이죠.

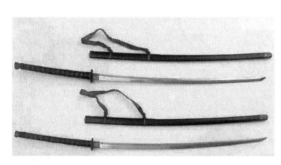

<신금(辛金☰)의 성정>

신금☰은 보석처럼 선별되고 잘 다듬어진 상으로, 성정(性情)이 바르고 정연(整然)하며 내면과 외면이 일치하는 사람입니다.

상극의 원리가 주도하는 건도(양)에 이어 상생의 원리가 주도하는 곤도(음)의 가을은 쭉정이는 버리고 알갱이를 모으는 추상같은 의로움(義)으로써 이로움(利)을 거두어드리는 추수의 계절입니다. 금(金)은 인의예지신(仁義禮智信) 오상(五常)중의 의(義)에 해당하며, 원형이정(元亨利貞) 사덕(四德) 중에 이(利)에 해당이 됩니다.

대부분 종교가 후천 세상을 꿈꾸며 '지금은 쭉정이를 버리고 알갱이를 모으는 추수의 계절, 가을 추수 꾼이 필요하다, 개벽이 일어난다'라는 이야기를 들어보신 적이 있을 겁니다. 동양종교는 말할 것도 없고요, 기독교 경전에도 추수 꾼을 비유하는 이야기가 나오죠. 다들 원리는 비슷합니다.

"지금은 금화교역(金火交易)이 진행되고 있는 서남방에 위치한 곤토(☷)의 시기로서, 상생의 원리가 작동하는 가을 후천 세상으로 들어가는 초입에 서 있다."

이야기를 들어보면

모두 자신들의 교리적 입장에서, 목화토금수 오행 중에 서남방(西南方)에 위치한 토(土)와 서방(西方)에 위치한 금(金)의 성정을 아전인수격으로 해석하고 있음을 알 수 있습니다. 모두가 『주역』의 원리를 가져다 쓰고 있는 것이죠.

『주역』은 우주와 지구의 순환원리를 밝히고 있으며, 『사주명리』는 생장수장(生長收藏)의 이치로써 생로병사(生老病死)를 순환하는 인간의 이치를 밝히고 있습니다.

제대로 알고 있으면
타인의 속삭임에 쉽게 휘둘리지 않습니다.

제18강 생명을 품은 물(壬癸)

계절적으로 겨울에 속하는 수오행(水五行)에는 임수(壬水)와 계수(癸水)가 있습니다. 지구역인 문왕팔괘도를 보면 감괘(坎☵)에 속하며 임수는 양, 계수는 음의 성정을 가지고 있습니다.

수(水)는 안에 순환을 시작하는 양의 기운, 즉 생명(씨앗)을 품고 있습니다. 감괘(☵)는 두 번째 양효(二)가 두 개의 음효 사이에서 보호되고 있는 모습입니다. 이후 종시(終始)를 담당하고 있는 간토☶의 극을 받아 깨어남으로써 만물이 시작되는 봄을 맞이하는 것이죠.

수(水)는 금(金)에서 수렴된 양기가 드디어 음의 기운 속에 응축, 저장되어 마무리하는 단계입니다.

임수(壬水)는 씨앗을 저장하는 능력이므로 생각하고 준비하며 계획하는 성질이 강하죠. 휴식 충전 계획 준비하는 상태, 인사적으로는 소유욕, 보존 능력, 생명으로 보면 해체, 소멸, 죽음, 혼돈의 의미가 있으며, 종교 철학 심리 등 정신세계를 지향합니다.

순환의 과정으로 보면 생장수장(生長收藏) 중에 장(藏)에 해당합니다. 저장된 생명의 씨앗(생명)은 다음 세대를 위하여 바르게 저장되어야 하므로 원형이정 사덕(四德) 중에 정(貞)이 되며, 사시 순환을 통해 축적된 지혜로서 인의예지신 오상(五常)중에 지(智)에 해당합니다. 저장과 휴식은 새로운 시작을 하기 위함이니 그 바탕은 바르게(貞) 되어야 하며, 그래야 지혜를 담아 다음 세대에 제대로 전달할 수가 있는 것입니다.

괘상☵을 보면 2개의 음 가운데 양이 바르게 있음을 알 수 있죠. 감수☵의 2효는 사시를 순환하며 쌓인 정보(DNA)와 지혜가 응축된 결정체를 상징합니다

<임수(壬水☵)의 성정>

임수(壬水☵)는 씨앗을 저장하는 능력이므로 생각하고 준비하며 계획하는 성질이 강합니다. 엄동설한 꽁꽁 얼어붙은 땅속 깊이 저장된 씨앗이 봄을 기다리는 상이니, 올바르게 저장이 되어야만 봄이 왔을 때 딱딱한 껍질을 뚫고 깨어날 수가 있습니다. 죽은 씨앗은 발아할 수가 없겠죠. 그러므로 수(水)는 고독을 즐길 줄 알며, 인내심이 강하고 또한 성정이 바르므로 사덕(四德) 중의 정(貞), 즉 바름(正)의 상이 되는 것입니다.

계수(癸水)는 임수(壬水)가 양기를 응축하기 시작한 것을 완성하는 기운입니다. 겉은 수수하지만 속은 생명력으로 옹골차죠. 계수는 강하게 응축된 생기(生氣)로서 토(土)가 터치하는 순간 터져 나오는 생명의 기운입니다(土克水).

간방(艮方)에서 간토(艮土☶)가 감수(坎水☵)를 극하고, 진목(震木☳)이 간토(艮土☶)를 극함으로써 생명이 시작되는 것이니, 감수(坎水☵)의 수(數)는 지구역 문왕팔괘도에서 1번이 됩니다.

생명의 시작은 양이 아니라 음이죠. 음이 보호하고 있는 양이 깨어나는 것입니다. 완벽하게 단절된 곳에 사는 암컷은 내부에서 스스로 암수로 분열하여 수컷 없이도 생명을 잉태하기도 합니다. 암수동체, 과학적으로 증명되고 발견된 사실이죠. 진화론적 관점에서 볼 때 수컷들은 긴장해야 합니다.

계수는 만물의 순환원리인 생장수장(生長收藏)의 마지막 순서로서 다음 생을 순환하기 위한 모든 준비가 되어있는 상태입니다. 내부에 생명 에너지를 응축해 놓고 토기(土氣)가

<계수(癸水☵)의 성정>

터치하는 순간을 기다리는 기운입니다.

생명이 사시를 순환하며 경험한 모든 지혜가 응축되어 있으므로 계수는 근본적으로 지혜로운 성정이 있습니다. 다음 생을 위하여 때를 기다리고 있는 상으로서 인내심이 강하고 침착하며, 적응력이 뛰어나고 잠재된 기운이 옹골찬 것이 특징입니다.

제19강 오행(木)과 문왕팔괘도

우주역인 복희팔괘도가 목화토금수 오행의 작용으로 재배열된 것이 지구역인 문왕팔괘도입니다. 천간은 음양과 오행이 상호작용을 통해 문자로 표현된 것이고요. 천간을 문왕팔괘도에 오행의 원리로 배치하면 상(象)과 문자(文字)가 상호관계성을 갖게 됩니다. 그러므로 지구의 사시순환을 표상한 문왕팔괘도의 순환원리를 이해한다면 천간의 뜻은 저절로 알게 됩니다.

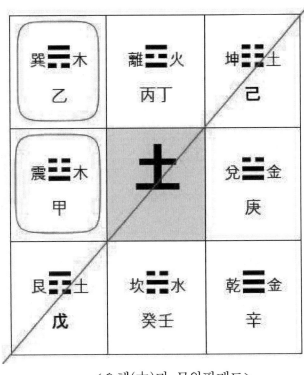

　　음양오행의 상호작용은 만물의 기저에서 사물을 창조하는

<오행(木)과 문왕팔괘도>

기(氣)의 작용을 의미합니다. 그러므로 기라는 사실을 무시하고 물상(物象)만으로 사주팔자를 분석하는 것은 주관적 오류에 빠질 수가 있죠. 언어유희로 흐를 수도 있습니다.

목(木)은 생명이 태동하고 성장하는 봄(春)을 상징합니다. 겨우내 잠자고 있던 생명이 기지개를 펴며 두꺼운 땅을 뚫고 나오는 기세를 표상합니다.

혼돈을 상징하는 감수(坎水☵) 속에 저장되어 있던 생명(2효)이 간토(艮土☶)의 극을 받아 깨어남으로써 갑목(☳震)으로 태동하고 을목(☴巽)으로 왕성하게 성장하는 것이 바로 목(木)의 성정입니다.

(1) 갑목(甲木)
　괘상: ☳진뢰(震雷)
　오행: 갑목(甲木)
　의미: 태동(胎動), 새싹, 폭풍 성장하는 직진성의 청소년기,

-생명이 태동☳하는 모습을 표상한다.
-2개의 음효 아래 양 하나가 태동하다.
-초양(初陽)이 2개의 음을 뚫고 상승하다.
-겨우내 응축되었던 양기가 밖으로 분출하는 상
-봄의 생명력을 상징한다.

간토(艮土☶)가 생명을 품은 감수(坎水☵)를 터치(克)함으로써 생기를 깨우고, 진뢰(震木☳)가 간토(艮土☶)를 터치(克)하는 것은 나무가 땅에 뿌리를 내리고 있는 것으로 비유할 수 있습니다. 오행상 목·화(木·火)로 상징되는 선천의 건도(乾道) 세상은 어찌 보면 약탈적 생존으로 비유되는 약육강식의 상극 원리가 작동되는 진화론적 세상이라고 할 수 있습니다.

상반적 성질의 음양은 서로 대립하고 충돌하면서도 상대가 없으면 나도 존재할 수 없는 상호의존적 관계를 맺으며 생존합니다. 음 혼자서 생존할 수 없고, 양 혼자서도 생존할 수가 없죠. 선과 악도 생존하기 위해서는 서로 타협하며 중도를 선택함으로써 함께 공존하는 길로 나아갈 수밖에 없는 것입니다.

모순으로 가득한 세상,
악이 득세하는 것처럼 보이는 세상,

그래서 젊은이들은 세상에 나오면서 직접 부조리한 모순을 몸으로 부대끼며 분노를 느끼게 되죠. 그런데 알고 보면 모순은 오히려 창조적 동인이 되고, 음양의 대립과 화해는 만물의 생성원리가 되는 것입니다.

상극(相剋)의 원리가 지배하는 이러한 선천 건도세상을 자각하지 못하면 평생

"테스 형, 세상이 왜 이래?"

라고 하면서 살아갈 수밖에 없는 것입니다.

(2) 을목(乙木)
　괘상: ☴손풍(巽風)
　오행: 을목(乙木)
　의미: 성장, 장성한 나무, 청장년기
-나무(木)가 성장하는 모습을 표상한다.
-초음에 뿌리를 내리고 2개의 양이 자유분방하게 가지를 늘어뜨리며 성장하는 모습,

-혼돈 속에 있는 생명☵(2양)이 간토(艮土☶)의 터치(克)를 받
아 깨어남으로써 태동(☳청소년)하고, 청년으로 성장(☴청년)하는
모습,
-진(震)☳(갑목)은 땅속에서 양기가 태동하여 위로 뚫고 나아가
려고 진동하는 모습을 상징하고, 손(巽)☴(을목)은 겨우내 응축
되었던 양기가 밖으로 자유분방하게 분출하는 상으로서 봄의 왕
성한 생명력을 상징한다.

땅을 파고들어 뿌리를 내린 새싹은 땅속의 물과 영양분을 약탈(?)하
면서 성장합니다. 약탈을 명리학 용어로 표현한다면 극(克)이 되겠죠.
햇빛을 받아 광합성 작용을 하고, 영양분을 흡수하며 열매를 맺습니다.
어찌 보면 생존하기 위해서 상대를 먹어치우는 것이죠. 그런데 알고 보
면 상대적인 대상들은 서로 뺏고 빼앗기는 것처럼 보이지만 실은 생존
하기 위해서 주고받는 것이라 할 수 있습니다. 꽃은 벌에게 꿀을 내어
주고 그 대신 벌을 통해 꽃가루를 교환함으로써 수정할 수 있는 길을
택하는 것이죠.

상극의 원리가 존재하는, 양이 주도하는 건도 세상에서는 나의 생존
을 위해서 상대의 생존도 전제되어야 합니다. 공존하는 것이 나의 생존
에 유리하다는 것을 본능적으로 알고 있는 것이죠. 선은 악이 밉지만,
역시 선이 존재하기 위해서는 악이 소멸되어서는 안된다는 것을 잘 알
고 있습니다. 악이 소멸되면 선도 역시 동시에 소멸되기 때문이죠. 상반
된 대립인자인 음과 양이 대립하고 충돌하며 중화(中和)를 찾아가는 상
호작용이 작동하는 세상입니다.

양자물리학에서는 "양자얽힘" 이론으로 이러한 '동시성의 원리'를 설
명하고 있습니다.

음양은 혼융된 무질서 속에서 공간적으로 떨어져 흐트러진 것처럼 보인다.

그러나 상반된 양면성의 음양은 서로 짝을 이루어 對待함으로써 상호연결되어 작용하고 있음을 알 수 있다. 이것은 두 입자가 함께 있다가 흩어져도 한쪽의 상태를 측정하면 동시에 다른 쪽의 상태가 결정되는 양자역학적 현상으로서 '同時性을 띠는 양자얽힘'에 비유할 수가 있으니, 초극미 영역인 量子場(氣)의 세계에서 만물은 全一性이라는 有機的 一體로서 時空이 하나로 연결되어 있음을 알 수 있다. '양자얽힘'이란 한 번 짝을 이룬 두 입자는 아무리 서로 떨어져 있더라도, 어느 한쪽이 변동하면 그에 따라 즉각 다른 한쪽이 반응을 보이는 불가사의한 특성을 가리킨다. 이는 음과 양이 흩어져 있는 무질서 속에서도 서로 짝을 이루며 對立과 對待로써 상호작용하는 문왕역의 이치와 상통한다.[22]

네덜란드 델프트 공과대학 카블리 나노과학연구소의 물리학자 로날드 핸슨(Ronald Hanson) 연구팀은 델프트 대학 캠퍼스 내부 1.3km 떨어진 거리에 두 개의 다이아몬드를 배치하고 각각의 다이아몬드 전자에 자기적 속성인 '스핀'을 갖도록 했는데, 실험결과 예를 들어 한 전자가 반 시계 방향으로의 회전(업 스핀)할 경우, 다른 전자는 반드시 시계 방향으로 회전(다운 스핀)한다는 사실을 입증함으로써 완벽한 상관관계에 있음을 밝혔습니다.

세상은 음과 양이 서로 공존하고 있습니다. 음이 밉다고 하여 소멸시킨다면 양도 역시 소멸될 수밖에 없는 운명인 거죠. 그래서 상반적 성향의 음과 양은 서로 치고받으면서도 상호작용을 통해 중화를 지향해 나가는 것을 도(道)라고 하는 것입니다. 음과 양은 기능적 측면에서는 수렴(음)과 발산(양)이라는 성정을 가지고 있지만, 그 위상에 있어서는 서로가 평등한 대립인자입니다.

이러한 이치를 『주역』은 다음과 같이 말하고 있습니다.

---

22) 박규선, 「易學의 中和論 硏究」, 동방문화대학원대학교 박사학위 논문, 2023.

一陰一陽之謂道
일음일양지위도

한번 음하고 한번 양하는 것이 도(道)다.

갑목(甲木): 괘상으로는 진괘(震卦☳)에 해당하며, 갑목은 진(震☳)의 성정을 문자로 표현한 것이다.
 -새싹 같은 성정, 쭉 뻗어 올라가는 나무, 진(進), 동(動),
 직진성, 상향성, 용출력, 청소년, 불굴, 투지, 리더십(leadership),
혈기왕성, 우레(震)

을목(乙木): 괘상으로는 손괘(巽卦☴)에 해당하며, 을목은 손(巽☴)의 성정을 문자로 표현한 것이다.
 -덩굴 같은 성정, 가지를 늘어뜨린 장성한 나무, 유연성, 굴신
 (屈伸), 진퇴(進退), 원숙함, 합리적, 청장년, 자유, 바람(風)

제20강 오행(火)과 문왕팔괘도

화(火)는 나무가 성장하여 꽃을 맺고 열매를 매다는 여름에 해당합니다. 무한팽창하던 봄철의 양기가 음을 중심으로 양기가 분별이 되어 질서를 잡아가는 시기입니다.

손괘☴는 을목(乙木)으로서 양기의 자유분방한 성장을 의미합니다.

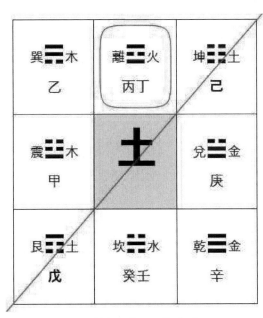

<오행(火)와 문왕팔괘도

즉, ☴는 초음(初陰)에 뿌리를 둔 무질서한 양기의 성장을 의미하며, 장성한 나무를 상징합니다. 그런데 초여름이 되면서 음효를 중심으로 양쪽으로 양기가 분별 되기 시작합니다. 중음(中陰)을 중심으로 초양과 삼양이 양쪽으로 나뉘어 질서를 잡아가는 모습으로 전환이 되는 것이죠(☲). 병·정(丙·丁)에 해당하는 이화괘(離火☲)는 2개의 양이 가운데 음을 중심으로 분별 됨으

로써 질서를 잡은 모습, 나무에 달린 꽃과 열매(결과물)를 상징합니다.

이때는 양기의 무한 팽창이 아니라 병화(丙火)로 상징되는 꽃, 열매로 상징되는 정화(丁火)에 양기를 모으는 시기입니다. 양기의 무한 팽창은 나무가 무한대로 커지는 것을 의미하죠. 그러면 씨앗을 품은 열매를 만들어낼 수가 없고, 가을 금기(金氣)에게 선별된 양기를 건네줄 수가 없게 됩니다.

(1) 병화(丙火)

　　괘상: ☲이화(離火)

　　오행: 병화(丙火)

　　의미: 태양, 꽃, 질서(cosmos)

-사물이 분화하여 만물이 분별되니 천지만물(天地人)의 질서가 잡히다.

-☲(질서)는 ☷(혼돈)에서 생화하여 분화되고 완성됨으로써 질서를 잡은 상태를 의미한다.

-병화☲는 양기를 모으는 꽃(丙)에 비유된다.

-병화는 12벽괘로는 양기가 꽃처럼 활짝 핀 중천건괘(☰)에 해당된다.

(2) 정화

　　괘상: ☲이화(離火)

　　오행: 정화(丁火)

　　의미: 불, 열매, 질서(cosmos)

-정화☲는 양기를 담은 열매(丁)에 비유된다.

-정화는 12벽괘로는 양기가 열매로 수렴된 천풍구괘(☴)에 해

당된다. 천풍구괘는 6개의 양효로 구성된 중천건괘를 초음(初陰)이 끊어낸 모습으로 양기를 담은 열매가 된다.

병·정(丙·丁☲)은 무작정 양기의 확장과 분열을 의미하는 것이 아닙니다. 오히려 분별과 질서를 의미합니다. 자유분방하게 성장하고 확장하는 봄철의 양기(☲)를 가운데 중음을 중심으로 분별하여 질서를 세움으로써 무분별한 양의 확장을 제어, 열매라는 결과물을 만들어내는 지혜로운 성정을 가지고 있습니다.

음양의 대립과 화해의 반복을 통한 상호작용은 어떤 결과를 가져올까요?

『주역』「계사전」에 다음과 같은 글이 나옵니다.

剛柔相推而生變化
강유상추이생변화

강과 유가 서로 밀고 당기면서 변화(中)를 일군다.

강과 유, 즉 양과 음이 서로 대립, 투쟁하고 화해를 반복하며 상호작용하는 이유는 심심해서가 아닙니다. 뭔가 변화를 만들어내고자 함이죠. 양 홀로, 또는 음 홀로는 그 무엇도 만들어 낼 수가 없습니다. 대립하는 대상들의 상호작용을 통하지 않고서는 새로움은 만들어지지 않는 것이죠.

토(土)를 극함으로써 뿌리를 내린 나무(木)가 주변의 대상들과 상호작용을 통해 만들어내고자 하는 것은 바로 열매입니다. 열매는 상호작용의 결과물이죠. 양기가 극성을 부리는 봄철의 치열한 상극 투쟁을 통해 얻은 산물입니다.

그 안에는 차곡차곡 쌓아놓은 양기가 들어있습니다. 다음 세대의 지속을 위한 씨앗이죠. 이 열매는 여름 말기 미시(未時)에 땅(坤土☷)에 떨어져 삭혀지게 되고, 알갱이와 쭉정이가 분리되는 과정을 거쳐 가을 금기(金氣)로 넘어가게 되는 것입니다.

병화(丙火): 괘상으로는 리괘(離卦☲)에 해당하며, 병화는 리괘(離☲)의 성정을 문자로 표현한 것이다.

-태양의 성정, 꽃, 광명, 문명, 지혜, 분별, 질서, 외향성, 화려함

정화(丁火): 괘상으로는 리괘(離卦☲)에 해당하며, 정화는 리괘(離☲)의 성정을 문자로 표현한 것이다.

-불의 성정, 열매, 정열, 화려, 명랑, 열정, 촛불, 등대, 헌신,

제21강 오행(金)과 문왕팔괘도

금(金)은 만물이 수렴되는 계절, 토(坤土☷)에 의해 숙성되고 선별된 열매(生氣)를 거두는 가을(秋)입니다.

경금(庚金)은 문왕팔괘도의 서방에 위치한 태괘(兌卦☱)에 해당합니다. 서남방의 곤토☷에 떨어진 열매☳가 삭혀져 알갱이와 쭉정이로 선별되면 쭉정이를 버리고 알갱이만을 가을 경금이 수렴합니다. 兌☱의 형상은 음효(3효)가 선별된 알갱이(1.2양효)를 담은 바구니를 상징합니다. 이 선별된 알갱이만을 정제함으로써 순수한 양기만을 모은 것이 건괘(乾卦☰)로 상징되는 신금(辛金)입니다. 乾☰

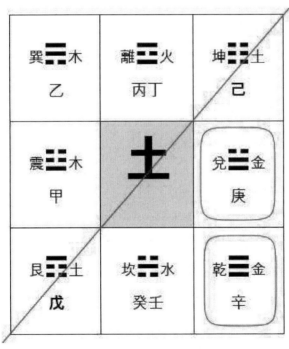

<오행(金)과 문왕팔괘도>

는 정제된 순수오행으로서 선별되고 정제된 생기(生氣), 생명의 씨앗을 표상합니다. 동북방에 위치한 乾☰은 술토(戌土) 자리에 해당되죠. 술(戌)은 지장간이 신정무(辛丁戊)이니 乾☰은 정화로 제련한 辛金, 즉 순백한 생기가 되는 것입니다. 이 생기는 다음의 감수(坎水☵)에서 보관되어 다음 생애를 준비하게 됩니다.

(1) 경금(庚金)

  괘상: ☱태택(兌澤)

  오행: 경금(庚金)

  의미: 수렴(收斂), 곡식, 수확물, 제련되지 않은 무쇠

-음이 2개의 양을 수렴하는 모습,

-태괘(兌卦☱)는 수렴된 양기를 담은 그릇의 상으로서 곤토(坤土☷)가 삭히고 선별한 양기를 수렴한다.

-兌☱의 3효는 음으로써 토(土)가 되고 1,2효는 양으로서 수렴된 양기를 의미한다.

서방의 태☱는 곤토☷가 삭혀놓은 열매의 알갱이(씨앗)만을 바구니에 담는 가을의 서릿발 같은 숙살지기 기운입니다. 곤토☷가 쭉정이는 삭히고 알갱이만을 태☱에 넘겨주는 것이죠. 태☱의 자리에 있는 경금은 태의 수렴하는 기운입니다. 금화상쟁은 곤토의 중재로 화생토 토생금으로 이어지면서 상생의 기운이 작용하는 후천 곤도(坤道)의 세상으로 연결됩니다.

경금의 성정은 의로움입니다. 대충 쭉정이를 받아들였다가는 생명의 순환에 문제가 생기거든요. 사사로움에 얽매이지 않는 공정성, 정의를 위해 칼을 든 이순신 장군이 연상됩니다.

(2) 신금

    괘상: ☰건천(乾天)

    오행: 신금(辛金)

    의미: 정제된 씨앗, 생기(生氣), 제련된 보석

-태금☱이 수렴하여 정제한 순백한 양기(생명),

-겨울의 수기☵가 받아드려 저장 보존한다.

-건금☰은 수렴 정제된 순백한 생기(生氣)로서 다음 세대를 잇는
생명의 씨앗을 상징한다.

  서북방의 乾☰은 兌☱의 바구니에 담긴 순수한 알갱이입니다. 양효로만 이루어져 있습니다. 불에 제련되어 불순물 없는 순수한 양기의 결정체입니다. 이는 만물이 휴식에 들어가는 겨울 감수☵에 저장되고 보존되어 다음 생애를 위한 생명의 씨앗이 되는 것이죠.

  가을이 지나면 다시 겨울의 감수(坎水)가 되고 카오스(혼돈) 상태로 접어들지만, 생기☰는 혼돈 속에서도 우주의 순환을 위하여 보존되는 것입니다(☵2효). 건☰에 해당하는 신금은 완벽하게 제련된 보석처럼 순수한 기운입니다. 옳고 그름을 명확히 구분하고, 냉정한 판단과 날카로운 분석력의 소유자죠. 순수하지만 까다롭다는 소리를 듣습니다.

경금(庚金): 괘상은 태괘(兌卦☱)에 해당하며, 경금은 태(兌☱)의 성정을 문자로 표현한 것이다.
-제련되지 않은 원석 같은 성정, 수렴, 곡식(벼), 의(義), 강(剛), 숙살지기, 의협심

신금(辛金): 괘상은 건괘(乾卦☰)에 해당하며, 신금은 건(乾☰)의 성정을 문자로 표현한 것이다.
-정제된 씨앗, 제련된 금속(보석, 칼) 같은 성정, 쌀, 생명, 정제된 양기, 정밀, 날카로움, 냉정한 분석력

제22강 오행(水)과 문왕팔괘도

임계(壬癸)는 가을에 수렴되어 정제된 순수오행인 양기를 저장하는 겨울에 해당합니다. 만물은 북방의 수(水☵)에서 시작합니다. 문왕8괘도에서 水☵는 수리적으로 1이 되고, 자수(子水)도 1이 되죠.

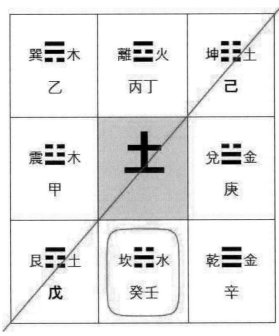

<오행(水)와 문왕팔괘도>

水☵는 순백의 순수한 양기인 신금(辛金☰)을 음수(陰水)의 가운데 저장하고 보호합니다. 다음 세대를 낳기 위한 씨앗이죠. 水☵의 초효와 3효는 음으로써 土☷를 의미하고, 2양효는 토(土)가 품은 생명(陽)을 의미합니다. 감수☵가 품고 있던 생명(2양)이 동북방 간토(艮土☶)의 터치(극)를 받아 휴식에서 깨어나며 음이 주관하는 후천 상생시대를 마감하

고, 양이 주관하는 선천 상극시대가 다시 시작되는 것입니다.

(1) 임수(壬水)
　　괘상: ☵ 감수(坎水)
　　오행: 임수(壬水)
　　의미: 혼돈(chaos), 응축, 생명, 저장

　-음양이 구분되지 않은 상태로서 이기(理氣)가 하나로 섞여 구분
되지 않는 카오스(혼돈)를 의미한다.
　-혼돈 속에서 생명(2양효)의 씨앗을 품고 있다.
　-괘상으로는 북방의 감수(坎水 ☵)가 된다.

　　감수☵에 해당하는 임수(壬水)는 만물이 시작되는 근원으로서 생명의
씨앗을 품은 바다입니다. 만물이 사시를 순환하며 축적한 지혜의 보고
입니다. 그러므로 임수를 일간으로 하는 사주명국은 지혜로운 사람으로
서 깊이를 쉽게 알 수 없는 자라 할 수 있겠습니다.

(2) 계수(癸水)
　　괘상: ☵ 감수(坎水)
　　오행: 계수(癸水)
　　의미: 혼돈, 응축, 생명, 저장

　　계수(癸水)는 양의 건도 시대를 주관하는 간토☶의 터치를 기다리며
생명의 순환을 준비하는 위치에 있습니다. 임수와 마찬가지로 지혜를
품은 자로서 꾀가 바르다고 할 수 있죠. 임수가 생명을 품은 호수라면,
계수는 생명이 기재개를 펴며 흐르는 시냇물로 비유할 수 있습니다. 순
간적인 적응력이 뛰어난 자로서 생명력이 강한 소유자입니다.

임수(壬水): 괘상은 감괘(坎卦☵)에 해당하며, 임수는 감(坎☵)의 성정을 문자로 표현한 것이다.
  -생명을 품은 바다 같은 성정, 호수, 지혜, 생명

계수(癸水): 괘상은 감괘(坎卦☵)에 해당하며, 계수는 감(坎☵)의 성정을 문자로 표현한 것이다.
  -생명을 키우는 강물 같은 성정, 생명력, 적응력, 꾀

제23강 오행(土)과 문왕팔괘도

<종시(戊)와 교역(己)>

토는 사계의 중심에서 목화금수(木火金水)와 상호작용하며 춘하추동의 사시순환 과정에 관여하는 바탕입니다.

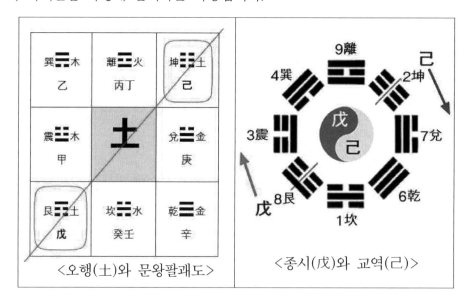

<오행(土)와 문왕팔괘도>   <종시(戊)와 교역(己)>

土는 목화금수의 성질을 모두 한 그릇에 넣어 섞어놓은 모습으로, 목화금수를 낳아 키우고 기르며 숙성시키고 다시 품는 모태의 역할을 합

니다.

 사계절을 표상한 12지지를 보면 사계절의 끝자락에 위치한 진술축미
(辰戌丑未)가 사계절의 전환기를 담당하고 있죠.

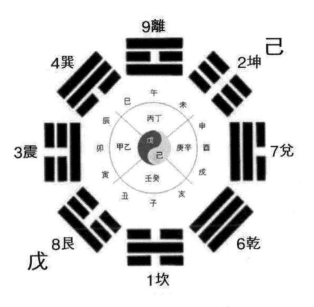

<팔괘와 간지의 상호관계성>

 무토(艮山☶ 양)는 감수(坎 水☵)를 터치(극)함으로써 양(陽)이 주관하는 선천 상극시대를 열고, 기토(坤土☷음)는 여름☲(火)과 가을☱(金)의 금화상쟁(金火相爭)을 중재함으로써 火生土 土生金으로 이어지는 음이 주관하는 후천 상생의 시대를 엽니다.

 즉, 무토(戊土)는 후천의 상생 곤도(坤道)시대를 마감지우고, 양(陽)이 주관하는 선천의 상극 건도(乾道)시대를 여는 종시(終始)를 담당하죠.

 기토(己土)는 양이 주관하는 선천 상극시대에서 음이 주관하는 후천 상생시대로 넘어가는 중간 위치에서 상쟁을 중재하고 금화교역을 담당하는 중재자 역할을 수행합니다.

 무기토(戊己土)의 자리는 "추상적인 태극"이 아니라 실제 "작용하는 황극", 물리학적으로 보면 용암으로 뜨거운 지구의 중심을 품은 땅이라고 할 수 있습니다. 용암은 지구의 중심에서 땅을 따스하게 덥히고 있

죠. 땅은 생명을 품고 기르는 따스한 모태입니다.

따스한 戊土(艮≡≡양)는 동북방에서 생명을 품고 있는 차가운 감수(坎水≡≡)를 극함으로써 잠자고 있는 생명의 기운을 깨워 봄(木)을 시작하게 합니다.

서남방의 己土(≡≡음)는 뜨거운 이화(離火≡≡)를 설기 시킴으로써 금기(金氣)와의 충돌을 중재하여 자연스럽게 가을(金)을 시작하도록 금화교역(金火交易)의 수행을 합니다.

(1) 무토(戊土)
    괘상: ≡≡ 간산(艮山)
    오행: 무토(戊土)
    의미: 종시(終始)
    순환: 역행(逆行)

역행(逆行): <목극토→토극수 (목≡≡→토≡≡→수≡≡)
-음이 주관하는 후천 상생시대를 종식하고(終),
-양이 주관하는 선천 상극시대를 시작하다(始).

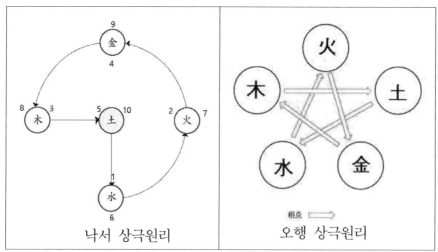

낙서 상극원리　　　　오행 상극원리

<상극원리: 木克土→土克水→水克火→火克金→金克木>

艮山☶(土)는 만물이 휴식을 마치고 다시 시작하는 종시(終始)의 자리입니다. 艮山☶(토)이 겨우 내내 생명을 품고 잠들어 있던 坎水☵(수)를 터치(극)함으로써 생기를 깨우고, 震雷☳(목)은 艮山☶(토)를 터치(극)함으로써 상극의 원리로 만물이 생장하는 건도(乾道)시대, 즉 양이 주관하는 선천세상(봄. 여름)을 시작합니다.

(2) 기토(己土)

　　괘상: ☷ 곤토(坤土)

　　오행: 기토(己土)

　　의미: 교역(交易), 중재(仲裁)

　　순환: 순행(順行)

순행(順行): ＜화생토→토생금 (화☲→토☷→금☱)

-양이 주관하는 선천 상극시대를 종식하고

-음이 주관하는 후천 상생시대를 열다.

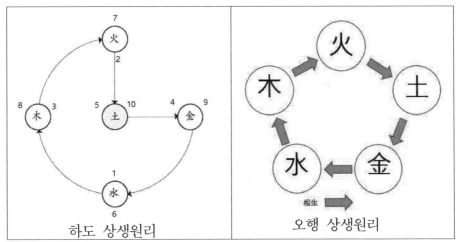

하도 상생원리　　　　오행 상생원리

＜상생원리: 木生火→火生土→土生金→金生水→水生木＞

坤土☷(토)는 뜨거운 여름의 양기를 가득 담은 열매☲(火)를 받아드려 숙성시키고 쭉정이를 삭힘으로써 알갱이를 가을 금기(金氣)☰(金)로 넘기는 중재자적 역할을 합니다. 火生土-土生金으로 이어지는 상생의 원리로써 만물이 수렴하는 곤도(坤道) 시대, 즉 음이 주관하는 후천세상(가을. 겨울)을 시작합니다.

세상의 종교들이 천국, 천당을 주장하고, 개벽을 말하고 있습니다. 『주역』에서는 후천 세상은 음이 주도하는 상생의 시대라고 말하고 있기 때문이죠. 기존 종교들이 가지고 있는 개벽관은 송대의 소강절 선생이 원회운세(元會運世)를 이용하여 우주의 한 바퀴를 126,000년으로 계산한 것에서 비롯됩니다.

元	1회*12=1원	129,600년
會	1운*30=1회	10,800년
運	1세*12=1운	360년
世	1년*30=1세	30년
年	1월*12=1년	1년

지구역인 문왕팔괘도의 선후천 개념과 간토(艮土☶)에서 시작되는 종시(終始)의 원리, 艮土☶(양)가 坎水☵(양)를 터치(克)함으로써 감수☵가 품고 있는 생명을 깨우는 상극의 원리, 양이 주관하는 건도(乾道)시대, 그리고 금화교역의 원리로써 상생의 시대로 넘어가는 화생토 토생금(火生土 土生金)의 원리, 坤土☷(음)가 열매로 상징되는 離火☲(음)를 받아드려 삭힘으로써 쭉정이를 걸러내어 가을 숙살지기 兌金(음)에게로 선별된 알갱이만을 넘기는 토의 성정을 가진 군자들의 출현을 설정, 음이 주관하는 곤도(坤道)시대, 여기에 126,000년을 선후천으로 나누어 선천 5만 년 후천 5만 년으로 설정, 곤토(坤土☷)의 위치가 미시(未時)이니 때는 바야흐로 가을로 넘어가는 시기이죠. 여기에 종교적 교주의 등장과 더불어 이 설정은 도그마화되고 종교화되는 것입니다. 그래서 지금은 말세를 외치는 종교들의 전성시대, 장사(?)가 잘됩니다.

기독교 경전에도 坤土☷가 상징하는 未時의 때, 가을 추수와 관련된 말세 이야기가 자주 등장합니다. 알갱이만을 선별하여 수렴하는 가을 기운인 숙살지기(肅殺之氣) 금기(金氣)는 말세관을 가진 종교에서 활용하기 좋은 소재 거리가 됩니다.

"둘 다 추수 때까지 함께 자라게 두라. 추수 때에 내가 추수 꾼들에게 말하기를 가라지는 먼저 거두어 불사르게 단으로 묶고 곡식은 모아 내 곳간에 넣으라 하리라." (마태복음).

"열매가 익으면 곧 낫을 대나니 이는 추수 때가 이르렀음이라."

(마가복음)

"그러므로 추수하는 주인에게 청하여 추수할 일꾼들을 보내 주소서 하라 하시니라." (마태복음)

길을 가다 보면, "도를 아십니까?"라고 말을 건네오시는 분들을 만나게 됩니다. 알고 듣는 것과 모르고 듣는 것에는 많이 차이가 나죠. 대부분 『주역』에 근거해서 본인들의 논리에 맞게 설정한 것이라 할 수 있습니다.

『주역』에서는 시종(始終)이라 하지 않고 종시(終始)라고 한다.
시종(始終)은 시작과 끝이 있지만,
종시(終始)는 끝이 있으면 다시 시작이 있다는 뜻이 담겨있다.
『주역』은 종말(終末)을 말하지 않는다.
『주역』에는 죽을 사(死) 자가 없다.
『주역』은 생사(生死)를 구별하지 않는다.
다만 생생지도(生生之道)를 말하고 있을 뿐이다.

송대의 역학자 정이(程頤) 선생은 다음과 같은 명언을 남겼습니다.

"현미무간(顯微無間)"
보이는 것과 보이지 않는 것은 간격이 없다.

현상계(現象界)와 본체계(本體界) 사이에는 간격이 없다는 의미입니다. 생(生)과 사(死)는 보이는 나(顯)와 보이지 않는 나(微)라는 차이에 불과할 뿐이죠.

간토☷(戊)는 양이 주도하는 건도(乾道)를 떠받치는 바탕이고,
곤토☷(己)는 음이 주도하는 곤도(坤道)를 떠받치는 바탕이다.
문왕팔괘도에서 간토☷와 곤토☷는 음양을 순환시키는 사계절의 축이다.
간토☷는 양(乾道), 곤토☷는 음(坤道)을 주관한다.

무토(戊土): 괘상은 간괘(艮卦☶)에 해당하며, 무토는 간(艮☶)의 성정을 문자로 표현한 것이다.
  -생명을 품은 산(山) 같은 성정, 그침, 묵직, 고요, 신중,
  진중, 방패, 종시(終始)

기토(己土): 괘상은 곤괘(坤卦☷)에 해당하며, 기토는 곤(坤☷)의 성정을 문자로 표현한 것이다.
  -생명을 생육하는 평지(전답) 같은 성정, 모태, 유순, 도량,
  포용성, 교역, 중재자적 성향

제24강 중토(中土)에 대한 고찰

토(土)는 목화금수(木火金水)를 품은 중토(中土)로서, 인의예지신(仁義禮智信) 오상(五常)중에 신(信)에 해당합니다. 목화금수, 인의예지가 모두 토의 중(中)을 바탕으로 해야만 바로 설 수 있기 때문입니다. 오행생극 작용은 토에 대한 믿음(信)을 바탕으로 순환을 하는 것이지요.

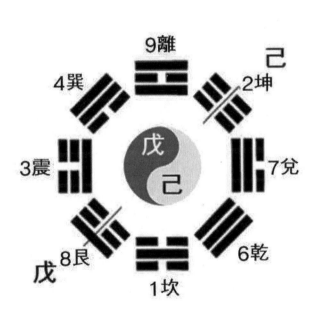

<문왕팔괘도와 戊己(中土)>

곤토(坤土☷)를 축으로 양이 주관하는 생장(生長)시대에서 음이 주관하는 수장(收藏)시대으로의 전환은 우주적 대변혁의 시기로서 흔히들 "개벽"이라 부르고 있습니다. 이는 물질적인 개혁이요, 정신적인 개벽으로 총체적인 변혁이라 할 수 있습니다.

곤토(坤≡≡)는 간토(艮≡≡)와 짝을 이루어 지구를 회전시키는 지축입니다.

간토(艮≡≡)는 북방의 생기(生氣)가 감수(坎水≡≡)에서 휴식을 마치고 동북방인 간방(艮方)에서 양의 시대, 즉 건도(乾道)를 시작하는 종시(終始)의 개념을 품고 있습니다.

음이 주관하는 곤도시대를 멈추고 양이 주관하는 건도시대로 전환하는 간방(艮方)의 간토(艮土≡≡)는 상극의 원리(土克水-木克土)로써 생명(−, 양)을 생장시킵니다. 생장(生長)하는 양의 건도 시대는 상극 투쟁을 통해 분열하며 발전하는 원리를 품고 있습니다.

간토(艮土≡≡)는 생명(辛)이 깨어나 양생(養生)을 시작하는 축시(丑時)에 해당합니다.

양의 생장(生長)이 완성되는 화(火≡≡)의 양기를 수렴하고 음이 주도하는 수장(收藏)의 시대로 전환하기 시작하는 곤토(坤土≡≡)는 간토≡≡와 지축을 이루는 회전축으로서 변혁의 변곡점이 됩니다.

곤토(坤土≡≡)는 열매를 매단 양의 기운(乙)을 수렴하고 삭히며 알갱이를 선별하기 시작하는 미시(未時)에 해당합니다.

양의 시대를 멈추고 음의 시대로 전환하는 서남방의 곤토(坤土≡≡)는 상생의 원리(火生土-土生金-金生水)로써 음(−−)의 기운으로 생명(−, 양)을 수렴합니다.

예로부터 선각자들은 이를 개벽이라 불렀고, 기울어진 지축이 똑바로 서면서 양이 주도하는 분열 성장의 상극시대가 저물고, 음이 주도하는 수렴의 상생시대, 진정한 생명으로 대통합을 이루는 곤도(坤道)의 시대가 열린다고 전하고 있습니다.

지축의 변화를 수반하는 변혁의 시대에는 곤토(坤土≡≡)의 성정을 지닌 군자들이 출현하여 선천의 상극작용이 뿜어대는 화기(火氣)를 품음으로써 상생으로 전환시키고(火生土), 껍데기와 쭉정이를 삭혀 거름이 되게 하며, 알갱이(생명)를 가려 후천으로 수렴되도록 하는 상생 시대를 연다는 것입니다(土生金).

<지축>

세상에서 보면, 물질적 풍요를 누리는 사람이 성공한 것 같지만 진정한 성공은 다음 생을 위하여 순백한 씨앗(생명)을 머금은 열매를 맺는 자이니, 이는 개벽의 전환점인 곤토의 시대에 들어서면 저절로 드러나게 됩니다. 왜냐하면, 곤토≡≡의 성정은 땅에 떨어진 열매의 껍데기는 삭혀버리고 쭉정이는 썩혀버림으로써 알갱이가 저절로 드러나도록 하기 때문이죠.

그러므로 진정한 빈부(貧富)는 곤토≡≡의 시대에는 그 개념이 달라진다고 할 수 있습니다. 토성군자(土性君子) 앞에서 불의(不義)는 저절로 그 껍데기가 삭혀짐으로써 몸 둘 곳이 없어지기 때문입니다.

곤(坤≡≡)은 생장하는 양의 흐트러진 기운의 질서를 바로 세워 열매≡≡를 맺게 하며, 생장(生長)의 꼭대기에서 떨어진 열매를 품어 그 씨앗을 보호하고, 금기(金氣≡)로 수렴하여 씨앗(알갱이)을 거두어드릴 수 있도록 금화교역(金火交易)을 주도합니다.

坤土(中)는 금화상쟁(金火相爭) 관계에 있는 火와 金을 중재함으로써 상생 관계로 교역(交易)시키는 중재자입니다. 음이 주도하는 수장(收藏)의 시대는 상극(相剋)으로 분열하며 생장(生長)하는 양의 기운을 수렴함으로써 상생으로 시작하는 대통일장을 열어 진정한 생명≡을 맺는 시대라 할 수 있습니다.

지구를 1년으로 보면, 丑時(丑土≡≡)는 겨울에서 봄으로 전환하는 시기로서 생명이 생장하는 때이고, 未時(未土≡≡)는 여름에서 겨울로 전환하는 시기로서 열매를 수렴하여 씨앗을 저장하는 때에 해당합니다.

이러한 지구 1년의 사시순환에서 나오는 생로병사(生老病死), 생장수장(生長收藏)의 논리를 우주적 관점으로 확대하여 응용하면 바로 종교에서 주장하는 말세와 부활, 추수와 구원과 같은 논리를 내세우는 교리(敎理)가 되는 것이죠.

다음 도표의 의미를 잘 음미하시기 바랍니다. 대부분의 종교에서 주장하는 논리를 이해하는 데 많은 도움이 될 것입니다.

태극	중 (中)	양 (陽)		중 (中)	음 (陰)	
오행	土	木	火	土	金	水
	중 (中)	생 (生)	장 (長)	중 (中)	수 (收)	장 (藏)
괘상	☶ 간 (艮)	☳ 진 (震)	☴ 손 (巽)	☲ 리 (離)	☷ 곤 (坤)	☱ 태 (兌) ☰ 건 (乾)	☵ 감 (坎)
사시	중토 (中土)	춘 (春)	하 (夏)	중토 (中土)	추 (秋)	동 (冬)
선후천	종시 (終始) 선천 개벽	선천 건도(乾道) 상극 세상 (양이 주관하다)		교역 (交易) 후천 개벽	후천 곤도(坤道) 상생 세상 (음이 주관하다)	

제25강 終始(☶艮土)와 交易(☷坤土)

토는 중토(中土)로서 사계절의 중앙에서 목화금수 사상을 돌리는 황극의 개념입니다. 태극이 천지인(天地人) 만물을 품고 있는 음양의 추상적 개념이라면, 황극은 천지인 만물을 펼쳐내는 실제 '작용하는 태극'이라 할 수 있습니다. 황극은 중앙의 토로서 양은 무토(戊土)가 되고, 음은 기토(己土)가 됩니다.

<태극음양도(황극)>

무토는 문왕팔괘도에서 간산(艮山☶土)에 해당합니다. 간토(艮土☶)는 생명을 품고 있는 감수(坎水☵)를 극함으로써 잠자고 있는 생명을 깨우고(土克水), 진목(震木☳)은 간토(☶)를 극함으로써(木克土) 새로운 건도, 즉 양이 주관하는 상극의 선천세상을 시작하는 임무를 가지고 있습니다(토극수). 갑을·병정으로 표현되는 선천은 상극으로써 생장하는 원리를 가지고 있죠. 그래서 우리가 사는 세상은 "테스 형, 사는게 왜이래?"하며 사는지도 모르겠습니다.

무토는 겨울의 끝자락 축시(丑時)에 해당하는 습한 땅입니다. 축시(丑時)의 지장간을 보면 癸辛己가 되죠. 겨울이지만 어느덧 습기(癸)가

들어오면서 땅이 물러지기 시작하고 잠자던 생명(辛)이 땅을 뚫고 나올
수 있도록 축축해지는 시기입니다.

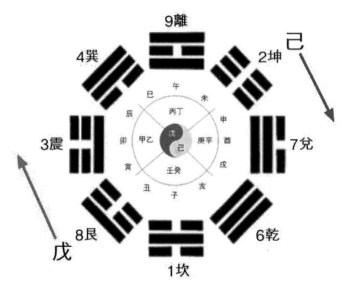

리土는 문왕
팔괘도에서 곤
토(坤土 ☷)에
해당합니다. 생
장하는 선천의
건도(乾道) 기
운이 화(火)에
서 꽃피우고 열
매에 양기를 모
음으로써 서서
히 후천의 곤도
(坤道) 기운으

<문왕팔괘도의 終始(☶艮土)와 交易(☷坤土)>

로 이행되기 시작하는 미시(未時)에 해당합니다. 병화(丙火)가 꽃이라
면, 정화(丁火)는 음기를 중심으로 양기를 모으기 시작하는 열매에 해
당합니다.

　정화를 12벽괘로 보면 양효 6개로 이루어진 병화, 즉 중천건(☰)괘에
음(陰)이 하나 들어오는 천풍구(☴)괘가 됩니다. 음이 들어옴으로써 양
기의 확산이 제어되고 열매에　양기가 집중하게 됨으로써 씨앗을 맺으
며 열매가 익어가는 것이죠.

　이러한 논리는 지장간과도 밀접한 공통성을 가지고 있습니다. 정화의
지장간을 보면 丙己丁이 되죠. 음기(陰氣)인 己土(☷)가 丙丁(☲)에 포
장된 이유는 바로 음기가 가운데 들어와 양기의 확산을 제어함으로써
양기를 열매에 모으는 역할을 하기 때문입니다. 씨앗(생명)을 만드는
것이죠. 이 열매가 미시(未時)에 기토☷(坤)에 떨어지면 건조한 기토는

열매를 삭힘으로써 씨앗과 쭉정이를 분별하여 가을 금기에 수렴시키는 것입니다. 기토는 여름의 끝자락에 해당하는 건조한 땅입니다. 만일 습토라면 열매는 물론 씨앗까지 썩어버리고 말겠죠.

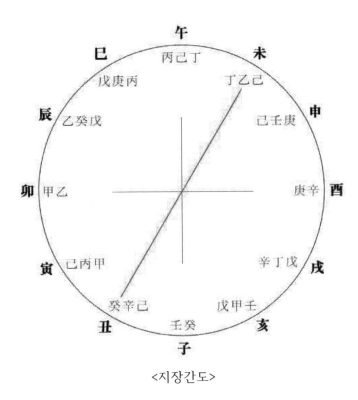

<지장간도>

기토는 지지(地支)로 보면 미시(未時)에 해당합니다. 지장간을 보면 오(午)궁은 丙己丁, 미(未)궁은 丁乙己, 신(申)궁은 己壬庚이죠. 모두 음토인 己가 들어가 있는 것은 바로 음이 주관하는 곤도 후천으로 넘어가는 과정선상에 있기 때문입니다.

정리하자면,

무토는 간토☶로서 축시에 해당하는 동북방에 위치하며, 생명을 품은 감수☵를 극함으로써 상극의 원리가 지배하는 양의 시대, 즉 건도(乾道)세상를 시작하는 기운입니다. 즉, 후천 곤도를 마치고, 선천 건도 세상을 새롭게 시작하는 종시(終始)의 자리에 해당합니다.

기토는 곤토☷로서 미시에 해당하는 서남방에 위치하며, 생명을 품은 열매☰를 받아드림으로써 상생의 원리가 지배하는 음의 시대, 즉 곤도(坤道)세상을 시작하는 기운입니다. 금화상쟁(金火相爭)을 중재하여 금화교역(金火交易)을 이뤄내는 중재자의 자리에 해당합니다.

　사주팔자를 간명할 때, 무토는 산(山)의 성정, 기토는 전답(田畓)의 성정을 가지고 있다고 설명합니다. 戊土는 동북방의 간산☶, 己土는 서남방의 곤토☷와 관련이 있기 때문입니다 중앙에 위치하고 있는 戊己(中土)는 작용에 있어서는 종시(艮☶戊土)와 교역(坤☷己土)으로 동북방의 양(陽☶)의 작용과 서남방의 음(陰☷)의 작용으로 「태극음양도」처럼 나뉘어 그 역할이 배분되는 것입니다. "甲乙·丙丁·戊己·庚辛·壬癸"라고 하여 순서대로 戊己는 여름에서 가을로 넘어가는 중간에 있다고 막연히 이해하는 것은 역학(易學)의 원리를 제대로 알지 못하고 막연히 문자 위주로 해석하기 때문입니다. 지구의 오행작용을 문자로 표현한 천간과 괘상으로 표현한 문왕팔괘도(지구역)는 원리상 함께 이해하지 못하면 오류를 범할 수밖에 없는 것이죠.
　무(戊), 기(己)는 중토(中土)입니다. 지구의 중심에 있어서 지구가 식지 않도록 덥히고 있는 뜨거운 용암을 상징합니다. 중앙에서 양(陽)의 성정인 무토와 음(陰)의 성정인 기토가 「음양태극도」의 모습처럼 대립(對立)하고 대대(對待)하며 상호작용하고 있습니다. 앞에 예시한 「태극음양도」, 즉 실제 작용하는 태극인 황극의 모습으로 이해할 수 있습니다.
　戊土(양)는 동북방의 艮山(☶土)에 작용하는 양기(陽氣)의 힘입니다. 뜨거운 기운이 생명 품은 차가운 坎水(☵水)를 터치(克)함으로써 생명을 깨워 선천 건도세상, 즉 甲乙·丙丁을 펼쳐내는 것이죠. 감괘(坎☵)의 2효는 보존되고 있는 생명의 씨앗을 상징하고, 간괘(艮☶)의 3효는 깨어난 생기가 되는 것입니다. 木氣인 震木(☳木)은 艮土☶를 극함으로써 마침내 상극의 원리가 지배하는 선천 건도(乾道)의 세상을 여는 것이죠. 진괘(震☳)는 나아갈 진(進)의 의미를 품고 있습니다.
　양이 주관하는 선천 건도는 상극의 원리가 적용되는 세상입니다. 「土克水-木克土」로 역행하고 있는 상극의 모습을 보여주고 있습니다.

己土(음)는 서남방의 坤土(☷)에 작용하는 음기(陰氣)의 힘입니다. 뜨거운 기운이 곤토☷에 떨어진 씨앗을 품은 열매☱를 삭힘으로써 알갱이와 쭉정이를 분별하여 가을 금기로 수렴시켜 庚辛·壬癸를 펼쳐내는 것입니다. 곤토☷에 떨어진 열매☱는 땅 속으로 들어가 보이지 않습니다. 땅을 표상한 곤괘(☷)는 효가 둘로 나뉘어 있어 만물을 받아드리고 품는 성정을 표현하고 있죠. 가을 금기를 표상한 서방의 태금☱은 곤토☷가 분별하여 넘겨준 씨앗(양기)을 담은 바구니의 상입니다. 서북방의 건괘☰는 순백하게 정제된 씨앗으로서 겨울의 차가운 수기☵(2효)에 저장되고 보호되고 있는 생기(生氣)를 상징합니다. 이 생기가 저장되고 있는 모습이 북방의 坎水☵괘의 2효가 되는 것이죠. 음효가 양효를 감싸며 포장하고 있는 모습이 감괘☵(水)의 상입니다.

음이 주관하는 후천 곤도는 상생의 원리가 적용되는 세상입니다. 「火生土-土生金-金生水」로 순행하고 있는 상생의 모습을 보여주고 있습니다.

일반적으로 천간은 "甲乙·丙丁·戊己·庚辛·壬癸"로 순서를 나열하고 있죠. 그런데 작용적 측면에서 보면 戊土는 木火 기운인 「甲乙·丙丁」을 주관하는 양적인 기운이고, 己土는 金水 기운인 「庚辛·壬癸」를 주관하는 음적인 기운입니다. 즉 무토는 양이 주관하는 선천(先天)의 건도(乾道)를 주관하고, 기토는 음이 주관하는 후천(後天)의 곤도(坤道)를 주관하죠. 지구로 보면 23.5도로 기울어진 지축을 상징합니다.

도표로 정리하면 다음과 같습니다.

乾道(양)				坤道(음)			
木		火		金		水	
甲	乙	丙	丁	庚	辛	壬	癸
☳	☲	☲	☳	☶	☴	☵	☵
戊				己			
☶				☷			

제26강 도(道)를 아십니까?

<연월일시(年月日時), 원회운세(元會運世)에 대한 소고(小考)>

소강절 선생이 짜놓은 시간에 대한 개념을 다시 한번 들여다보겠습니다. 원회운세는 주로 역학(易學)을 바탕으로 국내에서 자생한 전통종교에서 활용하는 시간에 관한 논리라고 할 수 있습니다. 과연 소강절 선생이 『황극경세서』에서 밝힌 시간의 구도대로 지구가 순환할까요?

元	1회×12=1원	129,600년	우주 1년
會	1운×30=1회	10,800년	
運	1세×12=1운	360년	
世	1년×30=1세	30년	
年	1월×12=1년	1년(129,600분)	지구 1년
月	1일×30=1월	1월(10,800분)	
日	1시×12=1일	1일(360분)	
時	1분×30=1시	1시(30분)	

12는 12지지(地支)가 의미하는 시간이고, 30은 1월을 30일로 보고 계산한 것이죠. 시간은 지금처럼 24시간이 아니라 하루를 12단위, 즉 12지지로 나눈 것입니다. 그래서 1분도 절반인 30분으로 계산이 된 것이죠. 2분을 1분으로 본 것이니 30분은 지금의 60분과 같은 겁니다.

역으로 추산해서 올라가면 시간은 자연스럽게 「시-일-월-년-세-운-회-원」으로 크기가 확장됩니다. 그래서 지구 1년(연월일시)은 우주 1원(원회운세)과 비교할 수 있습니다. 같은 논리로 추산하면 1시(時) 아래로는 무한소, 1원(元) 위로 확대하면 시간은 무한대로 확장이 되겠죠.

지구는 북극성을 축으로 해서 자전하며 태양을 공전합니다. 자전으로 인하여 1일이 밤과 낮으로 구분되고, 공전으로 인하여 1년이 춘하추동 4계절로 구분됩니다.

직립보행을 하며 두뇌를 활용하는 인간은 지구의 1년이 만들어내는 밤과 낮, 그리고 춘하추동을 경험하며 생장성쇠(生長盛衰)의 이치를 깨닫고, 생로병사를 경험하며 생장수장의 이치를 순환합니다. 그리고 1년이 지나고, 또 1년을 반복하며 이어질수록 반복되는 삶 속에서 한 번으로 그치지 않고 계속 이어지는 영원한 삶을 꿈꾸게 되죠. 그리고 100여 년 동안 춘하추동을 100번 가까이 반복 경험하며 또 다른 100번의 순환을 꿈꾸게 됩니다. 한정된 시간의 단위 속에 살면서 반복되는 춘하추동 사계절을 통하여 깨달은 생장수장의 이치를 더 큰 단위의 시간 속에서 체현하고자 하는 것이죠. 아직 오지 않은 미래, 내가 죽어서 이루어질 수밖에 없는 미래는, 그래서 종교적 영역을 통하여 경험을 예정할 수밖에 없습니다.

종교는 조건 없는 믿음이 아니라 나름의 이치와 논리를 통해 믿음을 갖게 합니다. 그것은 대개 지구상에서 생로병사라는 경험을 통해 누적된 생장수장(生長收藏)이라는 인문적 논리를 바탕으로 하고 있죠. 생장수장이란 땅에 저장된 씨앗이 싹을 틔우고 자라서 꽃과 열매를 맺은 후, 다시 땅에 떨어진 열매를 삭힌 뒤 알갱이를 선별, 수렴하고 땅에 저장하였다가 다시 봄이 되어 싹을 틔우는 반복적 순환 논리를 의미합니다. 대부분 종교에서 말하는 부활의 논리가 여기에 근거를 두고 시작됩니다.

그런데 지구의 사시순환, 생명의 생장성쇠(生長盛衰), 생로병사(生老病死), 그리고 생장수장(生長收藏)이라는 지구상의 이치가 더 큰 시간 단위의 우주 순환에도 그대로 적용될 수 있을까요?

인간이 짜놓은 시간의 틀로 우주의 시간을 규정하면 우주는 인간의 시간대로 따라 움직일까요?

지구의 1년을 추론하여 우주의 1년을 논리적으로 확장, 129,600년으로 설정하였습니다. 그렇다면 어느 종교의 주장처럼 춘하추동이 만들어 내는 생장성쇠의 이치가 지구의 1년처럼 129,600년을 하나의 단위로 하여 그대로 반복 재현할까요?

물론 「부분과 전체」라는 양자 물리학적 프랙털 구조의 논리를 들이댈 수는 있겠지만 그건 논리의 비약이 너무 크죠. 프랙털이란 전체를 부분으로 나누었을 때 부분 속에 전체의 모습이 있다는 그런 원리를 말합니다. 전체 속에 부분이, 부분 속에 전체가 들어있다는 「一中多 多中一」의 논리입니다.

어째든 인간이 설정한 지구의 시간과 우주의 시간을 동일시한다는 것은 무리가 있어 보입니다. 양자물리학에서는 시간이라는 것이 흐르는 건지 멈춰서 있는 건지, 아니면 시간이라는 것이 도대체 있는 건지 없는 건지 조차 아직 정리되지도 않았거든요. 시간이라는 것을 인간의 관점에서 인간의 지식과 경험으로 논리정연하게 추론하여 정렬시켜놓았다고 해서 그대로 흘러가는 것이라고도 할 수 없겠죠.

지구가 태양을 도는데 1년, 약 365일이 걸립니다. 129,600년은 단순히 연월일시라는 시간의 논리적 확장일까요? 같은 논리로 좀더 확장하면 무한대로 원회운세가 연월일시를 확장하듯 더 넓혀질 수도 있습니다.

태양계는 우리 은하의 중심에서 약3만광년 떨어진 가장자리에 위치하고 있어 태양을 포함한 태양계는 은하계 중심을 중심으로 공전한다고 합니다. 태양계가 은하 중심의 주위를 한 바퀴 도는 데는 약 2억 2천5백만~2억 5천만년 정도 걸린다고 합니다. 어쨌든 태양이 은하의 중심을 도는 시간은 우주의 1년이라고 하는 129,600년과는 관련이 없는 것 같습니다.

지금 지구가 속한 우주의 시간은 여름에서 가을로 넘어가는 미시(未時)에 해당하는 시간대일까요? 그래서 땅에 떨어진 열매를 숙성시켜 알갱이를 추리듯 알갱이 인간을 추려내는 그런 시간대를 지나고 있는 걸까요? 각종 종교들이 예견하듯 우주의 주인인 인간 중에서 참된 알갱이를 추려 상생의 시기인 후천 가을 시대로 넘기는 작업이 진행 중일까요? 추수 꾼이 와서 쭉정이를 버리고 알갱이를 고르는 작업을 하고 있을까요?

그런데 자연이란 것이 도대체 도덕적이거나 윤리적이지 않아서 옳고 그름을 구분하거나 가리는 것 같아 보이지는 않습니다. 태풍은 선악을 구분하지 않고 쓸어버리죠. 비는 누구에게나 그냥 내립니다. 가난하지만 선량한 길거리 종이장수에게도요. 순자(荀子)는 '하늘은 인정이 없어서 인간을 지푸라기로 만든 허수아비처럼 취급한다'라고도 했습니다.

아마도 그래서 대부분의 종교들이 서남방에 위치한 곤토(坤土)의 성정처럼 열매를 받아드려 삭힘으로써 알갱이만을 선별하는 군자들의 출현을 기다리나 봅니다. 그런데 자연의 성정에는 알갱이만을 우선 대우해주는 그런 자비로움은 없거든요.

여름에서 가을로 전환하는 시기, 곡식을 추수하는 계절로 비유하여 말세 또는 개벽이라고 주장하는 가장 대표적인 종교가 기독교, 그리고 증산도 계열의 종교가 있습니다. 결코, 종교의 옳고 그름을 논하는 것이 아닙니다. 다만 인문적 접근을 통해 인간의 존재를 논해보고자 하는 것이지요.

둘 다 추수 때까지 함께 자라게 두라. 추수 때에 내가 추수 꾼들에게 말하기를 가라지는 먼저 거두어 불사르게 단으로 묶고 곡식은 모아 내 곳간에 넣으라 하리라. (마태복음).

<수렴(收斂)>

종교의 성립과정이나 목적, 생로병사의 굴레를 벗어나지 못하는 인간의 경험에서 나오는 생에 대한 애착, 우리가 매 순간 춘하추동을 따라 경험하는 생장성쇠와 생장수장의 이치 등등을 생각하면 그 비유들은 그다지 새삼스럽지도 않아 보입니다.

여름의 한순간을 살다가는 하루살이 모기가 하루살이의 시간 개념을 추론해서 지구의 1년, 또는 100년의 지구를 추정한다고 가정해 보죠.

봄의 하루와 여름의 하루, 가을의 하루, 겨울의 하루를 사는 생명체는 각각 지구의 1년을 어떤 모습으로 추론할 수 있을까요? 오늘 하루와 그다음 날 하루의 모습은 전혀 다른데, 그리고 그 하루를 사는 하루살이의 생태학적 삶도 전혀 다른데, 비가 오고 태풍이 부는 날 태어났다가 한순간을 경험하고 죽은 하루살이 모기와 뜨거운 어느 여름날에 태어나 하루를 살다 간 하루살이 모기가 바라보는 지구는 과연 어떤 모습일까요?

우리 인간은 영겁 같은 시간대의 어느 일순간을 살고 있는 건지도 모르는데, 우주의 봄인지 여름인지 또는 가을, 겨울인지도 모르는 채 일순(一瞬)도 되지 않는 찰나에 거주하는 인간이 영겁(永劫) 같은 우주를 판단하고 규정하고 그것을 믿고 운명을 예측한다는 게 때로는 당황스럽습니다.

기껏해야 100년을 채 살지 못하는 우주의 변방, 방안의 먼지보다도 더 작은 먼지의 먼지 같은 지구에 얹혀사는 인간이 건방지게 영겁의 우주를 규정하고 판단합니다. 감히 하루살이가 지구의 1년, 지구의 100년을 예측하듯이.

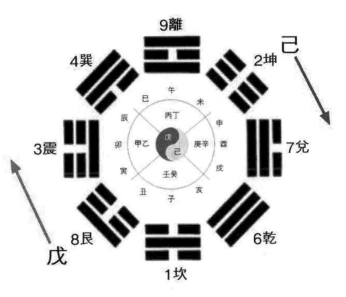

<문왕팔괘도(지구역) 와 간지>

지구의 시시 순환으로 판단할 수 있는 변혁의 형태는 2가지입니다. 하나는 종시(終始)를 쥐고 있다는 간토(艮土 ☶)의 작용과 교역(交易)의 역할을 하는 곤토(坤土 ☷)의 작용이죠. 간토는 겨울에서 봄으로 이어지는 환절기이고, 곤토는 여름에서 가을로 넘어가는 환절기에 해당하는 시간대입니다. 간토는 땅속에 저장되어 겨울 ☵을 견디고 있는 씨앗을 깨워 봄☳에 싹을 틔우도록 하는 역할을 하고, 곤토☷는 양기를 모은 열매가 땅에 떨어지면 이것을 삭혀 알갱이(씨앗☵)만을 선별하여 가을☱ 금기에 수렴하도록 하는 역할을 합니다.

간토☷의 종시(終始)

그래서 문왕팔괘도의 동북방에 위치한 간토☶는 씨앗을 저장하고 있는 감수☵를 터치(극)함으로써 생기를 깨우는 역할을 수행합니다. 그리고 진목==이 간토==를 극함으로써 땅에 뿌리를 내리고 싹을 틔우게 되죠. 오행의 생극 원리로 보면 「木克土-土克水」의 논리가 성립됩니다. 즉, 극함으로써 생명을 얻고 자라는 것이 됩니다. 그래서 봄·여름으로 상징되는 선천세상은 상극의 원리가 지배하는 세상이라고 하는 것입니다.

양(陽)인 진목==이 양(陽)인 간토==를 극하고, 간토는 양(陽)인 감수==를 극하고 있습니다. 그래서 선천세상은 양(陽)이 주도하는 상극의 원리가 지배하는 건도(乾道) 세상이 되는 것입니다.

음이 주관하는 가을과 겨울의 곤도(坤道) 세상을 종결시키고(終), 양이 주관하는 봄과 여름을 시작하게 하는 힘(始), 그것이 바로 간토의 종시(終始) 역할입니다.

곤토==의 금화교역(중재)

문왕팔괘도의 서남방에 위치한 곤토==는 뜨거운 양기를 가득 담은 열매==가 떨어지기를 기다려 삭힘으로써 알갱이와 쭉정이를 선별하여 알갱이만을 가을 태금==에게로 넘겨주는 교역의 역할을 담당합니다. 열매를 상징하는 뜨거운 여름의 이화==를 받아드려 서늘한 가을 금기==로 넘겨주는 것이죠, 여름의 화기==와 가을의 금기==는 화극금(火克金)으로 서로 충돌하는 기운이므로 금화상쟁(金火相爭)이 일어나게 됩니다. 그래서 중간에 곤토==가 화와 금의 싸움에 끼어들어 화해시키는 중재자 역할을 하는 것이죠. 이를 금화교역(金火交易)이라고 합니다. 즉 화극금(火克金)을 토가 중재함으로써 「火生土-土生金」이라는 상생의 기운을 만들어내는 것이지요. 그래서 가을·겨울로 상징되는 후천 세상은 상생의 원리가 지배하는 세상이라고 합니다.

음기인 이화==가 음기인 곤토==를 생하고 곤토는 음기인 태금==을 생하고 있죠. 그래서 후천 세상은 음이 주도하는 상생의 원리가 지배하는 세상이 되는 것입니다.

간토 ☶는 축시(丑時), 곤토 ☷는 미시(未時)에 해당합니다.

그렇다면,

지금은 과연 축시인가,

아니면 미시인가?

대부분 종교들은 지금이 미시에 해당된다고 합니다.

그런데 왜 지금이 미시라고 생각할까?

인간의 시간, 인간이 살아온 지금까지의 시간은 찰라도 되지 않는데, 우주가 빅뱅으로 생겨난 시점을 137억 년으로 보면, 인간이 원숭이 적부터 계산해 본다 해도 수백만 년 정도도 되지 않았는데, 아직 걸음마도 떼지 않은 시간에 불과한데, 인간의 시간을 적용해서 지금이 벌써 미시라고 판단하는 거지?

물론 반복되는 129,600년의 시간대 중에 미시라고 보는 것이겠지만, 영겁의 시간으로 볼 때 129,600년은 찰나의 찰나의 찰나에 불과한 시간이라는 거지. 아, 혹시 인간이 마치 무한대를 사는 주인공이라 착각하고, 시간의 무한 반복 속에 영원히 존재하는 방식을 말하고자 하는 것인가? (물론 지구가 사시순환을 1년의 과정을 통해 순환할 때 그 안에 사는 만물이 생로병사를 반복하듯, 지구도 129,600년을 단위로 사시의 변화를 겪는다는 것은 또다른 종교적 신념이지만.)

어째든 이건 인간의 관점이고, 인간이 송충이를 미물로 취급하듯, 인간을 미물로 취급하는 고등동물이 있다면 아마도 그들은 지금이 축시에 해당한다고 할지도 모르지.

인간의 역사는 원숭이부터 계산해도 이제 겨우 수백만 년, 아니면 1~2만 년?

이건 시간의 축에도 끼지 못하지, 지구가 생겨난 지 45억 년인데,

지구가 1년을 순환하고 인간이 그 속에서 춘하추동을 경험하듯이, 129,600년은 7~80년에 불과한 인간이 시간을 더 연장, 형이하학적 죽음을 넘어서서 형이상학적 생명을 가지고 더 큰 범위의 춘하추동을 경험하고 싶은 시간대라고도 할 수 있지.

129,600년이라는 우주 1원(元)은 결국 지구의 시간이라기보다는 삶을 더 연장하고 싶은 인간의 시각에서 지구의 1년이라는 시간의 흐름을 논리적으로 추론하여 확장해낸 시간의 연장선이라 할 수 있지. 지구의 춘하추동을 논리적으

로 확장하여 더 넓은 우주의 춘하추동으로 넓히고 싶은 거야.

종말론, 개벽론은 모두 미시(未時☲)의 시간대를 활용하기가 딱 좋아, 이 험난한 세상을 상극으로 규정하면, 새로운 상생(相生)의 세상이 도래하는 시간대라고 홍보하기가 얼마나 좋아, 하늘에 호화로운 특급관광호텔을 홀로그램으로 지어놓고 떼돈 벌기 딱 좋은 시기지.

그런데 인간이 아닌 다른 생명체의 관점에서 보면, 지금은 지구에 해로운 인간 바이러스를 제거하고 지구의 새로운 시작을 준비하는 축시(丑時☲)인지도 몰라.

지구의 축은 북극성을 축으로 자전하며 태양을 공전합니다. 공전 면에 대해 23.7도 기울어져 있는데 고정된 것은 아니고 몇만 년에 걸쳐 극미세하게 변한다고 하죠. 그러니 후천 세상으로 넘어가는 시점에 지축이 바로 선다고 하는 과학적인 가정도 사실은 망상은 아닌 것이죠. 어느 정도 과학이라는 근거를 받침으로 활용해야 모든 게 그럴 듯해 보입니다.

북극성의 미세한 변화, 태양의 미세한 변화가 일어난다면 그에 따라 지구의 축은 흔들릴 수 있겠죠. 이건 과학입니다. 그러나 이러한 변화를 인간의 시간으로 측정하고 특정한다고 해서 그대로 일어나는 것이라 장담할 수도 없는 일입니다. 그러한 변화는 종교적 교리와 믿음과는 관련이 없다는 거죠. 오히려 인간의 탐욕이 만들어놓은 온실효과가 더 큰 문제입니다.

금성의 시간은 공전 주기로 인하여 지구의 시간에 비해 매우 짧습니다. 공전 주기가 지구보다 긴 화성의 시간은 지구의 시간보다 길고요. 지구의 시간과 단위가 같다고 하더라도 단위의 길이는 서로 다를 수밖에 없습니다. 그러니 그곳에 사는 생명체들의 관점에서 바라보는 시간은 개념이 서로 다를 수밖에요. 인간의 시각에서 인간의 시간으로 우주를 바라본다는 것이 얼마나 편협한 것인지 한 번쯤은 생각해 보는 것도 좋겠죠. 저는 과학자가 아닌 인문학도이니, 제 설명이 완전히 과학적이라 장담할 수는 없습니다.

원회운세(元會運世)의 개념에 대한 정서적 의미 부여를 배제하고 바라본다면, 세(世)는 지구가 태양을 30번을 도는 시간을 말하는 것이고, 운(運)은 360회, 회(會)는 10,800회, 원(元)은 129,600회를 공전하는 것을 말합니다. 지구의 춘하추동이 만들어내는 연월일시라는 시간의 의미, 생장수장의 이치를 더 넓게 확장하여 원회운세에도 그대로 적용한 것이라 볼 수 있습니다. 이런 관점에서 보면 원회운세는 우주의 시간이라기보다는 지구 시간의 확장이라는 것이 더 정확한 표현일 것 같습니다. 인간의 존재를 더 확장하기 위하여 지구의 시간을 우주로 확장해 나간 것이라 할 수 있는 것이죠. 공간적으로 달을 정복하고, 화성에 정착촌을 계획하며 더 넓은 공간으로 인간의 영역을 더 개척해 나가듯, 시간의 영역도 더 넓혀 나가는 것으로 생각하면 어떨까요?

그런데 지구가 우주의 중심이라면 그럴 수도 있겠지만, 주지하다시피 우주에는 지구보다 더 크고 더 멋진 별들이 거의 무한대에 가깝도록 널려 있습니다. 별들마다 각자 시간의 개념이 다르고, 공간적 개념이 다르고, 춘하추동의 개념이 다르고, 생장수장의 이치가 다른데 유독 지구의 개념으로 우주를 판단한다는 것은 어찌 보면 어불성설에 가까운 일이라 할 수도 있습니다. 물론 지구의 하나님이 전 우주를 창조했다는 믿음을 전제한다면 가능한 일일 수도 있구요.

인문학자의 시각으로는 보는 우주는 너무나 신비하고 황홀합니다. 종교적 도그마로 개념을 규정하고 고정시키기에는 모든 것이 불확정적이죠. 그래서 우주는 더 아름다운 거라 할 수 있습니다.

지구의 사시 순환에 따라 생장성쇠(生長盛衰)하는 만물의 생로병사(生老病死)의 이치를 경험하면서 지혜를 쌓은 인간은 생장수장(生長收藏)이라는 고상한 철학을 깨닫게 됩니다. 1년생 동식물은 정확하게 지구의 춘하추동 사시순환을 따라 생로병사를 경험하고, 생장수장의 이치를 실현합니다. 이러한 지구의 1년 춘하추동을 따라 발생하는 생장수장의 이치를 우주적으로 확장하면 우주의 생장수장의 이치가 논리성을 장착하게 됩니다. 생로병사의 순환 속에서 씨앗을 남겨 다시 생로병사를 반복하는 생명의 이치를 깨달음으로써 생장수장이라는 더 큰 이치를 구축하게 되는 것이죠.

개벽은 지구가 개벽하는 것이 아니라 그 안에 사는 인간이라는 생명체가 지구의 변화에 따라 생멸할 수밖에 없음을 깨닫고, 형이하학적이든 형이상학적이든, 어떤 방식으로든 생명을 더 연장할 수 있는 방법을 종교적인 틀을 통해 찾아낸 논리의 개벽이라 할 수 있습니다.

지구는 우주라는 틀 안에서 순리대로 변화하며 흐르고 있는 것뿐인데. 그 안에 사는 생명체는 이러한 작디작은 변화를 개벽이라 호들갑 떨고 있는 것입니다.

집안에 떠도는 먼지보다도 더 작은 먼지 같은 먼지에 얹혀살고 있는 미생물이 자신의 시각과 자신의 시간으로 집이라는 우주의 생멸을 판단하는 것이 얼마나 당돌한가 생각해 봅니다. 물론 멋지기도 하고요.

인간은 지구의 사시순환을 대략 70~100번 정도 반복하며 순환하다 죽게 됩니다. 거북이는 100년 이상을 산다고 하죠. 어떤 대양 백합 조개는 500년 정도의 생존을 확인했다고 합니다. 바닷속 유리스펀지라는 무척추동물은 15,000년 정도의 수명을 가지고 있고, 불사해파리는 이름처럼 죽지 않고 영원히 살 수 있다고 합니다. 돌발상황에서 성숙한 몸을 다시 미성숙한 상태로 되돌릴 수 있다고 하니 완전 회춘 능력이 대박입니다. 그에 비해 인간의 시간은 참으로 보잘것없어 보입니다.

하루살이 모기가 바라보는 하루는 100년을 사는 인간이 바라보는 하루와는 많은 차이가 있겠죠. 하루라는 짧은 시간 동안에 성장해서 어른이 되어 알까지 낳아야 하니까요. 하루살이 모기의 그 하루는 인간의 관점에서는 비록 24시간에 불과하지만, 모기에게는 우리 인간의 100년과도 같은 긴 시간대일 겁니다.

우주의 주인이 인간인가요?

인간의 시각, 인간의 시간이라는 시공간적 굴레에서 벗어나야만이 객관적 관점을 가질 수 있습니다. 우주는 내 생각, 나의 판단, 나의 결정을 고려하지 않고 돌아갑니다.

인간이 우주의 주인인가요?
우리 말고도 어마무시하게 많습니다.
우주는 우리가 생각하는 그 이상이죠.
우리는 우주로 나아가
누군가를 더 만나고
의식의 울타리를 더 확장해야 합니다.
우리에게는 여전히
보고 만지고 경험하며 생각해야 할 것들이
너무나도 많이 남아 있죠.
불확실성의 세계는
그래서 오히려
신비롭고 경이로운 세상입니다.

양자물리학자 카를로 로벨리는 이렇게 말합니다.

무지(無知)에 만족하고 이해하지 못하는 것을 무한(無限)이라 부르면서 앎을 다른 곳에 위임해버리는 사람처럼 무지한 사람은 없다.

라고요.

제27강 오행의 순환원리

요즘 뉴스를 보다 보면 사람들의 정신세계가 많이도 피폐해졌다는 생각을 하게 됩니다. TV는 마치 영화 속에서나 가능할 것 같은 이유 없는 폭력, 살인 등등을 일상처럼 보여주죠. 상호 간의 관계성에서 피로를 느끼는 사람들이 사이버 세계에 몰입하거나, 현실에서는 반려견에 애정을 쏟는 양태로 드러나는 것 같습니다. 상호 간의 관계성보다는 일방적인 관계에서 사람들은 덜 피로감을 느끼게 되는 것이죠.

무지의 영역에 대하여 의구심을 품고 탐구하려 하기보다는 본 적이 없는, 존재 여부에 대한 객관성조차 의심 없이 신에게 모든 것을 쉽게 일임해 버리고, 마치 그것이 지혜로운 자의 행위인 양 치부해 버립니다. 그게 차라리 편하거든요.

그런데 이런 경우, 더 멋진 이론으로 갈아입는 더 멋지고 더 힘센 신이 나타나면 쉽게 흔들릴 수밖에 없습니다. 이는 '내가 하느님이다, 내가 진리다' 하는 자들이 우후죽순 나타나는 토양이 되는 것이죠. 그들이 말하는 대로 진리가 하나라면 나머지는 모두 가짜가 되는데, 가짜들끼리 서로 다투고, 또 그들을 따라 우르르 이리저리 몰리는 자들이 있고…, 생로병사라는 시간의 울타리에 갇혀있는 인간의 슬픈 자화상입니다.

자신이 누구인지에 대한 존재성의 혼돈은 사이버 세상의 혼란스러운 다양성 속에서 파편화된 정신으로 나타나고, 그 결과 상호 간의 관계성을 단절함으로써 자신만의 골방으로 들어가 스스로 안에서 문을 걸어 잠가 버리는 양태로 드러나게 됩니다.

　　(1) 하나(一)에서 비롯되다.

『천부경』
　　一始無始一
　　일시무시일

　　하나(一)에서 비롯하니 무(無)에서 시작하는 하나로다.

『주역』
　　太極生兩儀
　　태극생양의

　　태극(一)이 양의(음양)를 낳다

『노자』
　　道生一　一生二
　　도생일　일생이

　　도가 하나를 낳고 하나(一)가 음양을 낳다.

『현대물리학』
　　BigBang(빅뱅)

　　하나(一)에서 만물만상(萬物萬象)이 터져 나오다.

모두 만물의 시작점인 하나, 즉 일(一)을 가리키고 있습니다. 하나(一)에서 흘러나와 음양(二)으로 분별되고, 상반된 대립인자인 음양은 서로 대립하면서도 의존하며 상호작용을 통해 만물(三)을 순환시키는 것이죠.

『천부경』은 이러한 만물의 순환원리를 다음처럼 정의하고 있습니다.

一妙衍萬往萬來用變不動本
일묘연만왕만래용변부동본

하나(一)가 시작하여 묘리(妙理)를 한없이 펼쳐내니,
삼라만상이 가고 오며 무수히 쓰임을 달리하지만,
본(本)이 되는 하나(一)는 변함이 없도다.

상반적 성질의 일음일양(一陰一陽)은 상충과 화해를 반복하며 새로운 중화의 양태를 생성합니다. 음양은 만물을 낳는 플러스(+) 마이너스(-) 동력원이라 할 수 있죠. 『주역』은 이를 "강과 유가 서로 부딪히면서 밀고 당기며 변화를 낳는다(剛柔相推而生變化 강유상추이생변화)."라고 정의하고 있습니다. 변화란 만물만상(萬物萬象)을 의미합니다. 그렇다면 중화의 산물인 만물만상은 어떤 시스템에 의해 생겨나는 것일까요?

(2) 음양오행의 생극제화

역학은 음양이 상호작용을 통해 시스템화된 오행으로 설명하고 있습니다. 즉, 음양이 낳은 천지인을 생극제화를 통해 생장수장의 이치로써 생로병사 순환시키는 오행 장치라 할 수 있습니다. 음양오행이 팔괘로 범주화되고, 10천간으로 개략화되면서 우리는 상(象)과 문자(文字)의 상호관계성을 통해 만물의 변화를 이해하고, 만물 중의 하나인 인간 개개인의 득실을 분석, 길흉을 논하게 됩니다.

▷자연현상으로 이해하는 오행의 원리

오행은 상생(相生)과 상극(相克)을 서로 반복하면서 순환합니다. 생(生)은 낳아서 기른다는 의미이고, 극(克)은 저지하고 제어하며 조절한다는 의미이죠.

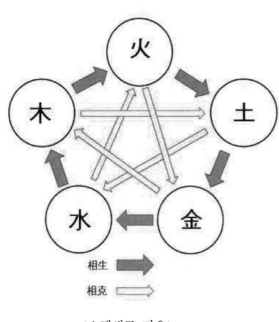

<오행생극 작용>

생(生)과 극(克)은 길(吉)과 흉(凶)으로 단순하게 구분 지어 판단할 수 있는 것이 아닙니다. 물(水☵)은 생명(木☳)을 낳아 기르지만(生), 화기(火☲)를 식혀 땅(土☷)을 기름지게 하죠(克). 상(象)이 의미하는 것처럼 생극(生克)은 상대적(相對的)이면서 상보적(相補的)인 개념을 품고 있습니다. 만물은 생극 작용을 통하여 상호 보완함으로써 성장하는 것입니다.

상생: 木生火→火生土→土生金→金生水→水生木
상극: 木克土→土克水→水克火→火克金→金克木

단순히 생(生)만으로 자랄 수 없고 극(克)만으로도 살아나갈 수가 없어요. 생(生)이 태과(太過)하면 기운이 생설(生泄)되어 내가 탈진하게 되고, 극(克)이 태과하면 상대방을 다치게 합니다. 화기(火氣)의 확산이 지나치면 꽃이 맺히지 않고요. 적당한 시기에 음기가 들어와 양기를 제어하면서 열매를 매다는 것이니, 『주역』 괘상으로 표현하면 바로 이화(離火☲)의 상이 되는 셈이죠. 그러므로 생과 극이 적절하게 조화되어야만 상호생존이 가능하게 됩니다. 생극(生克)이란 만물이 공생(共生)하고 공존(共存)하기 위한 천지자연의 지혜라 할 수 있습니다.

▶상생(相生) ≫ 상극(相克)

물(水)은 나무(木)를 길러 땅(土)에 뿌리를 내리게 하며(水生木≫木克土),

나무(木)는 자신을 태워 불(火)을 생하고 금(金)을 녹여 생명의 형상을 만들게 하며(木生火≫火克金),

불(火)은 나무를 태워 땅(土)을 기름지게 하여 생명(金)을 품게 합니다(火生土≫土生金).

땅(土)은 단단하게 뭉쳐 쇠(金)를 생하니 나무를 베어 화기(火)를 북돋우며(土生金≫金克木≫木生火),

돌(金)은 물(水)이 흘러나오는 통로가 되고, 물은 팽창하는 화기(火)를 식혀 열매를 달아 양기를 담게 합니다(金生水≫水克火).

▶상극(相克) ≫ 상생(相生)

나무(木)는 땅(土)을 파고들어 뿌리를 내림으로써 땅을 단단하게 묶어 쇠(金)를 생하고(木克土≫土生金),

땅(土)은 물(水)을 흡수하여 나무(木)가 자라는 토대가 되어주며(土克水≫水生木),

물(水)은 화기(火)를 식혀 땅(土)을 기름지게 하고(水克火≫火生土),

불(火)은 쇠(金)를 녹여 생명수(水)를 만들고(火克金≫金生水),

금(金)은 나무(木)를 베어 불(火)을 피울 수 있도록 합니다(金克木≫木生火).

▷오행생극(五行生剋)의 조화

오행은 생(生)함으로써 극(剋)하고, 극(剋)함으로써 생(生)하여 생명이 순환하도록 하는 우주 만물의 지혜이자 존재의 원리입니다. 생(生)에도 길흉이 있고(生助吉, 生泄凶), 극(剋)에도 길흉이 있습니다(剋制吉, 剋害凶). 그러므로 만물의 작용은 상대적(相對的)이면서도 상보적(相補的)이니 단순하게 길흉으로 좋고 나쁨을 판단하는 것만큼 어리석은 일도 없을 것입니다.

여덟 글자로 구성된 사주 명국에서 보면, 한 가지 기운이 태과하거나 태부족한 경우 오행은 서로를 보완하기 위하여 생극과 합충 작용을 통해 움직이기 시작합니다. 오행이 천지를 순행하면서 과한 것은 덜어내고, 모자라는 것은 채워주니, 그 과정에서 길흉·득실(吉凶·得失)이 생겨나는 것이죠. 음양오행이 상호작용하는 과정에서 나에게 득이 되면 길이 되고, 실이 되면 흉이 되는 것입니다.

여덟 개의 글자로 표현되는 인간의 존재는 항상 불완전한 존재일 수밖에 없습니다. 사주(四柱)는 오행(五行)에서 한 기둥이 부족하죠. 그래서 운에서 들어오는 간지가 명국을 오주(五柱)로 채우면서 오행의 생극과 합충 작용으로써 사주(四柱)가 활기를 띠며 움직이게 되는 것입니다.

자연의 이치로 설명하자면,

지구가 태양주위를 공전하면서 사계절이 만들어지고, 그로 인해 발생하는 기온의 불균형 때문에 에너지가 이동하기 시작하면서 생극 작용이 일어나게 되고, 만물은 생장수장(生長收藏)의 이치로써 생명을 순환하는 것입니다.

음양은 만물을 돌리는 동력원이고, 오행은 만물을 생멸(生滅)하는 순환장치라 할 수 있죠. 괘와 간지를 오행에 대입하여 생극제화 시스템으로 돌린다면 득실을 만들어내는 상과 문자를 분석함으로써 길흉을 판단할 수가 있습니다. 그러므로 음양오행의 생극제화 원리를 이해하면 만물의 생장수장(生長收藏)의 이치를 알 수 있고, 만물 중의 하나인 인간의 생장성쇠(生長盛衰)의 이치도 알 수가 있는 것입니다.

一始 일시
하나(一)가 열리니 천하가 음양이로다.
서로 수작(酬酢)하니 수레가 굴러가네.
만사가 오행에 실렸으니
음양 두 대로 천하를 노 젓는다.
하나에서 흘러 만 번을 오가니
그 모습 하나라네.

제28강 사주명국의 기본구조

(1) 사주팔자의 구조

사주팔자(四柱八字)란 연월일시 네 개의 기둥(四柱)의 여덟 글자(八字)를 말합니다.

壬丙乙丁은 천간오행으로 추상적 성정을 표현하고, 寅午未亥는 지지 오행으로서 계절적 기후를 나타내며 현실적 성정을 표현하죠.

시주 (정해)	일주 (을미)	월주 (병오)	년주 (임인)
합	-	충	합충
식신	일간(나)	상관	정인
丁	乙	丙	壬
亥	未	午	寅
정인	편재	식신	겁재
戊 정재	丁 식신	丙 상관	己 편재
甲 겁재	乙 비견	己 편재	丙 상관
壬 정인	己 편재	丁 식신	甲 겁재

<사주팔자>

천간이 하늘(天) 기운이라면 지지는 땅(地)의 기운이 되고, 천지가 교감하여 낳은 것이 人(物)으로서 지장간으로 표현합니다.

지장간(地藏干)은 하늘을 유행하던 천간오행이 계절의 기운을 표현하는 지지 오행과 상호작용으로 낳은 人(만물)으로서 명주의 잠재력, 가능태를 나타냅니다. 월지가 품고 있는 천간, 즉 지장간은 2개에서 3개의 천간으로 이루어져 있으므로 지지오행은 천간오행보다 복잡성을 띠게 되죠. 지장간이 천간에 투출하거나 운에 발동하여 나타나는 경우 지장간은 현실태로 드러나 그 기능을 수행합니다.

(2) 나는 누구인가?

일간(日干) 을목(乙木)이 사주의 주인입니다. 일간을 기준으로 다른 일곱 개의 간지와 생극작용을 통해 상호작용하며 조화를 추구합니다.

일지(日支)는 일간의 배경, 가정, 지원세력, 부부궁이 됩니다.

일주(日柱)는 내가 거부할 수 없는 이미 주어진 오늘이지만, 오늘 하루 무엇을 어떻게 할 것인가는 선택할 수 있는 시간이기도 합니다.

(3) 월주(月柱)는 일간이 활동하는 현실로서 사회적 환경을 의미합니다.

월간(月干)은 일간 명주가 추구하는 '추상적 사회성'을 의미하죠. 월지가 드러내는 현실적 요소와 작용하여 사회적 가치를 드러냅니다.

월지(月支)는 계절적 기운으로서 내가 거부하거나 역행할 수 없는 환경적 요소, 즉 '현실적 사회성'을 의미합니다. 월지는 사주명국을 주도하는 기운으로 월지장간이 천간에 투출하는 경우 사주팔자를 지배하는 용사지신(用事之神)이 됩니다. 용사지신은 간략하게 용사신(用事神)이라고 하며, 사주팔자의 편재와 편중에 상관없이 사주를 이끌어가는 주도적인 기운이므로 여덟 글자의 균형과 조화를 위한 상신의 역할이 요구된다. 상신(相神)이란 용사신이 사주팔자에 미치는 힘을 제어하고 조절하는 기운으로서, 용사신의 힘이 지나치면 저지하고, 힘이 미약하면 생조하는 임무를 수행합니다. 상신의 힘이 전체 균형과 조화를 위해 긍정적이면 사주는 길한 경우가 되죠. 용사신은 상신의 역할에 크게 좌우된다고 할 수 있습니다.

⇨소용지신(所用之神): 일간이 신강하면 억제하고, 신약하면 부양하는 오행을 의미한다.

⇨용사지신(用事之神): 월지장간이 천간에 투출하거나 운에 발동한 오행으로서 사주 전체를 주도하는 기운이다.

⇨병신(病神), 약신(藥神): 사주에 병이 되는 오행을 병신이라 하고, 이를 치료하는 오행을 약신이라 한다.

월지는 거부할 수 없는 계절적 기운인 조후(調喉)를 의미합니다. 일간은 먼저 월지와의 관계를 분석하여 생조(生助), 생설(生泄), 극제(克制), 극설(克泄) 등 상호작용을 통해 일간의 기운을 판단합니다.

(4) 년주(年柱)는 과거시제
년주(年柱)는 이미 지나가 버린 선택할 수 없는 과거시제, 이미 주어진 숙명적 기운입니다. 거부할 수 없는 시간으로서 일간 명주의 뿌리가 됩니다.

(5) 시주(時柱)는 미래시제
시주(時柱)는 아직 오지 않은 미래시제, 그러므로 일간인 내가 선택하거나 조절할 수 있는 시간이 됩니다.

(6) 사주팔자 간명 원리
 -일간을 기준으로 팔자의 균형과 조화를 추구한다(중화).
 -사주팔자의 완전한 균형이란 없다. 완전한 균형은 사물의 죽음을 의미
 -음과 양은 서로 대립하면서도 상호의존하며 공존한다.

-음양의 대소·장단·강약은 불균형을 의미하며, 이는 사물의 고유한 특성이다.

-사주에서 오행의 불균형은 명주의 고유한 특성이며, 이 불균형의 특성을 잘 살려야 길하다.

-불균형에서 균형으로의 이동과정이 곧 음양오행의 상호작용이며, 그 상호작용의 과정에서 명주에게 득이 되면 길하고 실이 되면 흉하다.

-음양오행의 편중과 편재는 흉이 아니라 개인의 고유한 특성이며, 그 특성을 제대로 살리는 것이 사주 통변의 으뜸이다.

년주와 월주는 숙명(宿命)

일주와 시주는 운명(運命)

숙명은 선택할 수 없지만, 운명은 선택할 수 있다.

-년주(根): 선택할 수 없는 과거시제(숙명)

-월주(苗): 역행할 수 없는 주어진 현실(순응)

계절은 역행할 수 없다. 겨울에 여름옷을 입는 것처럼 험함은 없다. 사람을 비롯한 만물은 철이 없으면 안 된다. 철이 들어야 산다.

-일주(花): 주어진 현재시제이지만, 자유의지로 선택할 수 있는 오늘을 의미한다.

-시주(實): 자유의지로 선택할 수 있는 미래시제(운명)

제29강 음양의 편재와 사물의 특성

<음양오행의 치우침은 사물의 고유한 특성을 의미한다.>

태허(太虛)는 온 천하에 가득한 기(氣)가 어느 한 편으로 편재한 상대적 상태가 아닌 음양의 혼륜(渾淪) 상태라 할 수 있습니다. 태극은 음양의 상대성으로 분별이 되는 기의 상태이며, 기가 서로를 상대하며 상호작용하는 것을 음양이라 하니, 태극과 음양이란 관점에 따른 개념상의 차이라 할 수 있습니다.

음양이 강유상추(剛柔相推) 작용을 통해 만물을 생화하는 것은 음양의 대소·장단·강약(大小·長短.强弱)의 미세한 차이가 만들어내는 다양한 불균형이 다양한 상호작용을 일으킴으로써 변화무쌍한 변화를 낳는 것을 의미합니다.

음양이 모두 일정하게 동량(同量)이라면 음양의 상호작용은 일어나지 않죠. 만물이란 음양의 상대적 불균형이 야기되면서 역동적인 작용이 일어나 만들어지는 변화체를 의미합니다. 즉, 다양한 형태의 불균형은 다양한 형태의 중화를 이룸으로써 다양한 형태의 품물을 만들어내는 것입니다.

「태극음양도」를 보면, 태극의 S-Line을 따라 형성되는 음양의 대소·장단·강약의 미세한 차이가 무수하고 다양한 양태의 접점을 만들어내고 있음을 알 수 있습니다. 온 우주에 존재하는 만물만상은 이러한 다양한 음양의 상호작용에 의해 천차만별을 이루는 것이므로 어느 하나라도 동일한 것이 있을 수가 없습니다. 즉, 음이 많거나 양이 많거나 만물은 각기 다른 다양한 특성을 가지게 되는 것이죠.

태극(太極)

우주적 통일체인 태극의 관점에서 보면, 일체를 이루고 있는 음양은 부분적으로는 기의 편재와 편중을 경험하고, 이러한 불균형은 상호작용을 통해 중화(中和)를 이루며, 중화와 중화는 서로 간의 상호작용을 통해 더 큰 지향점인 대화(大和)를 이루면서 태극원(太極圓)이라는 하나(一)의 동일체를 이루어갑니다.

> 어떤 상태가 한쪽으로 치우쳐 머무는 일이 없어야 무방(無方) 무체(無體)의 상태라 할 수 있다. 낮과 밤, 음과 양에 치우쳐 머무는 것은 물(物)이다.[23]

물(物)이란 음양의 치우침, 즉 음과 양의 불균형으로 잠시 머무는 일시적인 상태, 즉 "변형과 변화의 끝없는 흐름 속에 있는 일시적인 단계"를 의미합니다. 양자 물리학적으로 말하면 '소립자들은 단지 양자장(場)의 국부적인 일시적 응결에 불과'한 것이죠.

음양의 대소·장단·강약의 미세한 차이가 만든 미묘한 불균형이 다양한 중화의 형태, 다양한 품물(品物)의 형상을 만들어내고 있습니다. 완전한 균형과 조화는 작용이 멈춘 상태로서 무방무체(無方無體)의 상태가 되죠. 사물이란 음과 양이 어느 한쪽으로 편재되어 치우쳐 잠시 머무는 변화의 일시적 형태(客形)를 가리킵니다. 객형(客形)이란 잠시 머물다 가는 손님처럼 잠시 형체를 이룬 사물을 의미하죠. 음양의 상호작

---

23) 張載, 『正蒙』, 「乾」, "體不偏滯 乃可謂無方無體 偏滯於晝夜陰陽者物也."

용은 음양의 치우침으로 인한 상호모순에서 비롯되며, 이러한 음양의 편재와 편중으로 인한 불균형이 만물의 창조와 생멸의 동력이 되는 것입니다. 즉 음양의 불균형은 역설적으로 균형을 이루기 위한 에너지의 역동적인 이동을 불러일으키고, 이는 만물을 생장성쇠(生長盛衰)로 순환시키는 동인(動因)이 되는 것입니다.

> 하나의 기(氣)가 나뉘어 음과 양이 분별된다. 양이 많은 것이 하늘이고 음이 많은 것이 땅이다. 그러므로 음과 양이 나뉘어 형질(形質)을 갖추게 된다. 음과 양이 한쪽으로 편재되어 성정(性情)이 나누어진다. 형질도 나뉘면, 양(陽)이 많은 것은 강(剛)이 되고 음(陰)이 많은 것은 유(柔)가 된다. 성정도 나뉘면, 양이 많은 것은 양의 끝이 되고 음이 많은 것은 음의 끝이 된다.[24]

양의 부류의 사물이든지 혹은 음의 부류의 사물이든지 간에, 음과 양의 성분은 어느 한쪽의 하나만 있는 것이 아니라 음 속에 양이 있고 양 속에 음이 있는 것이므로 사물 간의 차이는 음과 양의 성분이 많고 적음에 달려있다는 것입니다.

예를 들자면, 인간이라는 기물(器物)보다 더 큰 초인적 존재라 할지라도 결국은 음양이기(陰陽二氣)의 상호작용이라는 큰 틀을 벗어날 수가 없습니다. 아무리 복잡하고 강력한 기운을 가진 초정밀 조직체일지라도 대소·장단·강약에 따른 미세한 불균형과 모순에 의한 상호작용, 균형과 조화를 이루려는 에너지의 이동과 상충작용으로 다양한 형태의 중화를 이루어가는 과정에서 다양한 유형의 기물(器物)로 조직화되는 것에 불과한 것이죠. 이러한 조직화 과정을 통해 기물 내에 다양한 리·상·수(理·象·數)가 내재하게 되면서 인간의 지각범위를 벗어나는 초월적인 기물(器物), 그것이 비록 창조자 신(神)이라 할지라도 음양의 상호작용이라는 큰 틀을 벗어날 수가 없는 것입니다.

---

24) 邵雍, 『皇極經世』, 「觀物外篇」, "一氣分而陰陽判 得陽之多者爲天 得陰之多者爲地 是故陰陽半(判)而形質具焉 陰陽偏而性情分焉 形質又分 則多陽者爲剛也 多陰者爲柔也 性情又分 則多陽者陽之極也 多陰也者陰之極也"

제30강 신강·신약의 판별

사주팔자의 중화를 이루는 억부(抑扶) 작용은 기본적으로 일간의 신강 또는 신약을 기준으로 합니다. 기본적으로 모든 용신의 취용은 강한 기운은 누르고 약한 기운은 부양(扶養)시켜주는 억부의 원리를 기본으로 하죠. 활용하는 방식에 있어서 여러 가지 용신으로 분류되지만, 근본적으로 억부(抑扶) 작용으로 통칭할 수가 있습니다.

일간에 가장 큰 영향을 미치는 것은 월지입니다. 단순하게 일간과의 관계로 신강 신약을 판단할 수도 있지만, 초보자에게는 오류가 생길 수도 있습니다. 그러므로 이를 수리화한다면 판단의 오류를 줄일 수가 있습니다.

기본적으로 일간을 포함하여 일간을 생조하는 인성과 비겁은 +1점, 그 외 일간의 기운을 설기하는 식·재·관은 -1점을 매깁니다. 월지에 인·비가 오면 +2점을 주며, 반대로 식·재·관이 오면 -2를 줍니다. 그리고 월지를 포함하여 삼합이나 방합을 이루면 +1점을 추가합니다. 같은 원리로 그 외의 식·재·관이 월지를 포함하여 삼합이나 방합을 이루면 -1점을 추가합니다. 월지를 포함하여 인·비가 반합을 이루면 +0.5점, 식·재·관이 월지를 포함하여 반합을 이루면 -0.5점을 추가합니다.

모든 수를 합산하여 플러스(+)가 나오면 신강, 마이너스(-)가 나오면 신약으로 판단하되, (+1 ~ -1)의 범위에서는 중화로 보아 다른 경우의 수와 조합하여 강약을 판단합니다.

신약이라면 일간을 생조하는 인성과 비겁 중에서 용신을 정하고, 신왕하면 일간의 기운을 설기하는 식상 재성 관성 중에서 용신으로 정합니다. 용신이 지지에 통근하고 희신의 도움을 받는다면 일간을 강하게 지지할 것이며, 용신이 있으나 지지에서 같은 오행이 없어 통근하지 못하고 용신을 생해 주는 희신이 없다면 무력하다고 할 수 있습니다.

金水용신이라면 木火운에서 기력을 잃고, 木火용신이라면 金水운을 지날 때가 고통스럽죠. 신약하면 운(運)에서는 인성과 비겁운을 만나야 길하고, 신왕하면 식상·재성·관성운을 만나야 길하게 됩니다.

☞ 사주팔자 수리화의 예

時	日	月	年	
1-	+1	-1	+1	천간
丁	乙	丙	壬	
亥	未	午	寅	지지
+1	-1	-2	+1	

⇨ (-5) + (+4) + (-0.5) = -1.5

寅午반합 -0.5을 추가하면 총합계가 -1.5이 되므로 신약 사주에 해당됩니다. 전체적으로 火氣가 강하므로 이를 억제(抑制)하고 신약한 일간을 부양(扶養)하는 수(水)가 용신(소용지신)이 되며, 金水운으로 흐를 때 명국이 원활하게 작용한다고 볼 수 있습니다.

제31강 일간 중심의 사회적 관계성(십신)

십신(十神)은 음양오행의 생극작용이 만들어내는 일간 중심의 사회적 관계성을 표현합니다. 여덟 글자로 이루어진 사주명국은 일간을 중심으로 하는 일간의 사회적 관계성을 표현합니다. 즉, 일간을 중심으로 나머지 7개의 간지, 운에서 들어오는 간지와의 생극작용을 통해 인사적 상호관계가 만들어지는 것이죠.

오행은 우주적 기운을 의미하고, 십신은 오행이 생극작용을 통해 인사에 간섭하는 원리가 됩니다. 나를 구성하는 간지 간의 상호관계는 나의 내면적인 특성을 의미합니다. 그것이 외면적으로 표출되면 일간 명주의 사회적인 특성으로 드러나게 되는 것입니다. 그 내면적인 구성요소 간의 생극 작용이 내면적인 나의 특성과 외면적인 사회적 특성을 표현하는 것이라 할 수 있습니다.

연월일시 중 일간은 사주팔자의 중심인 "나"를 의미합니다. 즉, 일간인 나와의 생극 작용을 통해 서로 인사적 상호관계성이 구축되는 것이죠. 그리고 일간과의 내면적인 상호관계성이 사회적 관계성인 십신으로 표출되는 것입니다. 십신이란 일간과의 상호작용을 통해 만들어지는 10가지의 사회적 관계성을 의미합니다.

사주 명리학의 꽃은 바로 십신에 있다고 해도 과언이 아닙니다. 음양

상관	일간(나)	정인	정관
丙	乙	壬	庚
戌	亥	午	戌
정재	정인	식신	정재

<일간을 중심으로 생성된 십신>

과 오행의 생극 장치에 의해서 형성된 사주팔자는 우리에게 피흉추길의 지혜를 알려주죠. 바로 십신은 오행의 상생상극 작용에 의해 십신이라는 사회적 관계성을 표출함으로써 우리의 삶과 직결되는 인사적 문제를 다루고 있기 때문입니다.

1. 일간 중심의 사회적 관계성

십신(十神)이라는 일간의 사회적 상호관계성은 다른 간지와의 음양오행의 생극 작용으로 생성됩니다.

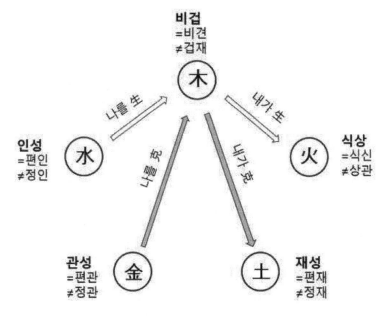

<일간의 사회적 관계성>

(1) 일간과 같은 오행은 비견(比肩)과 겁재(怯財)이다. 나에게 힘이 되는 형제, 동료 같은 존재가 된다.

(2) 일간이 생하는 간지는 식신(食神)과 상관(傷官)이다. 나의 활동성을 의미한다.

(3) 일간이 극하는 간지는 편재(偏財)와 정재(正財)이다. 내가 이루고자 목적하는 것, 내가 취하고자 하는 바가 된다.

(4) 일간을 극하는 간지는 편관(偏官)과 정관(正官)이다. 나를 규정하는 울타리, 틀, 가치관, 나를 만들어 주는 사회적, 직업적 틀을 의미한다.

(5) 일간을 생하는 간지는 편인(偏印)과 정인(正印)이다. 나를 존재하게 해주는 근원적인 모태, 철학이다.

2. 십신의 음양성 구분

십신		원 리
비 겁	비 견	일간과 같은 오행이면서 음양이 같은 경우
	겁 재	일간과 같은 오행이면서 음양이 다른 경우
식 상	식 식	일간이 생화하는 같은 오행이면서 음양이 같은 경우
	상 관	일간이 생화하는 같은 오행이면서 음양이 다른 경우
재 성	편 재	일간이 극제하는 같은 오행이면서 음양이 같은 경우
	정 재	일간이 극제하는 같은 오행이면서 음양이 다른 경우
관 성	편 관	일간을 억제하는 같은 오행이면서 음양이 같은 경우
	정 관	일간을 억제하는 같은 오행이면서 음양이 다른 경우

인 성	편 인	일간이 생조하는 같은 오행이면서 음양이 같은 경우
	정 인	일간이 생조하는 같은 오행이면서 음양이 다른 경우

3. 십신의 원리적 이해
-십신(十神)은 일간 중심의 사회적 상호관계성을 표현한다.
-나를 중심으로 생극제화를 통해 상호관계성이 표출된다.

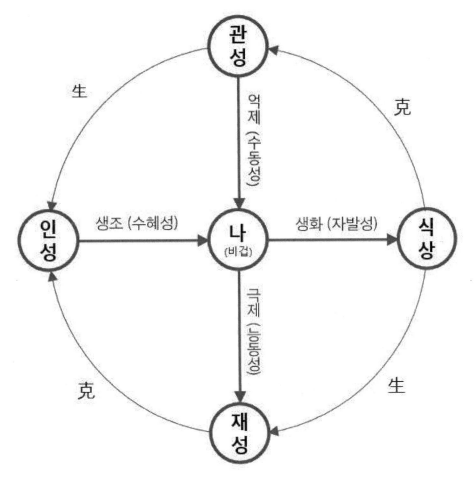

<십신(十神)의 인사 원리>

오행은 사주명국의 주인인 나를 중심으로 생극제화 작용을 통하여 生(인성, 수혜성), 克(재성, 능동성), 制(관성, 수동성), 化(식상, 자발성), 또는 比和(비겁, 동류)를 발생시켜 사회적인 문제를 판단합니다.

인성은 나를 생조하는 오행이고,
식상은 내가 자발적으로 생화하는 오행이며.
재성은 내가 능동적으로 극제하는 오행이고.
관성은 나를 극하는 오행으로서 틀 안에서 피동적으로 규제받는다.

나는 생조(生助)를 받음으로써 기세를 얻고,
생화(生化)함으로써 기운이 설기(洩氣)된다.

능동적으로 극제(克制)한다고 함은 적극적으로 제어하고 쟁취하는 것을 의미하고,
피동적으로 억제(抑制)받는다고 함은 주어진 틀(rule) 안에서 규제받으며 활동하는 것을 의미한다.

제32강 사회적 관계성을 표현하는 십신

<**십신(十神)은 일간(日干) 중심의 사회적 관계성을 표현한다.**>

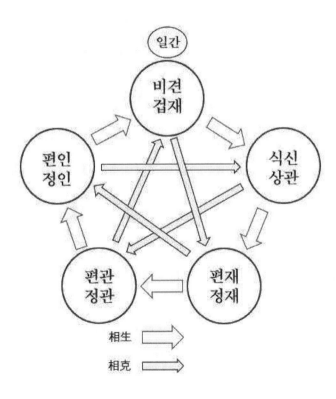

<오행생극 시스템을 통한 십신의 순환원리>

오행생극의 순환시스템에서 발생하는 사회적 관계성을 십신(十神)이라고 합니다. 사주 여덟 글자는 오행의 생극제화 시스템에 의해 일간(나)과 상호관계성을 맺어가며 순환하죠. 일간(나)이 다른 간지와 맺어가는 사회적 관계성은 10개의 각기 다른 십신이라는 형태로 표출됩니다.

음양오행 생극제화의 순환원리와 십신을 알면 사주팔자의 득실이 보입니다.

1. 비겁

비겁은 일간(나)과 같은 오행으로서 나에게 힘이 되어주는 또 다른 나 자신이나 형제 동료와 같은 동류(同類)를 의미합니다. 그러므로 내가 신약하여 다른 관계성을 제대로 제어하지 못할 때 비겁이 함께 해 준다면 많은 도움이 되겠죠. 그러나 신강할 때에는 비겁이 함께하면 오히려 다른 관계성을 약화시키거나 상처를 줄 수가 있습니다. 일간과 동류로서 주체적이고 주관적이며 독립적인 성정을 가지고 있습니다.

▷ 비견

비견은 일간인 나와 동일한 오행으로서 음양이 같은 경우를 의미합니다. 자기만의 독특한 색깔을 가진 성격으로서 주체적이고 주관적인 성향을 지녔죠. 자기만의 개성을 중시하며 독립적인 성향을 지녔고요. 자기중심적이고 자존감이 강하며 타인의 간섭을 싫어합니다.

타인과의 경쟁심보다는 자신의 주관이 뚜렷하여 자신만의 개성으로 주체적이고 자발적으로 일을 수행합니다. 독자적인 취향이나 자기만의 색깔과 기질로 인하여 타인과의 조화를 우선하는 조직 생활에는 부적합한 면이 있습니다. 자존심이 강하고 지기 싫어하며, 주체성, 독립성, 자기애, 자기주장, 고집을 의미합니다. 타인의 지배 밑에 있기를 꺼리니 독립자영업이나 전문직, 자유직에 어울리는 성정을 지녔다고 할 수 있습니다.

▷ 겁재

겁재는 일간인 나와 동일한 오행으로서 음양이 다른 경우를 의미합니다. 비견과 마찬가지로 주체적이고 주관적인 성정을 지녔습니다. 비견은 자기만의 독특한 기질과 색깔을 보이지만, 겁재는 타인과의 조화를 중시하여 상대방을 존중하고 거래를 목적으로 하는 사교생활을 즐기죠. 승부욕이 있어 목적을 이루려는 경쟁심이 있고, 재물취득이나 사업적 목적, 또는 목표를 이루기 위하여 동류(同類)들과 교류하며 모임을 중시하고 적극적인 활동을 합니다. 융통성과 유연성으로 동류와의 교류를 통하여 사업적 목적을 추구하죠.

재물을 취득하고 목적을 이루려는 승부욕이 강하므로 사업에서 크게 능력을 발휘할 수 있습니다. 사업에 있어서 동류는 경쟁자, 거래업체 등을 가리킵니다. 사업적 성취나 재물취득의 성정이 강하여 때로는 타인의 재물에 강제성과 폭력성을 드러낼 수 있습니다. 비견과 비슷하지만 리더십과 결단성이 뛰어나고 경쟁심이 강하며, 남에게 지기 싫어하고 승부 기질이 강하죠. 역시 남의 밑에 있기를 꺼리므로 독립사업체를 운영하거나 전문직, 자유직에 어울립니다.

2. 식상

식상은 내가 생하는 오행을 말합니다. 일간이 스스로 삶을 영위하기 위하여 자발적으로 생하는 기운으로서 정신적이고 육체적인 행위를 의미하죠. 정신적 물질적 수단을 창출하는 행위이므로 활동적이고 창조적인 성정을 가지고 있습니다.

그런데 내가 생한다는 것은 그만큼 내 기운이 설기(泄氣)된다는 의미도 있습니다. 내가 신강하면 마음껏 주도하고 실행할 수 있는 기운이지만, 내가 신약하고 식상이 많으면 관계성에 얽매여 끌려다니게 되고 삶이 다사다난하게 되겠죠.

▷식신

식신은 사주의 주인인 일간이 생명을 보존하기 위하여 의식주에 필요한 자원을 생산하는 모든 수단과 활동을 의미합니다. 유형의 물질을 얻기 위한 활동이 주가 되므로 육체적인 활동이 되죠.

식신은 일간인 내가 능동적이고 자발적으로 목적물을 생화(生化)하는 것이므로 자신의 기운이 생설(生泄)되는 행위에 해당합니다. 아이를 낳는 어머니를 생각해 보세요. 자신의 피와 살을 아이에게 내어주는 행위이고, 힘이 다하면 목숨을 내어놓기도 합니다. 그러므로 일에 있어서는 한 우물을 파며 자신의 기운을 쏟아붓는 성향이 강하죠. 모든 분야에서 정열적으로 참여하며 창조적인 능력을 발휘하는 성정입니다.

자기만의 개성을 추구하는 성격입니다. 한 가지 일에 몰두하여 전문지식을 소유하며 연구, 문학, 학문에 소질이 있고 의식주를 나타냅니다. 심성이 넓고 후덕하며 베풀기를 좋아하고, 매사에 서두르지 않아서 낙천적이고 연구심이 강하며 표현력이 뛰어납니다. 일간을 공격하는 칠살을 극제 하여 나를 보호하는 길신에 해당합니다.

▷상관

상관은 사주의 주인인 일간이 생명을 영위하기 위한 행위로써 무형의 정신적인 활동을 의미합니다. 상관은 정관을 극하므로 기존의 틀을 부정하고 깨려는 개혁적인 성향이 강하죠. 기존 관념이나 전통, 질서를 무조건 수용하는 것을 거부합니다. 비판적이고 개혁적이며, 자율적이고 진보적인 성향을 가지고 있습니다. 언어표현 능력이 우수하고 기획력이 뛰어나므로 언어, 교육, 언론, 방송, 홍보, 변론, 정치 등에서 발군의 능력을 발휘합니다.

사회적 개성을 추구, 개인의 사회화, 사회적 개념(음양의 사회적 조화를 추구), 기존질서에 도전, 고정된 기존질서를 흔들어 새로운 음양의 조화 질서를 추구합니다. 기존의 틀, 질서를 상징하는 정관을 극하는 성정을 가졌습니다.

만일 관(官)이 약하지 않다면 상관(傷官)은 오히려 관이라는 울타리를 넓히는 개척자적 정신으로 나타납니다. 과거의 여성은 사회생활 없이 울타리에 거주하고 있었으므로 상관의 특성을 가졌다면 남편(관)을 무너뜨린다고 볼 수 있었으나, 현대 여성은 대부분이 직장생활을 하며 남편과 함께 재(財)를 취득하여 관(官)을 형성합니다. 그러므로 현대 여성에게는 관이라는 울타리를 쳐서 넓히는 상관적 특성이 오히려 좋은 성정으로 나타나게 되는 것이죠. 이러한 여성을 아내로 둔 남편(官)의 그릇이 크다면 아내의 도움으로 사회적 영역(官)을 더욱 넓힐 수 있는 행운을 만날 수가 있습니다. 그러나 만일 남편이 아내의 상관적 성향을 감당하지 못하는 작은 그릇이라면 오히려 관이 무너질 수도 있다고 볼 수 있겠죠.

전통사회에서는 정관을 파극하므로 좋지 않은 것으로 인식하였지만 현대사회에서는 상관이 오히려 좋은 성분으로 인식되고 있습니다.

상관은 순발력과 재치가 뛰어나며, 폭넓은 분야에 다양한 관심과 지식을 가지고 있으며, 총명하고 영리하며 다재다능합니다.

3. 재성

재성은 내가 극제하는 오행을 말합니다. 재성은 삶의 주체인 일간이 자발적이고 능동적으로 다른 관계성을 제어하며 재화나 물질을 취득하여 소유하려는 모든 사회적 활동을 의미합니다. 내가 극제하는 대상은 삶의 목적, 재물 등 삶에서 필요로 하는 모든 것을 말하죠.

재성은 능동적인 활동성, 소유하려는 쟁취력이며, 역마성, 사교성을 의미합니다. 일간이 신강하면 자신의 계획과 의도대로 재성과의 관계성을 제어하겠지만, 일간이 신약하고 재성 과다이면 목적이 뚜렷하지 못하고 여러 일거리만 늘어놓은 상태에서 용두사미로 끝날 확률이 높다고 할 수 있습니다.

▷편재

편재는 재물과 유희에 대한 욕구가 무엇보다도 강한 성정입니다. 그러므로 안정적인 공직이나 봉급을 받는 직장생활보다는 일한 이상의 수입이 가능한 투자를 선호하죠. 과감한 투기적 모험을 추구하는 경향이 있고, 기회를 포착하고 종합적으로 판단하는 능력이 뛰어납니다.

성실한 노력의 대가가 아닌 일확천금을 노리거나 비정상적인 재물을 탐내는 경향이 있고, 역마성을 갖고 있어 활동적이고 분주하며, 사교적이고 유흥적인 성향을 가지고 있습니다. 대인관계와 처세능력, 통제력, 활용성이 뛰어나며 사업수완이 좋죠. 매사 능동적이고 적극적으로 도전하여 취득하려는 성취욕이 강한 성정입니다.

▷정재

정재는 정해진 규칙(rule) 안에서 능동적이고 자발적으로 정당하게 재물을 취득하는 것을 선호합니다. 투기적 요소보다는 정상적인 근로의 대가를 받는 안정적인 급여를 의미하죠. 안정적인 실리를 선호하며, 합법적이고 정당한 취물 활동으로 생활을 영위합니다. 근면 성실하며 저축을 통한 안정적인 재산증식을 선호하고, 합법적인 규정을 벗어나려 하지 않으며 매사 절차적입니다. 정직하고 실용적이며 현실적이죠. 합리성, 실용성, 안정성, 현실성, 규칙성, 단계성, 저축성의 성향을 가지고 있습니다. 투기를 싫어하고 규칙적인 생활을 하므로 다소 인색해 보일 수 있습니다.

가정에 충실하고 반듯하며 정도를 걸어가는 선비 스타일이죠. 도덕적이고 정의로우며, 근면 성실하고 검소하며 매사에 꾸준합니다. 신용과 명예를 소중히 여기고, 정의와 공론을 존중하며 시비가 분명한 성격이라고 할 수 있습니다.

4. 관성

관성은 나를 극제 함으로써 틀 안에 규제하는 오행을 말합니다. 일간(나)의 의지나 계획과 관계없이 주어지는 사회적인 틀이나 규범, 도덕,

법률, 조직, 직장, 추상적으로는 가치관, 철학, 종교관 등 나 자신을 규정하는 힘입니다. 틀이란 사회적 합의에 따라 공동으로 설정된 질서(울타리)를 의미하며, 수동적으로 받아들이고 지키려는 성정을 지녔죠. 합리적이고 통제적이며 보수적인 성정을 가지고 있습니다. 법규가 정관이라면 법규의 준수 여부를 감시 감독하는 집행기관이 편관이 됩니다.

▷편관

편관은 조직이나 단체, 또는 국가에서 일간인 나에게 부여한 의무, 명령, 압력 등을 의미합니다. 그러므로 편관은 부여받은 틀이나 질서를 지키려는 적극적인 행동으로 나타나죠. 과감하고, 과단성이 있으며, 실천적인 기질이 강합니다. 의협심이 강하고 용감하며 강직하고 카리스마를 발휘하여 주도권을 잡죠. 권위의식과 명예욕이 강하며 권력성, 강제성, 도전성이 있습니다. 조직이나 국가를 수호하는 군인, 법규를 세우거나 집행하는 공직자나 사법관 등 권위 직을 선호합니다. 조직이나 국가에 대한 충성심으로 현실정치에 직접 참여하여 지키려는 수구적 성향이 있으며, 기운이 과다하면 무례하거나 폭력적인 성향으로 나타나며, 극단적 보수로 치우치는 경향이 있습니다.

▷정관

정관은 인간이 공동생활을 하기 위하여 필요한 사회적 합의 장치를 의미합니다. 그러므로 정관은 도덕적이며 합법적인 틀에서 벗어나지 않고 사회적 규범에 맞추어 사는 성향을 지녔다고 할 수 있습니다. 준법정신과 공평무사(公平無私), 도덕성, 정의감, 책임감이 투철하며, 대의명분과 명예를 중시하고 권위적이며 관료적입니다. 예의가 바르고 품위가 있죠. 법과 질서와 원칙을 중시하는 공무원으로 국가조직에 참여하여 바르고 청렴결백하게 정도(正道)를 걷는 것을 선호합니다. 합리성, 도덕성, 공익성, 원리원칙의 성정을 지녔죠. 정직, 성실, 공정하게 일을 처리하여 명예와 인품을 지닌 자로서 부모에게 효도하며 처자식을 지키고 가문을 빛내는 사람입니다. 현대사회에서는 오히려 융통성이 부족하고 보수적이며 고지식한 사람으로 여겨지기도 합니다.

6. 인성

인성은 나를 낳는 오행입니다. 나를 존재하게 하는 본원적인 기운을 의미하죠. 이 세상에 존재하도록 나를 낳아준 모성, 나의 존재를 규정하는 철학, 종교, 근원(모태) 등을 상징합니다.

근원이란 에덴동산으로 비유할 수 있습니다. 태초에 인간이 나온 곳, 그리고 다시 돌아가야 할 이상향이 바로 에덴으로 상징되는 모태가 되는 것입니다. 그리고 사회적 관계에서 보면 인성은 나를 존재할 수 있도록 하는 힘, 즉 교육이 대표적이라 할 수 있겠습니다. 나의 존재를 인정하는 주민등록증, 그리고 나의 생존에 바탕이 되는 학위, 자격증, 계약서, 땅문서(등기부 등본) 등도 인성에 해당됩니다.

▷편인

편인은 일간이 자연으로부터 받는 생조(生助)가 정인에 비해 다소 방식이 거친 편입니다. 정인이 친모라면 편인은 계모의 양육이라 할 수 있겠습니다. 그러므로 일반적이고 상식적인 교육보다는 특이한 학문, 특이한 기술, 특이한 교육에 관심이 많으며, 특이한 사고방식의 소유자라고 할 수 있습니다. 순간적인 재치, 기발한 생각, 직관력과 추리 능력이 우수하죠. 변칙적이며, 기민한 전략 등 순간적인 판단이 뛰어납니다. 특성화 교육, 전문기술, 역발상으로 승부하는 기민함이 있습니다. 자기 계발, 신비성, 추리력, 가설능력, 역발상, 영감, 고독성, 외골수, 의심 등의 성향이 있습니다.

일간이 신약하면 거친 방식의 양육이 버거워지므로 위선, 기만, 권모술수 등 편협적이고 편법적인 요소가 앞서게 됩니다.

전통사회에서는 비천한 직업이었던 종교, 예술, 기능, 의술, 점복 등 구류업(九流業)과 관련이 있습니다. 독특하고 특이한 사고방식의 소유자로서 직관력, 추리력이 뛰어나므로 순수학문보다 철학이나 종교처럼 답이 없는 특수한 분야에 관심이 많은 편입니다.

▷정인

정인은 일간이 자연으로부터 조건 없는 생조를 받는 것을 의미합니다. 그러므로 조건 없이 나의 양육을 보장해 주는 부모처럼, 나의 물질적 정신적인 생존을 보장해 주는 학문, 졸업증서, 자격증, 문서, 계약서, 권리취득, 유산상속 등등이 나에게 정인이 됩니다. 정상적인 과정을 통해 취득하는 권리, 정상적인 교육을 통한 학위취득을 통해 정당한 삶을 보장받게 되는 것이죠.

박식하고 학문을 좋아하며 지혜가 있어 타인을 교육하는 일에 어울립니다. 전형적인 학자풍의 선비를 상징하며, 사업이나 서비스 업종은 적성에 맞지 않습니다. 교육, 종교, 역술, 육영사업 등 활인 업이 좋습니다. 정인은 사고방식이 정상적이고 고상하며, 전통을 존중하고 예의와 품위를 지키는 온유한 성품의 소유자입니다. 그러나 신약한 경우에는 의존적 경향이 보이기도 합니다.

제**33**강 시공간적 위치, 근묘화실(根苗花實)

사주명국은 나에 대한 정보로서 전략적으로 활용하는 지침서입니다. 사주팔자는 정해진 것이 아니라 내가 나를 어떻게 전략적으로 활용하는 가에 따라 얼마든지 흐름을 변경시킬 수 있죠. 우리가 사주를 보는 목적입니다. 그대로 정해진대로 가야만 한다면 사주를 볼 이유가 없겠죠.

시	일	월	년
미래	지금	요즈음	과거
(내일)	(오늘)	(현재)	(어제)
미래시제	현재시제		과거시제
자유의지, 계획하고 선택가능한 미래시간, 운명(명을 운영하다)	오늘을 선택할 수는 없지만, 하루라는 시간은 선택 가능하다.	계절, 부모, 선택불가, 주어진 환경과 대립하며 상호작용을 통해 나의 영역을 만든다.	조부모, 선택불가, 뿌리 근본 숙명

년주(年柱)는 과거시제, 이미 결정되어 돌이킬 수 없는 숙명, 우주가 부여한 나의 뿌리, 나의 근본을 의미합니다. 년지는 과거시제로서 '어제'를 상징합니다.

월주(月柱)는 사시를 순환하는 계절입니다. 내가 선택할 수 없고 순응해야 하는 거대한 힘이죠. 그러나 내가 생존하기 위해서는 주어진 자연과 투쟁하고 화해하며, 순응과 적응을 통해 내 영역을 만들어 가야만 합니다. 자연과의 상호작용을 통해 나의 주체성, 나의 사회적 성정과 사회적 성격, 적성, 직업 등 사회적 동물로서의 생존 가치가 만들어집니다. 월지의 영향력은 생존에 미치는 힘이 가장 크다고 할 수 있죠. 사주명국 전체를 제어하는 위치로서 월지장간이 투출하는 경우 용사지신(用事之神)이 되어 사주 전체를 주관합니다.

월지는 계절이므로 선택 불가하고 순리를 따라야 하지만 년지와는 달리 현재시제(현실)이므로 투쟁과 화해를 통해 상호작용함으로써 나의 그릇의 크기, 나의 영역을 확장하며 나를 만들어나갈 수 있습니다. 여기에서 사회적 동물로서의 현실적인 사회적 가치, 사회적 적성, 사회적 활동성, 그릇의 크기, 특성, 직업 등이 만들어지는 것이지요.

월간은 사계절과 부모에게서 받은 사회적 성정, 사회적 본성으로서, 월지의 현실적 활동성(직업)을 통해 추구하는 추상적인 사회적 가치라 할 수 있습니다. 이에 반하여 월지는 현재시제로서 맞닥뜨리고 있는 '현실'을 의미합니다.

일지는 24시간 단위로 변화하기 때문에 월지보다 선택하고 결정하기가 쉽습니다. 즉 오늘은 내가 선택하기도 전에 오는 것으로서 선택 불가하지만, 주어진 하루 24시간은 나의 자유의지로써 선택하고 결정하고 운용할 수 있죠. 오늘이란 월주에서 투쟁과 화해, 그리고 적응이라는 상호작용을 통해 얻은 결과, 일간(나)의 울타리입니다. 내가 만들어낸 '나와 가정과 가족, 그리고 나를 지지하는 배경'으로 부부궁을 상징합니다. 오늘이란 현재시제로서 '지금'을 의미합니다.

시지는 2시간 단위로 변화하는 자리로서 시간의 크기가 작아서 내가 선택하고 결정할 수 있는, 자유의지가 작동하는 위치에 해당합니다. 오늘이라고 하는 현재 주어진 시간을 활용하여 내일이라는 시주(時柱)를 운용함으로써 선택과 결정, 그리고 무엇을 할지 자유의지를 실행할 수 있는 미래시제에 해당합니다. 시지는 미래시제로서 아직 오지 않은 '내일'을 상징합니다.

근묘화실(根苗花實)로 판단하는 시간의 흐름은 년지(年支)는 조부모궁(어린이)으로 과거가 되고, 월지(月支)는 부모궁으로 현실(미독립), 일지(日支)는 부부궁으로 현재(독립), 시지(時支)는 자식궁(자유의지)으로 미래를 의미합니다.

1. 근묘화실론(根苗花實論)은
연월일시를 시간과 공간적 위치에서 바라보는 관점입니다.
근묘화실은 사주의 시공간적 구조를 판단할 때
다른 요소들과의 관계를 고려하여
길흉·득실을 간명하는 데 중요한 방법의 하나입니다.

근(根)에 해당하는 년주는

내가 거부할 수 없는 숙명적 뿌리, 타고난 선천적인 기운을 의미합니다.

본인의 관점에서는 소년기에 해당하고, 가족의 관점에서는 자신의 뿌리인 조부모, 또는 조상, 가문, 가풍, 가족적 성향, 유산으로 받은 재물이나 선천적으로 물려받은 운 등에 해당하는 자리입니다. 공간적인 관점에서는 고향에 해당되겠죠.

스스로 선택할 수 없는 과거지사, 이미 지나버린 과거시제에 속하는 자리입니다.

묘(苗)에 해당하는 월주는

춘하추동 사계절 12개월의 순환을 의미하며, 대립과 상호작용을 통해 순응하고 때로는 투쟁하고 적응하며 살아가야만 하는 거부할 수 없는 현실적 기운입니다.

육친으로는 부모에 해당하는 자리죠. 사계절과 마찬가지로 부모는 나를 생육하는 존재입니다. 사계절과 부모는 내가 성장하는 데 있어서 없어서는 안 될 의지처입니다. 현실적으로는 부모의 품을 떠나지 못한 미독립 상태라고 할 수 있습니다.

월지가 품고 있는 지장간이 투출하면 명국을 지배하는 강력한 용사지신(用事之神)이 됩니다. 나의 팔자를 주도해나가는 용사지신(用事神)을 어떻게 활용하느냐에 따라 흐름이 달라질 수 있습니다. 용사지신을 억부(抑扶)하는 상신(相神)의 활용이 대단히 중요합니다. 상신은 용사지신을 억부 함으로써 일간의 길흉·득실을 저울질합니다.

어느 부모의 자리에서 태어났는지, 계절에 순행하고 있는지, 또는 역행하고 있는지에 따라 운세의 방향은 달라지죠. 시기적으로는 사회에 진출하여 스스로 독립적인 틀을 세워나가는 시기입니다. 자신의 사회적인 활동을 판단하는 기준이며, 현실적인 사회적 활동성, 전공, 직업 등을 분석하는 자리입니다.

화(花)에 해당하는 일주는

나 자신과 배우자 및 가정이라는 울타리에 해당합니다. 나를 지지하는 백그라운드(배경)를 상징하죠.

오늘 하루를 주체적으로 살아가며 꽃을 피워야 하는 것은 바로 나 자신입니다. 열매를 맺는 시기로서 가정의 틀을 세운 장년기에 해당합니다. 시간으로 보면 이미 주어진 현재이지만 선택할 수 있는 오늘이기도 합니다. 안정적인 시기로서 부부궁이 되고, 공간적 위치는 집(울타리)이 됩니다. 일지는 부부관계에 대한 일간의 성정을 의미합니다.

실(實)에 해당하는 시주는

아직 오지 않은 미래시제에 해당합니다. 그러므로 미리 알고 스스로 선택할 수 있는 영역으로서 내가 만들어내야 할 결과물인 셈이죠. 나의 미래인 자식에 해당하는 궁입니다.

본인의 관점에서는 노년기에 해당하고, 가족의 관점에서는 자식이 되는 것이죠. 공간적 관점에서는 대문 밖이 되고 해외가 됩니다.

2. 사주로 보는 시공간

<table>
<tr><td colspan="2">구
분</td><td>근(根)</td><td>묘(苗)</td><td>화(花)</td><td>실(實)</td></tr>
<tr><td colspan="2"></td><td>년</td><td>월</td><td>일</td><td>시</td></tr>
<tr><td rowspan="3">시
간</td><td>나
이</td><td>0~20세</td><td>21~30세</td><td>31~60세</td><td>61세~</td></tr>
<tr><td>기
간</td><td>소년기</td><td>청년기</td><td>장년기</td><td>노년기</td></tr>
<tr><td>시
기</td><td>과거</td><td>현실</td><td>현재</td><td>미래</td></tr>
<tr><td rowspan="3">공
간</td><td>육
친</td><td>조부모
(뿌리)</td><td>부모</td><td>부부</td><td>자식</td></tr>
<tr><td>공
간</td><td>고향</td><td>사회</td><td>집</td><td>해외
(밖)</td></tr>
<tr><td>조
직</td><td>사장</td><td>상사</td><td>동료</td><td>부하</td></tr>
</table>

2. 사회궁과 가정궁

	時	日	月	年
천 간	가정궁	나	사회궁	뿌리
		천성		가족성
	추상적	본성	추상적	추상적
지 지	자녀궁	부부궁	부모궁	조부모궁
	현실적	현실적	현실적	현실적
	활동성(직업)	부부관계	활동성	금수저
	자식 관계	가정	사회,직업	흙수저
	미래	현재	현실	과거

사주에서 사회궁은 月干, 가정궁은 時干을 의미합니다.

남명에게는 사회궁이 부모, 직장을 의미하며, 가정궁은 부인과 자식의 관계를 의미하죠.

여명에게는 사회궁은 부모, 직장 그리고 남편을 의미하며, 가정궁은 자식과의 관계를 의미합니다.

천간은 추상성, 지지는 현실성을 의미합니다.

내가 선택할 수 없는 년지의 숙명성은 월지와의 관계를 규정짓게 됩니다. 월지의 사회적 활동은 일지인 가정이라는 울타리를 만들고, 일지는 결국 미래시제인 시지를 만들어 내죠. 그러므로 년지와 월지의 관계, 월지와 일지의 관계, 일지와 시지와의 관계가 서로 합충형파해가 일어나고 있는지, 상생상극 관계인 지를 잘 살펴보아야 합니다.

제34강 일간(나) 중심의 육친 관계

육친은 일간(나)을 기준으로 다른 오행과의 생극 관계에 따라 발생하는 십신에 가족관계를 연결한 것입니다. 식상, 재성, 관성, 인성, 비겁 등 오성이며, 음양으로 나뉘면 10개의 십신으로 분류되죠.

사주명국에서 나 이외의 다른 가족의 명(命)을 파악하는 것은 논리적으로 가능할 수는 있지만 실제로 사실관계를 판단하는 것은 그렇게 쉬운 일이 아닙니다. 나의 명운을 분석하고 판단하는 것도 쉬운 일이 아닌데 나의 사주만으로 가족 구성원들, 사돈의 팔촌까지 면밀하게 파악하려 하는 것은 그리 좋은 방법이라 할 수 없습니다.

<육친>

나와의 단순관계를 파악하고자 하는 것이 아니라면, 차라리 각각 자신들의 사주팔자를

파악하여 보완하는 것이 더 좋은 방법입니다. 부부관계, 나와 부모, 나와 자식의 상호관계를 파악하는 정도가 가장 적합하다고 할 수 있습니다.

<육친은 일간인 '나'를 기준으로 생극으로 판단한다.>
십신(十神)은 특성에 따라 비겁, 식상, 재성, 관성, 인성 등 다섯 가지 오성(五星)으로 분류합니다. 육친은 사주명국의 주인인 나(我)를 포함하죠. 즉, 육친은 나와 오성을 포함하여 육신(六神)이라고도 하며, 음양의 작용에 따라 다양한 십신 관계를 펼쳐냅니다.⇨

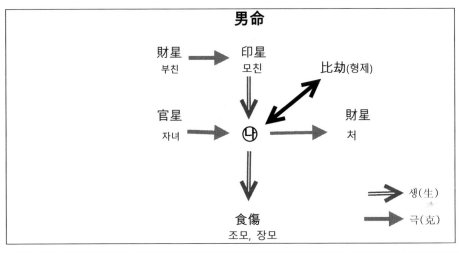

십신	음양 구분	육친
비겁	비견	남형제
	겁재	여형제, 며느리
식상	식신	사위
	상관	조모, 장모
재성	편재	아버지
	정재	처
관성	편관	아들
	정관	딸
인성	편인	조부, 장인
	정인	어머니

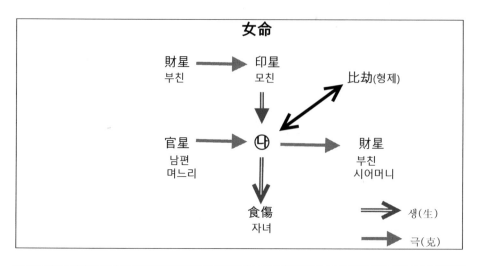

女命

財星 부친 ➡ 印星 모친

比劫(형제)

官星 남편 며느리 ➡ 𝕝 ➡ 財星 부친 시어머니

食傷 자녀

⟹ 생(生)
➡ 극(克)

십신	음양 구분	육친
비겁	비견	여형제
	겁재	남형제, 시아버지
식상	식신	딸, 조모
	상관	아들
재성	편재	시어머니
	정재	부친
관성	편관	며느리
	정관	남편
인성	편인	어머니
	정인	조부, 사위

<육친의 생극 원리>

일간과 음양이 같은 경우와 다른 경우로 구분하여 판단합니다.

-남명일간, 여명일간을 낳아주는 것은 인성으로 정인(正印)이 되니 모친에 해당한다.

-남명일간이 극하는 것은 재성으로 정재(正財)가 되니 처(妻)에 해당된다.

재성은 인성을 극하므로 며느리와 시어머니는 근본적으로 고부갈 등의 요인을 안고 있음을 보여준다.

-부인을 극하는 것이 남편이니, 어머니를 극하는 것은 어머니의 남편, 즉 나의 아버지가 된다. 아버지는 내가 극하는 재성(편재)이며, 아버지 입장에서 보면 자신을 극하는 내가 아들이 된다.

-여명일간은 자신을 극하는 관성(정관)이 남편이다.

-여명일간이 생하는 것이 식상이니, 여명에게는 식상이 자식이다.

-아내인 재성이 생하는 것이 관성(자식)이다. 그러므로 남명일간에게는 자신을 극하는 관성이 자식이 된다. 남자에게 자식이란 운명적으로 짊어진 짐이라는 얘기다.

-남명은 아들인 관성(편관)이 극하는 겁재가 자부(子婦), 며느리가 된다.

-아내인 재성을 낳는 것은 식상이니 남자에게는 상관이 장모가 된다.

-상관 장모를 극하는 것이 인성이니 편인은 나(男)의 장인이 된다.

-여명일간의 남편인 관성을 낳는 것은 재성이니 여자에게는 편재가 시어머니가 된다. 재성을 극하는 겁재가 시아버지가 된다.

-비겁은 일간과 동류가 되므로 형제, 동료가 된다.

-여명일간의 딸인 식신을 극하는 것은 인성이니 사위는 정인이 된다.

남녀불문 논리 관계를 떠나 일간인 내가 생하는 식상을 자식으로, 일간인 나를 생하는 인성을 부모로 통칭하기도 합니다.

일간 중심의 생극 원리로 형성되는 육친관계는 논리적으로 따지면 얼마든지 복잡하게 만들어낼 수 있겠지만 현실에서의 적용 여부는 고민해

야 할듯싶습니다. 인생이란 생각보다 꽤 복잡다단하거든요. 사주 여덟
글자를 가지고 사돈의 팔촌까지 얘기하는 사람을 만나거든 그냥 무시하
세요.

우리는 우주를 유영(遊泳)하고 있습니다.
사주팔자는 내가 올라탄 우주선입니다.
하느님은
당신에게 팔자를 디자인하는 직책을 부여했습니다.
당신은 자신에게 부여된 팔자를 디자인하는
사주 디자이너입니다.
운명의 키는 스스로 쥐세요.
다른 사람의 속삭임에,
본적도 없고,
만난 적도 없는 신에게
함부로 내 운명의 키잡이를 맡기는 것이 아닙니다.

제35강 운이 접속될 때 사주팔자가 작동한다.

<류운(流運)이 접속될 때 팔자(八字)가 작동한다.>

사주팔자는 개인의 생년월일시를 간지로 표시한 것입니다. 간지는 단순히 시간을 표시하는 것이 아니라 인문적 의미가 부여된 시간이라 할 수 있죠.

그런데 사주명국에 표시된 여덟 글자만을 가지고 개인의 운명을 판단할 수 있을까? 사주팔자란 태어날 때의 시간을 간지로 표시한 텍스트에 불과합니다.

그러므로 사주 여덟 글자를 분석한다는 것은 태어날 당시의 시공간적 상황을 판단하는 것이라 할 수 있습니다. 그때의 운세가 지금까지 그대로 작용하면서 지배력을 발휘하고 있는 걸까요?

단순히 사주 여덟 글자를 보고 현재 시점에 대해 이러쿵저러쿵하는 것은 사실상 어불성설이라고 할 수 있습니다. 시간은 흐르고 그에 따라 시공간은 끊임없이 변해가죠. 제자리에 그대로 멈춰 서있는 것은 아무것도 없습니다.

사주명국으로 얘기하자면, 운은 끊임없이 흘러들어오고 나가고 있습니다. 운이란 끊임없이 변하고 있는 시공간을 의미합니다. 사주명국에서는 시공간이 천간과 지지, 즉 간지로 표시되고 있는 것이죠.

한 발자국이라도 움직이면 길흉은 발생하고, 그 득실에 따라 좋게도 변해가고 또는 나쁘게도 변해갑니다. 시공간을 따라 변해가는 나에게 길흉이 항상 똑같이 작용하고 똑같이 적용될 리가 없죠.

내일은 오늘과 다른 내가 또 다른 시공간에 서 있을 것입니다. 시공간이 설사 변하지 않았다고 하더라도 그 안에 있는 나는 어제의 '나'가 아닙니다.

사주명국은 태어날 때의 시공간을 간지로 표상한 것입니다.

지금의 나는 그때의 내가 아닌 것처럼,

지금의 시공간은 그때의 시공간이 아니죠.

다만 똑같은 것처럼 보일 따름입니다.

생기발랄한 어린 시절에 적용되던 시공간이, 살아온 날보다 살날이 더 적어진 지금의 나에게 적용하는 방식은 달라야 하겠죠?

사주 여덟 글자에 운이 들어오면

간지는 모두 오주 열 글자가 되어 명국은 활발하게 본연의 이치를 드러내기 시작합니다. 음양이 플러스(+) 마이너스(-) 동력원이라면, 오행은 만물의 순환장치라고 할 수 있습니다. 오행 장치에 음양이 접속되어 흐르면서 생명 시스템이 작동하는 것이지요.

운이란 과거도 지금도 앞으로도 여전히 흐르는 시간입니다.

지금 흐르고 있는 시간,

즉, 운이 사주명국에 접속될 때 비로소 사주 시스템이 작동하기 시작합니다. 운과 더불어 여덟 글자가 살아 움직이는 것이죠. 운이 접속되지 않은 사주팔자는 종이에 쓰인 텍스트에 불과합니다.

운에는 대운과 세운이 있습니다.

대운은 10년 단위의 흐름을 통찰하는 것이고,

세운은 1년 단위로 시간의 흐름을 분석합니다.

제36강 대운(大運)에 대한 고찰

　　사주팔자를 다루는 명리학에서 일반적으로 '대운이 들어왔다'라는 표현은 어떤 큰 행운이 들어왔다는 의미가 아니라 단지 10년 단위로 산정되는 류운(流運)의 전환점이 도래했다는 뜻입니다. 세운은 1년 단위의 변화를 분석하고, 대운은 10년 단위로 삶의 큰 흐름을 분석하고 예측합니다.

　　사주명리에서 운이란 음양과 오행이 시간의 흐름에 따라 12운성이라는 삶의 파노라마를 파동처럼 펼쳐내는 일생의 일정 구간을 의미합니다. 사주팔자는 계절의 흐름에 따라 명국의 문을 열고 들어오는 류운(流運)의 간지와 더불어 생극제화를 통해 역동적인 삶의 파노라마를 일구어냅니다.

　　사주명국은 잠재되어있는 명운(命運)의 텍스트라 할 수 있습니다. 운의 간지가 명국의 문을 열고 들어오면서 합충을 일으키고 상생과 상극의 활동이 시작됩니다. 운(運)이 접속해 들어오면서 비로소 사주명국이 깨어나 텍스트가 작동하기 시작하는 것이죠. 운은 10년 단위의 대운(大運)과 1년 단위의 세운(歲運), 월 단위의 월운(月運)으로 구분됩니다.

　　사주 여덟 글자로 이루어진 명국은 태어난 연월일시(年月日時)가 음

<대운과 세운>

양오행의 원리를 내재한 간지(干支)로 표기된 텍스트입니다. 사주팔자의 주인은 팔자를 바탕으로 운이라는 삶의 항로를 따라 흘러가죠. 사주팔자는 생년월일시를 간지로 표기한 텍스트에 불과하지만, 운(運)이 들어오면서 간지 여덟 글자와 생극제화, 그리고 합충을 일으키며 균형과 조화를 목적으로 작동하기 시작합니다. 균형과 조화란 한마디로 중화(中和)라고 정의할 수 있습니다.

사실상 운이란 기세(氣勢)가 업다운(up down)하며 끊임없이 흘러가는 계절의 연속입니다.

음양오행으로 구성된 사주팔자(四柱八字)는 4개의 기둥으로 구성된 8개의 글자로 이루어져 있습니다. 음양(2)과 오행(5)은 모두 10개가 되어야 함에도 1개의 기둥, 즉 2개의 글자가 모자라니 이는 주기적으로 운이 순환하며 들어옴으로써 나머지를 채워 오행을 형성하는 것입니다.

사주팔자는 모자란 것은 채워주고, 과한 것은 덜어내며 균형을 이루어 나가는 중화(中和)의 원리로써 길흉(吉凶)의 요체로 삼는 학문입니다.

<대운(大運)의 흐름>

-월주(月柱)를 기점으로, 연간(年干)이 양(陽)이면 60甲子가 男命은 순행하고, 女命은 역행한다.

-월주(月柱)를 기점으로, 연간(年干)이 음(陰)이면 60甲子가 男命은 역행하고, 女命은 순행한다.

<인생운행시간표, 대운의 작성법>

時	日	月	年
丁	甲	庚	丙
卯	戌	寅	申

년간	남자	여자
양(甲丙戊庚壬)	순행	역행
음(乙丁己辛癸)	역행	순행

역행(음남, 양녀) ☜ 기준 ☞ 순행(양남, 음녀)

甲	乙	丙	丁	戊	己	庚	辛	壬	癸	甲	乙	丙
申	酉	戌	亥	子	丑	寅	卯	辰	巳	午	未	申
55	45	35	25	15	5	0~4	5	15	25	35	45	55

(예-1: 陽男순행)

丙申년에 태어난 남자의 사주는 천간이 양(陽)인 丙火이다. 그러므로 남자 사주의 대운은 월주 庚寅에서부터 60갑자를 순행하여 구한다.

75	65	55	45	35	25	15	5
戊	丁	丙	乙	甲	癸	壬	辛
戌	酉	申	未	午	巳	辰	卯

(예-2: 陽女역행)

丙申년에 태어난 여자의 사주는 천간이 양(陽)인 丙火이다. 그러므로 여자 사주의 대운은 월주 庚寅에서부터 60갑자를 역행하여 구한다.

75	65	55	45	35	25	15	5
壬	癸	甲	乙	丙	丁	戊	己
午	未	申	酉	戌	亥	子	丑

<대운수 산정방법>

대운수는 사주명국에서 대운의 주기가 바뀌는 기준연령을 의미합니다. 각 12 지지의 기간을 약 3일씩 10등분한 후, 출생일이 절입 시기에서부터 몇 번째인가에 따라 나이의 끝자리 수를 적용합니다. 요즘에는 많은 사주 관련 앱이 개발되어 일일이 계산하지 않아도 쉽게 알 수가 있습니다.

사주팔자가 나의 전체적인 명(命)의 특성을 설명한다면, 대운으로 표시하는 다섯 번째 기둥인 간지는 텍스트에 불과한 명국의 팔자(八字)를 살아 움직이게 하는 동인(動因)이 됩니다. 운이 들어오면서, 사주명국에 불이 켜지고, 상호작용을 시작하면서 사주(四柱)는 오주(五柱)가 되어 실질적인 오행(五行)으로 완성되는 것입니다.

제37강 십이운성이란 무엇인가?

<십이운성(十二運星)의 종류>

(1) 生생(長生장생), (2) 浴욕(沐浴목욕), (3) 帶대(冠帶관대), (4) 祿록(建祿건록), (5) 旺왕(帝旺제왕), (6) 衰쇠, (7) 病병, (8) 死사, (9) 墓묘(葬장), (10) 絶절(胞포), (11) 胎태, (12) 養양

<십이운성이 표시된 명국과 운>

십이운성은 일간오행(나)이 운명의 수레바퀴(사주명국)에 올라타고 앉아 생로병사를 순환하는 변화의 과정을 지지의 12단계로 표현한 인생 항로를 의미합니다. 시간의 흐름에 따른 흥망성쇠(興亡盛衰), 생장렴장(生長斂藏)의 이치를 십이운성을 통해 표현하는 것이죠.

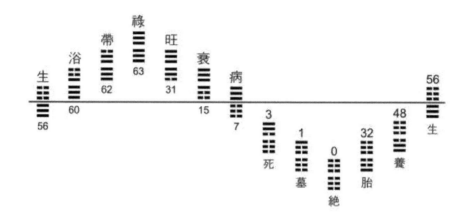

<12개월괘(12벽괘)로 표현한 12운성>

시간의 흐름에 따라 기세의 고저가 생기듯이, 인생도 때로는 구름도 보이지 않는 절정의 순간에서 바닥이 보이지 않는 내리막길을 향해 순식간에 미끄러지듯 내려갑니다. 끝없이 추락한 골짜기, 하늘도 보이지 않는 밑바닥에서 어느 순간 상승 기류를 타고 하늘 높이 날아오르기도 하죠. 운명은 보이지 않는 안개 속을 걷는 것 같습니다.

인생길은 걸어보지 않고서는 뭐라 말할 수 없는 신비의 영역입니다. 내가 잘났다고 하는 순간 벼랑길로 접어들기도 하고, 모든 것을 다 움켜쥔 듯이 천하를 내려다보는 고지에 섰을 때는 어느새 내 몸은 쇠약해지고 죽음이라는 벽에 다다르게 됩니다.

인생이란 항상 불안정한 상태입니다. 그래서 우리는 최선을 다할 수밖에 없죠.

십이운성은 일간인 내가 사시를 순환하며 살아가는 인생항로 시간표로서, 기세의 순환과 변화를 통해 만물이 생장성쇠(生長盛衰)하며 순환하는 인생행로(人生行路)입니다.

<양일간은 순행(시계 방향), 음일간은 역행(시계 반대 방향)>
-양일간(陽日干)은 지지(地支)를 만나면 순행하고,
-음일간(陰日干)은 지지(地支)를 만나면 역행한다.

日干	12운성
양 (甲丙戊庚壬)	순행
음 (乙丁己辛癸)	역행

그러므로 순행에서 생(生)과 사(死)는 역행에서 반대로 사(死)와 생(生)이 됩니다.

양일간이 지지를 만나면 순행 ⟹

生 생	浴 욕	帶 대	祿 록	旺 왕	衰 쇠	病 병	死 사	墓 묘	絶 절	胎 태	養 양
死 사	病 병	衰 쇠	旺 왕	祿 록	帶 대	浴 욕	生 생	養 양	胎 태	絶 절	墓 묘

⟸ 음일간이 지지를 만나면 역행

일간오행이 12지지를 만나면 양간과 음간은 진행 방향이 서로 반대가 됩니다. 양간이 生하는 자리에서 음간은 死하죠. 반대로 음간이 生하는 자리에서는 양간이 死합니다.

예를 들어 양간(陽干)인 갑목(甲木)은 해수(亥水)에서 생(生)하고, 오화(午火)에서 사(死)하죠. 반대로 음간(陰干)인 을목(乙木)은 오화(午火)에서 생(生)하고 해수(亥水)에서 사(死)하게 됩니다.

음양의 순행과 역행에 관한 논리는 현대과학과 맞물려 다양한 담론을 양산하고 있습니다. 음과 양은 상반된 성질로서 서로 합충을 통해 중화를 지향하며 만물을 생화합니다. 음양의 상반성은 『주역』을 비롯한 동양철학을 지탱하는 이론적 근간이라 할 수 있습니다. 동양철학의 뿌리인 『주역』은 음양의 상호작용을 바탕으로 하고 있습니다.

그렇다면
시간이 어찌 거꾸로 흘러갈 수가 있는가?
이걸 해결해야 합니다.
가능할까요?

제38강 인생행로의 파도, 십이운성(十二運星)

　인생길을 가다 보면 누구나 할 것 없이 굽이치며 출렁이는 파도를 만나게 됩니다. 여덟 글자로 표현되는 사주명리학에서는 이것을 십이운성(十二運星)이라는 묘법으로 설명하고 있습니다.

　잔잔한 파도를 만나 평안하지만 무료한 인생길을 걷는 이가 있는 반면, 롤러코스터를 타듯 정상에서 바닥으로 바닥에서 정상으로 산전수전 공중전까지 경험하며 마침내 정상을 터치하는 이도 있습니다. 어떤 이는 적당한 파고(波高)를 만나 신나는 인생을 즐기는 이도 있구요. 사주명리학에서는 인생의 파도를 12단계로 나누고 이를 12운성이라는 묘리로써 설명하고 있습니다.

　12계단의 파도는 만나는 이마다 저마다 느끼게 되는 강도는 다를 것이고, 또한 각자 대처하는 자세도 다르겠죠. 그래서 인생은 복잡다단하고, 저마다 천차만별 인생길로 복잡하게 갈라져 나아가게 됩니다.

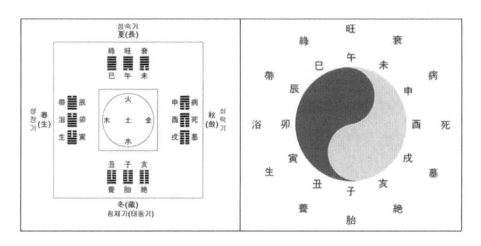

<12벽괘, 12지지, 12운성의 상관성>

<火五行 기준으로 보면>

亥子丑은 절태양(絶胎養)의 시기로서 이전의 기운이 완전히 끊어지고 다음 생의 뜻을 품고 태동하는 절처봉생(絶處逢生)의 시기이니 침체기이면서도 생기를 품는 태동기(胎動期)가 된다. 계절로 보면 생기가 수렴, 저장되어있는 겨울에 해당된다. 「그림 7」의 태극도를 보면 子月(䷗復)에 양기가 처음으로 태동하기 시작하고, 午月(䷫姤)에 음기가 처음 그 모습을 드러낸다.

寅卯辰은 생욕대(生浴帶)의 시기로서 생명이 태어나 성장하는 과정이 되며 계절로는 만물이 생발(生發)하는 봄이 된다.

巳午未는 록왕쇠(祿旺衰)의 시기로서 인생 절정의 왕성한 활동과 결과를 맺는 시기가 되며 계절로는 꽃이 피고 열매를 맺는 여름이 된다.

申酉戌은 병사묘(病死墓)의 시기로서 양기가 수렴되고 기운이 쇠락함으로써 죽음에 이르러 자연으로 되돌아가는 과정을 보여준다. 계절로는 열매가 땅에 떨어져 씨앗(양기)으로 수렴되고 정제되는 가을에 해당된다. 이렇게 생명의 순환은 사계절의 순환원리와 맞물려 양기(씨앗)는 다시 음기에 의해 저장되어 휴식하는 겨울의 단계를 거쳐 다음 생을 준비하게 된다.

다음 글은 필자의 학술논문에서 십이운성의 일부를 발췌한 내용입니다.

12운성은 문자로 표현되므로 그것이 가지고 있는 뜻에 갇혀 현학적인 해석으로 흐르기 쉽다. 그러나 12운성에 12벽괘(12개월괘)를 배정하여 수리를 부여하게 되면 단순히 명칭이 가지고 있는 의미에 따른 추상적인 변통이 아니라 수리로써 서로의 기세를 명확하게 비교 분석할 수 있는 장점이 생긴다.

지구의 사시순환에 따른 시간(時間)과 동서남북 방위(方位)를 정함으로써 만물의 순환원리를 표현한 문왕팔괘는 사시(四時)가 순환함에 따라 봄에는 생명이 생장하고 여름에는 장성하여 꽃이 피고 열매를 맺으며, 그리고 坤土에서 여름과 가을의 교역(交易)이 이루어짐으로써 양기가 쇠(衰)하고 음기가 흥하기 시작하니 가을에는 왕성하던 양기가 수렴되어 정제되며, 겨울에는 음기로써 양기를 저장하여 휴식하는 원리를 표상한다.

이러한 사시순환에 따른 생명의 12단계 성쇠 과정을 음양소장의 원리로써 생장수장(生長收藏)의 이치를 표상한 것이 12벽괘이다. 그러므로 12지지를 순환하는 생명의 과정을 陰陽二氣 소식(消息)의 원리로 표상한 12벽괘는 '생욕대록왕쇠병사묘절태양(生浴帶祿旺衰病死墓絶胎養)'이라는 12단계로써 생로병사의 순환을 표상한 12운성과 음양소장의 원리가 정확하게 일치하게 된다.[25]

12운성의 12단계에 음양소식(陰陽消息)으로 표현된 12벽괘의 수리를 접목해 보자.

---

25) 박규선, 「괘효의 수리화에 따른 역의 과학적 해석연구」, 『동방문화와 사상』 제10집, 동양학연구소, 2021.

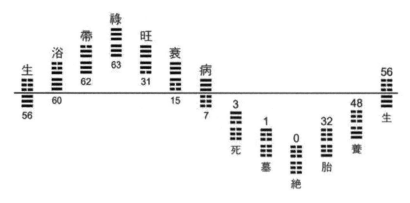

<12벽괘의 수리와 12운성>

⇨수리(數理)는 양의 관점으로서 위에서 아래로 이진법으로 측정한다. 양효는 1, 음효는 0으로 처리한다. 예를 들어 위 그림에서 지천태괘(生)는 위에서부터 계산하면 「0+0+0+8+16+32」가 되어 총합이 56이 된다.

<괘상에 따른 12운성의 수리적 원리 해설>

생生(長生)은 지천태(地天泰 ䷊)의 상으로 양기의 기세는 56이다. 천지가 사귀어 만물이 통하니 서로 작용하며 생명을 낳는 때이다.

욕浴(沐浴)은 뇌천대장(雷天大壯 ䷡)의 상으로 질풍노도와 같은 청소년기의 기세를 가지고 있으며 수리는 60이 된다. 우레☳(動)와 같은 기상으로 뛰쳐나가려는 성정이 있으며, 스스로를 자각하고 꾸미는 시기이다. 아직은 미숙한 시기로 기운을 절제하지 못하면 방탕으로 흐르기 쉬운 때이기도 하다.

대帶(冠帶)는 택천쾌(澤天夬 ䷪)의 상으로 양기가 가득 찬 청년기로서 62의 수이니, 관대(冠帶)를 갖추고 사회에 진출하려는 때에 해당된다.

록(建祿)은 임관(臨官)이라고도 하며, 중천건(重天乾 ☰)의 상으로 장성한 어른의 시기에 해당된다. 생애 최고의 왕성한 기운(63)으로 사회활동을 하는 때이다. 양기가 가득 찬 보름달과 같은 상으로 내부적으로는 쇠락의 기운이 움트는 시기이기도 하다.

왕旺(帝旺)은 천풍구(天風姤 ☴)의 상으로 음기가 처음 생하기 시작하는 때로서 인생의 결과물을 만드는 시기에 해당된다. 음기가 생하여 양기를 31로 떨어트림으로써 확장하는 양의 기세를 제어하여 일의 결과(열매)를 만드는 지혜로운 시기이다. 겉으로는 록(祿)의 기운이 제일 강왕(剛旺)하지만 기세에 비하여 경험이 부족하다. 왕(旺)은 비록 록(祿)에 비해 양기는 떨어지지만 음기를 이용해 열매(결과)를 맺는 원숙한 노련미가 있다. 제왕이란 무조건 기세가 강한 것을 의미하는 것이 아니라 스스로를 제어하여 결과를 이루어내는 원숙한 경험에서 나오는 것이다.

쇠衰는 천산돈(天山遯 ☶)의 상으로 기운이 쇠락하는 때로서 기세가 15로 떨어진다. 활동을 멈추고(☶止) 그동안의 삶에서 축적한 경험과 지혜를 발휘하는 시기이다.

병病은 천지비(天地否 ☷)의 상으로 천지가 서로 사귀지 않아 만물이 통하지 않는 때로서 기세가 7에 불과하다. 나무에서 열매가 떨어지기 시작하는 시기로 양기의 공급이 끊어지기 시작하니 기력(氣力)의 쇠락이 극심하다.

사死는 풍지관(風地觀 ☴)의 상으로 땅에 떨어진 열매를 상징한다. 양기의 공급이 끊겨 불과 3 정도 남아 있으니 귀(鬼)에 해당된다.

묘墓는 산지박(山地剝 ䷖)의 상으로 떨어진 열매가 땅속에 묻힌 모습이다. 양기가 겨우 1 정도로 명맥이 남아 있는 때이니, 죽어서 묘에 들어가도 양기가 완전히 고갈된 것은 아니다.

절絶은 중지곤(重地坤 ䷁)의 상으로 양기는 제로(0)이다. 양기가 완전히 끊긴 곤삼절(坤三絶)의 상이다. 그러나 다음 생의 뜻을 품는 절처봉생(絶處逢生)의 시기이기도 하다.

태胎는 지뢰복(地雷復 ䷗)의 상으로 생명(씨앗)이 잉태된 모습이며 양기는 32에 해당된다. 初九는 비록 5개의 음효 아래에 처해있는 한 개의 양에 불과하지만 상승하는 생명의 기세는 결코 작지 않다. 初九를 모태에 안착한 태아에 비유하면, 태아는 비록 생명력은 크지만 5개 음의 맨 아래에 처하여 있으므로 초기에는 어미의 보살핌이 없으면 생존하기 어렵다. 그래서 주역 지뢰복괘 「상전」에서는 "양이 처음 생기는 동짓날에는 천도에 순응하여 관문을 닫고 장사꾼과 여행자가 다니지 못하게 하며 사방을 시찰하지 않는다."라고 하였으니, 이는 상서로운 양의 기운을 보호하여 안정되게 함으로써 무사히 성장하도록 하기 위함이다.

양養은 지택림(地澤臨 ䷒)의 상으로 생명(태아)이 모태에서 양기를 축적하고 있는 모습이니 기운은 48에 해당된다. 장생(長生)에서 56의 기세로 만천하에 그 모습을 드러낼 것이다.

제39강 12벽괘, 12지지, 12운성의 상관성

    화오행(火五行)을 기준으로 12벽괘(碧卦)로 표상되는 12개월, 12지지, 12운성의 공통적 의미를 비교 분석해 보겠습니다. 단순히 문자로 표현되는 사주팔자를 문자 위주로 해석을 하다 보면 견강부회하는 경우를 많이 보게 됩니다. 동양철학은 나 홀로 걸어온 것이 아니라 다양한 학문이 상호작용을 일으키면 발전해 온 까닭입니다.

    인생길에서 평지는 없습니다. 골짜기가 깊던 얕든 간에 오르막이 있으면 내리막이 있고, 넓은 길이 있으면 좁은 길도 나타나죠. 굴곡은 항상 있게 마련입니다. 12운성은 인생행로에서 운의 굴곡, 파도의 고저를 표현합니다.

絕	胎	養	生	浴	帶	祿	旺	衰	病	死	墓
亥	子	丑	寅	卯	辰	巳	午	未	申	酉	戌
10月	11月	12月	1月	2月	3月	4月	5月	6月	7月	8月	9月
冬			春			夏			秋		
태동기			성장기			성숙기			쇠락기		

☞화(火)오행 기준

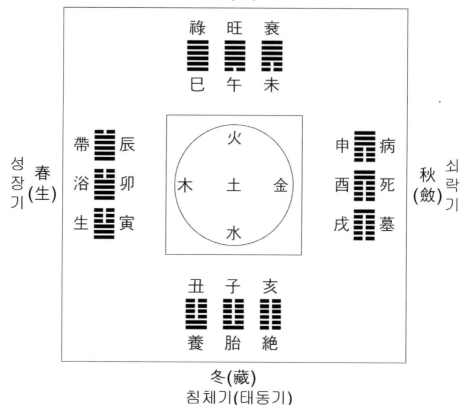

<12벽괘 순환도에 따른 12지지와 12운성>

<12운성의 생장성쇠>

  태동기(胎動期)인 절태양(絶胎養)은 0, +32, +48로 양기가 태동하는 때이다. 양기가 완전히 끊어져 버린 절(絶)은 양기가 제로(0)이지만 음극양생의 이치로써 생을 머금는 절처봉생(絶處逢生)의 자리이기도 합니다. 복(復)에서 양기가 태동하는데, 추운 한겨울 저 아래 밑바닥에서 태동한 양기는 +32가 됩니다. 어머니의 보호와 배려로 +48로 성장하니 생명의 힘은 그 기세가 강력한 것이죠. 그러나 태동하는 생기는

기세는 강하지만 너무 급격하게 성장하기 때문에 보호자의 보호가 필요하며, 만일 제대로 보호받지 못하게 되면 생명은 쉽게 꺼질 수도 있습니다.

성장기(成長期)인 생욕대(生浴帶)은 +56, +60, +62로 양기가 극강으로 치닫는 것은 생기(生氣)가 질풍노도처럼 성장하기 때문입니다. 그러므로 급격하게 늘어나는 양기(陽氣)를 조절하지 못하거나 잘못 사용하게 되면 젊어서 패가망신을 겪게 될 수도 있죠. 부모의 역할과 교육이 중요한 시기입니다.

왕성기(旺盛期)인 록왕쇠(祿旺衰)는 절정기인 록(+63)에서 왕(+31)으로, 그리고 쇠(+15)로 갑자기 양기가 쇠락하기 시작하는 시기입니다. 왕(旺)에서는 기운이 갑자기 쇠퇴해도 록(祿)의 기세로 인하여 본인은 이를 제대로 느끼지 못하는 경우가 많습니다. 쇠(衰)에서 양기의 급격한 변화를 어떻게 느끼고 처신하는가에 따라 인생 후반기가 좌우될 수 있습니다. 지나간 영화에 집착하여 그동안 쌓은 명예를 잃고 치욕을 당하는 수가 있으니 스스로 물러날 때를 알아 준비하는 시기라 할 수 있죠. 달은 꽉 차는 순간부터 기울기 시작하는 법, 정상에 올랐다고 생각하는 순간이 곧 내려갈 때를 준비하는 시기라 할 수 있습니다.

쇠락기(衰落期)인 병사묘(病死墓)는 +7, +3, +1로 양기가 급격하게 쇠락하여 죽음에 이르는 과정이라 할 수 있습니다. 이는 늙어본 자만이 알 수 있으니 세월은 유수(流水)와도 같죠. 노안이 시작되면서 하루가 다르게 기력이 쇠락하는 것은 늙어본 자만이 절감할 수 있는 일입니다. 일장춘몽(一場春夢)이로다. 물러나 정리하는 때이니 노욕(老慾)으로 인하여 삶을 더럽히는 일을 피하여야 할 것입니다. 노욕(老慾)은 노망(老妄)일 뿐입니다.

제40강 십이운성의 통변 원리

<12개월 순환도(12벽괘)의 생성원리>

坤	復	臨	泰	大壯	夬	乾	姤	遯	否	觀	剝
䷁	䷗	䷒	䷊	䷡	䷪	䷀	䷫	䷠	䷋	䷓	䷖
0	+32	+48	+56	+60	+62	+63	+31	+15	+7	+3	+1
10월	11월	12월	1월	2월	3월	4월	5월	6월	7월	8월	9월
亥	子	丑	寅	卯	辰	巳	午	未	申	酉	戌

☞상효가 아래로 내려오면서 양효는 음효로, 음효는 양효로 효변한다.

양의 에너지 크기

重地坤 ⇒ 中天乾: 양이 축적되어가는 과정을 보여준다.

中天乾 ⇒ 重地坤: 음이 축적되어가는 과정을 보여준다.

효의 순환 원리

상효가 극에 달하면 아래로 내려오면서 양효는 음으로 음효는 양으로 효변하면서 12순환도를 만들어낸다. 만물은 극에 달하면 변한다(物極必

反). 대성괘의 상하를 이루고 있는 6개의 효는 효변을 통해 12순환을 표현한다. 12는 순환을 의미하는 수로서 1년 열두 달을 의미한다.

<12벽괘와 12운성의 수리>

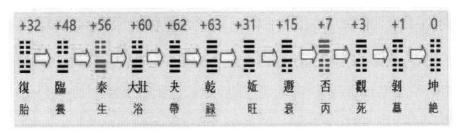

☞수리는 양의 에너지를 2진법 수리로 측정한 것이다.

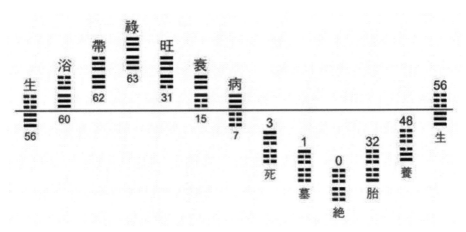

<양의 에너지를 2진법 수리로 표현한 12운성의 기세>

<12벽괘로 이해하는 12운성의 해석 원리>

1. 장생(長生): 지천태(地天泰 ䷊ 56)

양이 땅 위의 세상과 접촉하다(유아기), 보호가 필요한 시기, 천지창조(빅뱅), 생을 시작하다.

2. 목욕(沐浴): 뇌천대장(雷天大壯 ䷡ 60)

태중에 있던 양이 상괘(세상)로의 한 발을 내딛다. 양이 세상으로 나와 자아를 인식하다. 실수가 많은 시기, 질풍노도의 청소년기

3. 대(帶): 택천쾌(澤天夬 ䷪ 62)

기운과 기세가 충만하다. 과욕으로 무너지기 쉬운 시기, 과유불급의 청년기

4. 건록(建祿): 중천건(重天乾 ䷀ 63)

천하를 얻다. 기세가 강왕하다. 인생 절정의 장년기, 양극음생의 시기

5. 제왕(帝旺): 천풍구(天風姤 ䷫ 31)

능수능란하다. 경륜이 쌓여 원숙하다(제왕, 통치자, 관리자). 우두머리로서 조직을 통치하며, 기세보다는 경륜으로써 합리적으로 조율하는 시기, 음이 발생하여 양기를 제어함으로써 열매를 맺는 지혜로운 시기

6. 쇠(衰): 천산돈(天山遯 ䷠ 15)

물러나 고문 역할을 하는 시기(상왕, 고문), 물러날 때를 놓치면 명예를 잃고 망신을 당할 수 있는 시기이기도 하다. 처신을 잘못하면 몽니로 비칠 수 있다.

7. 병(病): 천지비(天地否 ䷋ 7)

양이 땅속의 세상(음, 지하, 죽음의 기운)과 접촉하다. 병약해지다. 은퇴하다.

8. 사(死): 풍지관(風地觀 ䷓ 3)

음이 요단강을 건너 상괘(양, 하늘, 죽음)로 한 발을 내딛다, 생(生)이 끝나다. 정신세계에 들다. 명상, 종교성.

9. 묘(墓): 산지박(山地剝 ䷖ 1)

세상과 단절하다. 은둔하다.

10. 절(絶): 중지곤(重地坤 ䷁ 0)

세상에서 나를 지우다. 묘의 흔적조차 사라지다. 생기가 삭제되다. 이전의 생을 완전히 지우고 다시 새로운 생(生)을 꿈꾸는 절처봉생(絶處逢生)의 시기

11. 태(胎): 지뢰복(地雷復 ䷗ 32)

생명이 태동하다. 잉태하다. 어둠 속에서 희망이 움트다.

12. 양(養): 지택림(地澤臨 ䷒ 48)

태아를 보호하고 배려하며 기르는 양생의 시기

제41강 시간, 순행과 역행에 대한 담론

『주역』「계사전」은 "한번 음하면 한 번은 양하며 가는 것이 도다(一
陰一陽之謂道)"라고 음과 양의 작용성에 대하여 정의하고 있습니다. 또
한 "강유가 서로 밀고 당기는 상호작용을 통해 변화를 일군다(剛柔相
推而生變化)"라고 변화가 일어나는 원리를 설명하고 있죠. 변화란 음양
의 상호작용이 만들어내는 중화를 의미하고 이는 곧 만물을 가리킵니
다.

만물이란 대립적 성질의 음양이 상호작용을 통해 이룬 중화를 의미하
죠. 만물이 다양한 것은 음양의 대소·장단·강약이 서로 중화를 이루는
과정에서 음양이 편재된 다양한 물상을 만들어내기 때문입니다. 중화란
완전한 평형을 뜻하는 적중(的中)을 가리키는 것이 아니라 음과 양이
다양한 형태의 편재와 편중을 이룸으로써 다양한 특성과 형태를 가진
만물만상이 일어나는 것을 의미합니다.

중국의 역학자인 래지덕(來知德)은

음양 대립은 자연계 및 인류사회의 보편법칙이다. 따라서 팔괘상착이라는
역리의 핵심은 바로 사물이 지닌 모순 대립의 보편성을 반영한다.

천지조화의 이치는 음만 홀로 생성할 수 없고 양만 홀로 생성할 수도 없다. 양강이 있으면 반드시 음유가 있고, 남자가 있으면 반드시 여자가 있다. 그래서 팔괘가 상착한다.

라고 상반적 성질의 음양이 서로 대립하면서도 상호의존하는 본성을 설명하고 있습니다.

음양의 상반성은 역을 활용하는 실제 사주명리학에서는 대운과 12운성에서 시간의 흐름을 순행과 역행으로 설명하고 있습니다. 사주명리학은 시간을 다루는 학문이죠. 「낙서」 구궁도의 수리를 활용하는 점법에서도 시계방향인 순행과 시계 반대 방향인 역행을 말하고 있습니다.

그런데 이러한 논리는 '자연과학적 시간이 과연 거꾸로 흐를 수 있는가'라는 과학에 부딪히게 됩니다.

양자물리학에서는 어떻게 시간을 정의할까요? 사실 시간의 개념에 대해서 아직 과학적으로 내려진 정의는 없습니다. 다양한 담론이 있을 뿐이죠. 과학자가 아닌 동양철학을 논하는 저로서는 더더군다나 이러쿵저러쿵 정의를 내릴 수 있는 처지도 아닙니다.

양자역학에서는 시간을 '서로 간의 상호작용을 통한 역동적인 변화의 과정을 나열하고, 이를 시간이라는 단위로 쪼개어 놓은 것'이라 말하고 있습니다. 즉 시간이라는 것은 정의된 개념일 뿐이고, 음양의 대립과 상호작용을 통한 변화의 과정이 있을 따름인 거죠.

그러나 어찌 설명하든 우리는 시간으로 정의된 변화의 과정을 따라 흘러가고 있습니다.

시간은 미래로만 흘러가는 것일까요?

그렇다면 역행(逆行)은 어떻게 설명해야 하지?

우리는 자연과학적 시간을 연구하는 과학자가 아니라, 인문적 시간을 탐구하는 인문학자라고 할 수 있습니다.

사물의 변화 과정을 단계별로 쪼개어 놓고 순서대로 이름을 붙여놓은 것이 시간이라면, 차라리 시간이라는 개념을 없애고 음양의 상호작용이라는 관점에서 보면 꼭 순행과 역행이라는 단어의 의미에 구속받을 필요는 없을 것 같습니다.

변화가 곧 시간이 아니고 음양의 작용이라면, 음양의 상호작용을 플러스(+), 마이너스(-) 파동으로 설명할 수도 있습니다. 어찌 되었든 파동의 과정을 구분하면 다시 시간의 개념이 되겠죠.

양(陽)이 왕(旺)하는 것은 곧 음(陰)이 쇠(衰)함을 의미합니다. 이것을 음양의 파동으로 나타내면 음양이 서로 일진일퇴하며 부딪히고 화합하며 갈마드는 "일음일양지위도(一陰一陽之謂道)"를 의미합니다. 순행과 역행은 서로 반대 방향으로 움직이는 것으로만 이해하면 12운성의 순환을 논리적으로 이해하는 데 한계가 생기게 되죠. 음과 양이 서로 반대 방향으로 움직인다는 것은 이론적으로 설명할 수 있지만, 실제적으로는 가능한 일이 아니죠. 계절이 거꾸로 흘러갈 수는 없기 때문입니다. 계절이 춘하추동 흘러가면서 만들어내는 생로병사(生老病死), 생장수장(生長收藏)의 이치가 거꾸로 뒤집힐 수도 없는 일이고요. 어찌 되었든 아직은 담론일 뿐입니다.

상반적 성질의 음양은 움직임이 서로 반대입니다. 반대라는 개념으로 이해하면 순행의 반대는 역행이니 나름 타당합니다. 그러나 순행과 역행이 서로 반대로 움직인다고 보는 것도 너무 이론적이죠.

그러므로 순행은 역행과 반대로 향하는 것이 아니라 파동의 차이로 이해하는 것이 오히려 과학적이고 합리적일 수도 있습니다. 음과 양은 서로 파동이 다르므로 음양의 파동이 서로를 간섭하는 것으로 이해할 수 있는 것이죠.

두 파동의 골짜기와 골짜기가 만나 진폭이 커지는 경우를 보태기 간섭이라 하고, 한쪽 파동의 마루와 다른 파동의 골이 일치하면 서로 상쇄되어 일직선이 되는 경우를 빼기 간섭이라 합니다. 『주역』「계사전」은 이것을 일음일양지위도(一陰一陽之謂道)라 하여 '한번 음(陰)하고

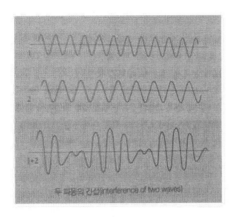

두 파동의 간섭(interference of two waves)

한번 양(陽)하는 것이 도(道)다'라고 정의하고 있죠. 우주는 서로 다른 음양이라는 두 대립자가 대립과 상호작용의 과정을 통해 균형과 조화를 향해 질서를 세워가면서 만물의 형질인 오행을 만들고, 오행은 만물의 형상을 생성해 가는 것입니다.

좌행과 우행은 아직 이론적 근거가 제대로 제시되지 못하고 있으며 더 많은 연구와 자료가 요구됩니다. 즉 과학적으로 많은 검토와 이론적 구성이 필요한 부분이죠. 어떤 이는 양생음사(陽生陰死), 음생양사(陰生陽死)를 주장하기도 하고, 또 다른 이는 양생음생(陽生陰生), 양사음사(陽死陰死)를 주장하기도 합니다.

양자 물리학자인 프리초프 카프라의 『현대물리학과 동양철학』에 나온 내용을 소개합니다.

장이론(場理論)의 수학적 형식은 이 선들이 두 가지 방법으로 해석될 수 있다는 것을 암시해 주는데, 시간상 앞쪽으로 전진하는 양전자의 경우(순행)와 '시간상 뒤로 움직이는' (음) 전자의 경우(역행) 두 가지 방법이다. 이 해석은 수학적으로도 일치한다. 이와 같은 표현은 과거에서 미래로 이동하는 하나의 반입자, 혹은 미래로부터 과거로 이동하는 하나의 입자를 기술해 준다.

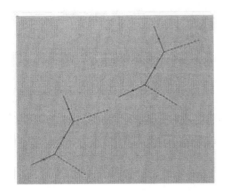

그리하여 이 두 개의 도표는 시간상에서 서로 다른 방향으로 전개되고 있는 동일한 과정을 그림으로 표시한 것으로 볼 수 있다. 이 두 그림은 전자와 광자의 산란으로 설명될 수 있지만, 그러나 하나의 과정에서는 입자가 시간상 앞으로 전

진하며 다른 과정에서는 그 입자가 뒤로 후퇴한다. 이리하여 입자 상호작용의 상대성이론은 시간의 방향에 관련되어 완전히 하나의 대칭성을 보여주고 있다. 모든 시공의 도표들은 이 둘 중 어느 하나의 방향으로 해독될 수 있다. 모든 과정에는 역으로 된 시간의 방향과 반입자들의 의해 대치된 입자들을 가지고 있는 하나의 동등한 과정이 있다.

아원자 세계의 이 놀라운 특징이 어떻게 우리의 공간과 시간에 관한 관점에 영향을 끼치는가를 알아보기 위하여 다음의 도표에서 보여주는 과정을 생각해 보자.

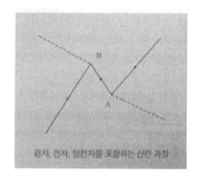

광자, 전자, 양전자를 포함하는 산란 과정

관례적으로 아래에서 위로 이 도표를 읽어 나가면 우리는 다음과 같이 그것을 해석하게 될 것이다. (직선으로 표시된) 전자와 (점선으로 표시된) 광자는 서로서로 접근한다. 광자는 A지점에서 오른쪽으로 양전자는 왼쪽으로 비산(飛散)한다. 그러면 양전자는 B지점에서 최초의 전자와 충돌하고 왼쪽으로 비산하는 과정에서 광자를 발생시키면서 그것들은 서로를 소멸시킨다. 우리는 또한 시간상 먼저 앞으로 이동하다가 뒤로 가고 또다시 앞으로 이동하는 단일한 전자를 지닌 두 광자들의 상호작용으로서 그 과정을 달리 해석해도 좋다. (……) 왜냐하면 모든 입자들은 그것들이 공간상 왼쪽으로든 오른쪽으로든 이동할 수 있는 것과 같이 시간상 전후로 이동할 수 있기 때문이며, 따라서 도표에서 시간의 일방통로를 부여하는 것은 아무런 의미도 갖지 못한다.[26]

26) 프리초프 카프라, 김용정김성범 고역, 『현대물리학과 동양사상』, 범양사, 1979, p.243-245.

제42강 록(祿)과 왕(旺)의 기세

<12벽괘와 12운성으로 보는 록(祿)과 왕(旺)의 기세>

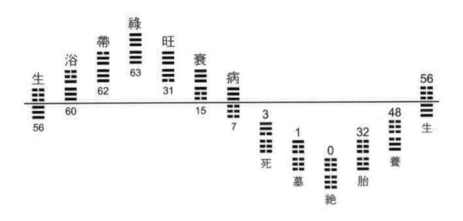

<12벽괘와 12운성의 수리>

록祿(建祿)은 중천건(重天乾)괘의 상으로 장성한 어른의 시기에 해당합니다. 생애 최고의 왕성한 기운(63)으로 사회활동을 하는 때라고 할 수 있죠. 양기가 가득 찬 보름달과 같은 상으로서, 내부적으로는 쇠락의 기운이 움트는 물극필반(物極必反)의 시기이기도 합니다.

왕旺(帝旺)은 천풍구(天風姤)괘의 상으로, 음기(陰氣)가 생하기 시작하는 양극음생(陽極陰生)의 시기로서 인생의 결과물(열매)을 만드는 때에 해당합니다. 음기가 생하여 양기를 31로 떨어트림으로써 발산 확장하는 양의 기세를 제어하여 일의 결과(열매)를 만들기 시작하는 지혜로운 시기에 해당합니다.

6개의 양효로 이루어진 중천건괘의 초효에 음기가 처음 발생하는 천풍구괘는 양인살에 해당하죠. 천하에 가득한 강왕한 양기(☰63)의 목을 쳐서 작은 양기의 덩어리(☰31)를 만드는 것이니 양인살의 의미가 되는 것입니다.

왕(旺)은 절기로는 가장 더운 하지(夏至)에 해당합니다. 계절로 보면 가장 더운 여름이지만 사실은 이미 내부에서 음기가 싹트는 천풍구(☴)의 상이 되죠. 이것은 가장 추운 동지(冬至)와 비교할 수 있죠. 동지는 가장 추운 겨울의 한가운데지만 맨 밑바닥 아래에서는 이미 양기가 움트고 있는 지뢰복(☳)의 상이 되는 것이죠.

겉으로는 록(祿)의 기운이 제일 강왕하지만 그 기세에 비하여 균형과 조화의 경험이 부족하다고 할 수 있습니다. 왕(旺)은 비록 록(祿)에 비해 양의 기세는 작지만 음기를 이용해 열매(결과)를 만들어내는 현실적인 노련미가 있습니다. 제왕이란 무조건 기세가 강한 것을 의미하는 것이 아니라 스스로를 제어하고 조율하며 결과를 이루어내는 원숙함에 있는 것이라 할 수 있습니다.

제43강 생왕묘(生旺墓)의 삼합과 맹왕고(孟旺庫)의 방합

1. 삼합(三合)

<12운성의 생왕묘(生旺墓)가 뭉치다.>

삼합(三合)은 십이운성의 생왕묘(生旺墓)가 서로 기운을 결합하는 것을 말합니다. 삼합은 세 개의 계절에 걸쳐 하나의 오행이 태동하고, 태왕하며, 입묘하는 순간까지의 동일한 기운이 사시를 순환하며 지속적으로 결합하고 있는 것으로서 오랫동안 합의 기운이 발휘됩니다.

<삼합: 생왕묘의 조합>

이에 반하여 방합(方合)은 당해 계절의 기운이 결합한 것으로서 강하지만 힘의 발휘는 일정 기간에 한정됩니다. 예를 들어 인묘진, 사오미, 신유술, 해자축은 친족 간의 결합처럼 당해 계절 기운 간의 옹골찬 결속을 의미합니다.

그러나 삼합은 3개의 계절에 걸쳐 순환하며 지속적으로 힘을 발휘하고 있는 같은 기운이죠. 그러므로 천간이 삼합에 뿌리를 두고 있으면 원조를 받아 기세가 크게 강화되며 오랫동안 끈끈하게 지속적인 힘을 발휘할 수가 있습니다.

방합은 순간적으로 강한 결속의 힘을 내지만 일시적인 느낌이 강하고, 삼합은 방합에 비해 일시적인 힘은 약하지만 끈끈한 결속이 지속적입니다. 방합이 연애 시절의 일시적인 감정이라면, 삼합은 결혼 시절의 지속적인 감정이라 할 수 있겠습니다.

<삼합(三合) = 인신사해(生) + 자오묘유(旺) + 진술축미(墓)>

사생지四生地(인신사해), 사왕지四旺地(자오묘유), 사고지四庫地(진술축미)는 각각 三合의 생왕묘(生旺墓)로서 짝을 이루어 12운성의 순환을 만들어 갑니다.

삼합(三合)은 각기 다른 계절의 지지(地支) 속에 있는 동일한 기운으로서 3개의 계절에 걸쳐 합화하는 것이므로 힘의 발휘가 강력하고 지속적이라고 할 수 있습니다.

삼합의 구성

生	旺	墓	合	계절
寅	午	戌	火	여름
巳	酉	丑	金	가을
申	子	辰	水	겨울
亥	卯	未	木	봄

<三合: 生(天) + 旺(人) + 墓(地)>

삼합은 십이운성의 생왕묘(生旺墓)가 삼합하는 자리입니다. 생은 인신사해가 되고, 왕은 자오묘유가 되며, 묘는 진술축미가 담당합니다.

인신사해는 원圓(天)이고, 자오묘유는 각角(人)이며, 진술축미는 방方(地)입니다. 여기에서 원(圓)은 삼합의 시始(生)가 되고, 각(角)은 삼합의 주主(旺)가 되며, 방(方)은 삼합의 종終(墓)이 되죠. 원방각의 주체는 사람인 각(角)이 되므로 삼합의 결과는 각(角)에 해당하는 자오묘유의 성질을 갖게 됩니다.

삼합은 서로 다른 계절에 속한 동일한 기운끼리의 이상적인 天地人의 합입니다. 즉, 삼합은 다른 계절이 품고 있는 서로 같은 기운의 모임이죠. 공통적인 목표를 가진 사회적인 결합을 의미합니다. 예를 들어 寅午戌의 삼합은 火(丙丁)를 목표로 하는 것이죠. 寅은 丙의 생지이고, 戌은 丁의 묘지가 됩니다.

삼합의 지장간을 보면 3개의 계절에 걸친 동일한 오행이 모인 기운이라는 것을 알 수가 있습니다.

(1) 亥卯未 三合 - 목국(木局)

천간 甲木은 십이운성으로 보면 亥에서 生하고, 卯에서 旺하며, 未에서 묘고(墓庫)에 들어가게 됩니다. 해묘미 3개의 기운이 합하면 목국(木局)이 형성되므로 생장, 용출, 전진, 직진, 곡직, 창의성 등의 활동성이 강화됩니다.

⇨ 목(木) 오행

合化	木		
地支	亥	墓	未
地藏干	戊甲壬	甲乙	丁乙己
生旺墓	生	旺	墓

亥卯未의 삼합은 木(甲乙)를 목표로 하는 것이죠. 亥은 甲의 생지이고, 未은 乙의 묘지가 됩니다.

(2) 寅午戌 三合 - 화국(火局)

천간 丙火와 戊土는 십이운성으로 보면 寅에서 生하고, 午에서 旺하며, 戌에서 묘고(墓庫)에 들어가게 됩니다. 인오술 3개의 기운이 합하면 화국(火局)이 형성되므로 양기의 분열 확산이 이루어지며, 기운이 질서를 잡으면서 양기를 씨앗으로 하는 결정체를 만들게 되죠. 결과를 만들어내는 활동성을 강화되는 것입니다.

⇨화(火) 오행

合化	火		
地支	寅	午	戌
地藏干	己丙甲	丙己丁	辛丁戊
生旺墓	生	旺	墓

寅午戌의 삼합은 火(丙丁)를 목표로 하는 것이죠. 寅은 丙의 생지이고, 戌은 丁의 묘지가 됩니다.

(3) 巳酉丑 三合 - 금국(金局)

천간 庚金은 십이운성으로 보면 巳에서 生하고, 酉에서 旺하며, 丑에서 묘고(墓庫)에 들어가게 됩니다. 사유축 3개의 기운이 합하면 금국(金局이 되므로 결실을 수렴하고 응축하는 활동성이 강화됩니다.

⇨금(金) 오행

合化	金		
地支	巳	酉	丑
地藏干	戊庚丙	庚辛	癸辛己
生旺墓	生	旺	墓

巳酉丑의 삼합은 金(庚辛)를 목표로 하는 것이죠. 巳는 庚의 생지이고, 丑은 辛의 묘지가 됩니다.

(4) 申子辰 三合 - 수국(水局)

천간 壬水는 십이운성으로 보면 申에서 生하고, 子에서 旺하며, 辰에서 묘고(墓庫)에 들어가게 됩니다. 申子辰 3개의 기운이 합하면 수국

(水局)이 형성되므로 저장, 휴식, 안정, 사색, 종교적 추구 등의 활동성이 강화됩니다.

⇨수(水) 오행

合化	水		
地支	申	子	辰
地藏干	己壬庚	壬癸	乙癸戊
生旺墓	生	旺	墓

申子辰의 삼합은 水(壬癸)를 목표로 하는 것이죠. 申은 壬의 생지이고, 辰은 癸의 묘지가 됩니다.

2. 방합(方合)
<12 지지의 맹왕고(孟旺庫)가 뭉치다.>

방합(方合)은 한 계절의 기운이 합화하는 것으로서, 일시적인 당해 계절의 강왕한 기운을 의미합니다. 일시적으로 기세가 강해지는 느낌을 주죠. 방합의 지장간은 당해 계절의 오행으로 이루어져 있습니다.

예를 들어 寅卯辰은 목기(木氣)로서 寅의 지장간은 己丙甲, 卯의 지장간은 甲乙, 辰의 지장간은 乙癸戊로 이루어져 있죠. 甲과 乙이라는 목기로 구성되어 있음을 알 수가 있습니다.

-寅卯辰은 봄으로서 木(甲乙) 기운이 강화되고,
-巳午未는 여름으로서 火(丙丁) 기운이 강화되고
-申酉戌은 가을로서 金(庚辛) 기운이 강화되고,
-亥子丑은 겨울로서 水(壬癸) 기운이 강화됩니다.

방합은 당해 계절의 기운인 맹(孟)·왕(旺)·고(庫)가 합화한 것으로서 강하지만 좁은 기간에 한정되는 기운입니다. 같은 계절 기운이 모인 합이기 때문에 월지가 포함되어야 성립이 됩니다.

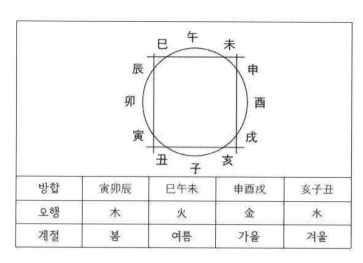

방합	寅卯辰	巳午未	申酉戌	亥子丑
오행	木	火	金	水
계절	봄	여름	가을	겨울

<방합>

삼합이 사회적인 폭넓은 결합이라면, 방합은 일체성과 친밀성 등 혈맹관계 같은 결합력을 가지고 있습니다. 방합은 외부적 환경에 대응하기 위한 일시적인 결합을 의미하며 강력하지만 기간이 한정적입니다.

대운과 세운에 있는 지지와 원국의 월지가 합을 이루어도 방합이 성립됩니다. 두 개의 글자로도 반합이 성립되는데 반드시 중심기운인 자오묘유(子午卯酉)가 포함되어야 가능하죠. 반합은 불완전한 합이며, 시작과 왕함과 마무리, 즉 孟·旺·庫가 갖추어져야 진정한 합이라 할 수 있습니다. 천간이 방합에 뿌리를 두면 원조를 받아 일시적으로 기세가 크게 강화됩니다.

제44강 지장간

<지장간은 天干을 담은 地支의 비단 주머니>

천간은 천기로서 순수 오행이고 지지는 조후로서 천기를 품은 오행기운입니다. 지지가 품은 천기는 천간오행이 하늘을 유행하다 땅에 내려와 작용하는 기운을 의미하며, 지장간이라는 명칭을 별도로 가지고 있습니다.

음양이 우주를 창조하는 동력원이라면, 오행은 우주 만물을 낳는 시스템이라고 할 수 있습니다. 우주 만물을 낳는 목화토금수(木火土金水) 오행은 지구에서는 10개의 천간으로 문자화됩니다. 천간은 물건을 낳는 장치로서 지구 만물을 구성하는 기본요소라 할 수 있습니다. 창조 기운인 천간오행이 하늘을 유행하다 땅속으로 들어와 만물을 낳는 씨앗이 되는 것입니다. 이것이 지장간(地藏干), 즉 땅속에 내장되어 활동하는 천간입니다.

지장간이란 땅속에 들어가 만물에 영향을 끼치는 하늘의 기운 천간으로서 사시의 변화에 직접 관여하며 사계절의 흐름을 주도합니다. 또한 천간(天干)은 지지(地支)의 장간(藏干)으로서 지지의 성질을 규정짓게 됩니다.

사계절의 순환을 원리적이면서 인문적으로 표현한 지장간은 사주명리학의 꽃이라 할 수 있습니다. 지장간은 사시 순환의 이치를 자연과학이 아닌 인문학적으로 세밀하고 아름다운 논리로 전개하고 있습니다. 음미하면 할수록 자연의 흐름은 정교하고 아름답기만 합니다.

지지는 각각의 계절에 고정되어 있는 환경적인 기운이며, 지장간은 지지가 포태하여 품고 있는 천간오행입니다. 그러므로 지장간은 하늘을 유행하는 천간오행과 달리 각각의 지지궁에 한정된 천간으로서 투

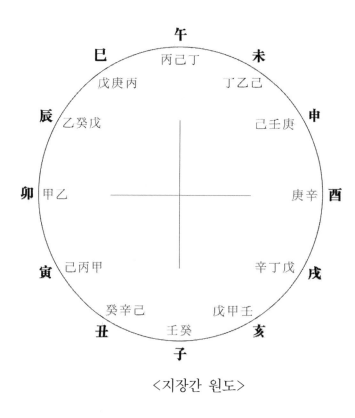

<지장간 원도>

간(透干) 작용을 통해 자신의 기세와 뜻을 표현합니다. 즉, 지장간은 일간인 내가 품고 있는 잠재력, 가능태라고 할 수 있죠. 천간에 투출함으로써 자신의 가능성을 표현합니다.

일간은 사주명국의 주인으로서 각각의 지지와 작용하면서 지지가 품고 있는 지장간과도 상호작용을 통해 인사적 길흉·득실을 표현하는 것입니다.

<지장간의 원리>
지장간은 지지(地支) 속에 잉태되어 숨겨진 하늘의 기운(天干)입니

다. 天이 아버지라면 地는 어머니이니, 지장간은 천지가 포태한 人(만물)이 됩니다. 어머니인 지기地氣(한난조습)는 천기天氣(오행)를 포태하여 만물(人)을 생장수장의 이치로 순환시킵니다. 천지가 지구의 공전에 따른 사시 변화로써 상호교감하고 교합하며 만물(人)을 순환시키고 변화시키는 것입니다.

<지지와 지장간의 관계>

지지는 순환과 변화를 의미하는 시간의 흐름을 나타냅니다. 천간은 동적인 성질로 천지를 유행(流行)하지만 지지는 12개로 구분되어 고정되어있는 계절의 환경적인 기운입니다. 그래서 하늘을 자유롭게 유행하는 천간오행의 방문은 12개월로 나뉘어 고정되어있는 지지에게는 매우 반가운 일입니다.

지장간은 계절적인 환경이 만들어내는 지지궁에 입주한 식구로서 천간에 투출하면 그 쓰임이 강화됩니다. 즉, 지장간은 땅속에 잠겨있다가 천간 또는 류운(流運)에 투출함으로써 본연의 힘을 발휘하게 되는 것입니다. 그러므로 지장간은 일간 명주가 품고 있는 잠재력, 또는 가능태라고 할 수 있습니다.

<12지지에 포태되어 있는 천간(지장간)은 3가지로 분류된다.>

지지가 품고 있는 지장간은 보통 2개에서 3개의 천간으로 구성되어 있습니다. 인신사해(寅申巳亥), 진술축미(辰戌丑未)는 3개의 천간으로 구성되어 있죠. 자(오)묘유(子午卯酉)는 2개의 천간으로 구성되어 있지만, 午火는 丙丁이 己土를 내장하고 있는 것이 특징입니다.

여기(餘氣)-이전 계절의 남은 기운
중기(中氣)-다음 계절의 기운을 잉태
정기(正氣)-당해 계절을 시작하는 기운

지지는 지구라는 땅에 숨어서 천간오행의 부름을 기다리고 있는 지장간에 의해 성질이 정해집니다. 인(寅)을 예로 들면 기토(己土)는 여기, 병화(丙火)는 중기, 갑목(甲木)은 정기가 됩니다. 정기 갑목이 바로 寅의 오행적 특징을 규정하는 당령으로서, 寅을 寅木이라 규정하는 이유입니다. 다른 지지도 같은 원리가 적용됩니다.

시 주 (정묘)	일 주 (갑오)	월 주 (을미)	년 주 (신미)
충	-	충	충충
상관	일간(나)	겁재	정관
丁 卯	甲 午	乙 未	辛 未
겁재	상관	정재	정재
甲 비견 -- 乙 겁재	丙 식신 己 정재 丁 상관	丁 상관 乙 겁재 己 정재	丁 상관 乙 겁재 己 정재
제왕 (병)	사 (사)	묘 (양)	묘 (쇠)

<사주팔자>

일반적인 이론으로 보면 봄을 여는 寅木과 가을을 여는 申金의 여기를 戊土로 규정하고 있습니다. 본서에서는 己土로 정의합니다. 왜냐하면, 丑土의 정기는 己土, 未土의 정기도 己土로서 다음 계절의 여기가 되기 때문입니다.

이치를 무시하고 만물을 여는 것을 양(陽)이라고 보는 관점은 양본위의 사고방식에서 비롯된 것이라고 할 수 있습니다. 사실 지구역인 문왕팔괘도로 볼 때 만물의 시작은 양기(陽氣)를 저장하고 하고 있는 감수(坎水☵)괘로서 구궁도 1번에 배치되어 있습니다. 지지로 봐도 만물의 시작은 수리적으로 자수(子水)가 1번이 됩니다.

만물은 양기를 품고 있는 감수(坎水☵)에서 시작됩니다. 종시(終始)를 담당하는 간토(艮土☶)가 감수(坎水☵)를 토극수(土克水)로 터치함으로써 감수☵가 품고 있는 생명이 깨어나는 것이죠.

감수(☵)는 괘상으로 보면 양에 속하지만, 성질로는 음으로 작용합니다. 만물을 낳는 것은 음이지만 생장수장(生長收藏)의 이치로써 생로병사를 순환시키는 것은 양이라 할 수 있죠. 진화론적으로 보면 장기간

수컷이 없는 곳에서는 암컷이 내부적으로 암수동체로 진화하여 종족을 유지한다고 합니다. 과학적으로 증명된 사실입니다.\

<계절의 순환원리>

계절이 바뀌는 것은 한순간 갑자기 전환되는 것이 아니라 이전 계절의 남아 있는 기운이 서서히 들어오고(餘氣), 다음 계절의 기운이 들어와 포태(中氣)되면서 서서히 당해 계절(正氣)로 바뀌어 가는 것입니다.

▶餘氣, 中氣, 正氣의 日數비율

地支 / 地藏干	餘氣		中氣		正氣	
子	壬	10			癸	20
丑	癸	9	辛	3	己	18
寅	己	7	丙	7	甲	16
卯	甲	10			乙	20
辰	乙	9	癸	3	戊	18
巳	戊	7	庚	7	丙	16
午	丙	10	己	9	丁	11
未	丁	9	乙	3	己	18
申	己	7	壬	7	庚	16
酉	庚	10			辛	20
戌	辛	9	丁	3	戊	18
亥	戊	7	甲	7	壬	16

子의 정기 癸水는 丑의 여기가 되고.
丑의 정기 己土는 寅의 여기가 되고,
寅의 정기 甲木은 卯의 여기가 되고,
卯의 정기 乙木은 辰의 여기가 되고,
辰의 정기 戊土는 巳의 여기가 되고,

巳의 정기 丙火는 午의 여기가 되고,

午의 정기 丁火는 未의 여기가 되고,

未의 정기 己土는 申의 여기가 되고,

申의 정기 庚金은 酉의 여기가 되고,

酉의 정기 辛金은 戌의 여기가 되고,

戌의 정기 戊土는. 亥의 여기가 되고,

亥의 정기 壬水는 子의 여기가 된다.

		巳	午	未		
		丙	丁	己		
辰	戊		夏		庚	申
卯	乙	春 土 秋			辛	酉
寅	甲		冬		戊	戌
		己	癸	壬		
		丑	子	亥		

<지장간 정기(正氣)>

　지지(地支) 속에 천간(天干)인 정기(正氣)가 내장되어 지지(地支)의 음양오행(陰陽五行)의 내적인 성격이 규정됩니다.

　寅이 木의 성질로서 양(陽)이 되는 까닭은 寅의 지장간 正氣가 甲木으로서 양(+)이기 때문입니다. 卯가 木의 성질로서 음(陰)이 되는 까닭은 卯의 지장간 正氣가 乙木으로서 음(-)이기 때문입니다. 다른 지지

(地支)도 원리는 똑같습니다.

<정기(正氣)는 계절의 당령이며, 지지를 규정하는 기운이다.>

지지 인(寅)이 인목(寅木)이 되는 것은 정기(正氣)가 갑목(甲木)이기 때문이고, 묘(卯)의 정기(正氣)가 을목(乙木)이므로 묘(卯)는 을목(乙木)의 성질을 가지게 됩니다.

지지 사(巳)가 사화(巳火)가 되는 것은 정기가 병화(丙火)이기 때문이고, 오(午)의 정기가 정화(丁火)이므로 오(午)는 정화(丁火)의 성질을 가지게 됩니다.

지지 신(申)이 신금(辛金)이 되는 것은 정기가 경금(庚金)이기 때문이고, 유(酉)의 정기가 신금(辛金)이므로 酉는 辛金의 성질을 가지게 됩니다.

지지 해(亥)가 해수(亥水)가 되는 것은 정기가 임수(壬水)이기 때문이고, 자(子)의 정기가 계수(癸水)이므로 자(子)는 계수(癸水)의 성질을 가지게 됩니다.

지지 진술(辰戌)이 진토(辰土), 술토(戌土)가 되는 것은 정기가 무토(戊土)이기 때문이고, 축미(丑未)의 정기는 기토(己土)이므로 축미(丑未)는 기토(己土)의 성질을 가지게 됩니다.

왕지(旺地)인 오궁(午宮)에는 2개의 장간으로 구성된 다른 왕지 자궁(子宮), 묘궁(卯宮), 유궁(酉宮)과 달리 3개의 지장간인 병기정(丙己丁)으로 이루어져 있습니다. 가운데 기토(己土)를 하나 더 품고 있는데, 그 의미가 굉장히 물리적이면서도 인문적 의미가 있죠. 오궁(午宮)이 품은 기토(己土)의 역할에 대해서는 별도로 설명합니다.

天(圓)

四生地			寅			申			巳			亥		
餘氣	中氣	正氣	己	丙	甲	己	壬	庚	戊	庚	丙	戊	甲	壬

人(角)

四旺地			子			午			卯			酉		
餘氣	中氣	正氣	壬		癸	丙	己	丁	甲		乙	庚		辛

地(方)

四庫地			辰			戌			丑			未		
餘氣	中氣	正氣	乙	癸	戊	辛	丁	戊	癸	辛	己	丁	乙	己

<지지와 지장간>

天(圓) : 인신사해(寅申巳亥), 生地

인신사해는 각 계절을 여는 시작, 즉 생지(生地)가 됩니다. 그래서 절기로는 입춘(寅), 입하(巳), 입추(申), 입동(亥)이 됩니다. 이전 계절의 기운이 남아 있는 상태에서(餘氣), 다음 계절의 기운을 포태(中氣)하여 당해 계절의 시작(正氣)을 알리는 계절의 문입니다. 뭐든지 분주하게 시작하는 역마살의 성향이 있습니다.

寅궁이 포태한 丙(중기)은 여름의 정기이니, 寅은 화오행(丙)을 낳은 생지가 된다.
巳궁이 포태한 庚(중기)은 가을의 정기이니, 巳는 금오행(庚)을 낳은 생지가 된다.
申궁이 포태한 壬(중기)은 겨울의 정기이니, 申은 수오행(壬)을 낳은 생지가 된다.
亥궁이 포태한 甲(중기)은 봄의 정기이니, 亥는 목오행(甲)을 낳은 생지가 된다.

人(角) : 자오묘유(子午卯酉) (旺地)

계절의 당령한 기운, 왕지(旺地)에 해당하는 자리로서 양극음생(陽極陰生)의 원리가 적용됩니다. 양기가 극에 달하면서 음기가 생하는 자리이죠. 양과 음이 서로 팽팽한 기운으로 대결하며 강왕한 당해 계절을 지배합니다.

子궁을 예를 들면, 子궁의 전반은 양이 지배하고, 후반은 음이 지배하며 계절의 기운이 바뀌기 시작하는 전환점이라 할 수 있죠. 자신을 주장하고 뽐내는 도화살을 가진 자리입니다.

子궁에서는 壬水(양)의 기운이 극에 달하면서 癸水(음)의 기운으로 전환되고, 午궁에서는 丙火(양)의 기운이 극에 달하면서 丁火(음)의 기운으로 전환되고, 卯궁에서는 甲木(양)의 기운이 극에 달하면서 乙木

(음)의 기운으로 전환되고, 酉궁에서는 庚金(양)의 기운이 극에 달하면서 辛金(음)의 기운으로 전환이 됩니다.

특이한 점은 다른 것은 2개의 양과 음으로 이루어진 것과 달리 午궁은 己土를 하나 더 품음으로써 3개의 지장간으로 이루어져 있다는 사실이죠. 己土의 역할은 지구역을 상징하는 문왕팔괘와 이를 문자화한 간지에서 굉장히 인문적 의미를 지니고 있습니다. 별도의 설명이 필요한 이유입니다.

地(方) : 진술축미(辰戌丑未) (庫地)

이전 계절의 왕(旺)한 기운 자오묘유(子午卯酉)를 고지(庫地)에 입고시켜 다음 계절의 기운과 충(沖)하는 것을 막는 역할을 합니다. 내면으로 들어가 조용히 관조하며 인생을 아름답게 장식하는 화개살이 적용되는 자리입니다.

즉, 丑궁은 이전 계절의 기운인 辛金을 최종적으로 묘고에 입고시켜 가을 金氣를 마감 짓고, 辰궁은 이전 계절의 기운인 癸水를 최종적으로 묘고에 입고시켜 겨울 水氣를 마감 짓고, 未궁은 이전 계절의 기운인 乙木을 최종적으로 묘고에 입고시켜 봄 木氣를 마감 짓고. 戌궁은 이전 계절의 기운인 정화를 최종적으로 묘고에 입고시켜 여름 火氣를 마감합니다.

제46강 상극에서 상생으로

<午궁이 己土를 포장한 우주의 변화원리>

봄의 왕지인 卯의 지장간은 甲乙, 가을의 왕지인 酉의 지장간은 庚辛, 겨울의 왕지인 子의 지장간은 壬癸입니다. 그런데 여름의 왕지인 午의 지장간은 丙己丁으로 己가 중기에 들어가 있죠. 이유는 무엇일까?

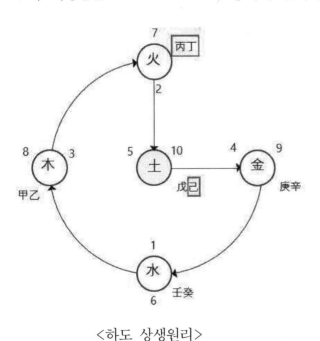

<하도 상생원리>

午의 지장간이 丙丁이 아니라 丙己丁으로 己土가 들어간 것은 여름(火)에서 가을(金)로 넘어가는 금화교역(金火交易)의 자리에서 화극금(火克金)으로 금화상쟁(金火相爭)이 일어나는 것을 막기 위함입니다. 즉, 己土의 중재작용으로 강왕한 화기를

설기시켜 줌으로써 자연스럽게 가을 금기(金氣)로 넘어갈 수 있도록 하기 위함이죠.

己土의 중재로 火生土 ▶ 土生金이 되면서 火克金이 火生金으로 전환이 되는 것입니다.

<상극에서 상생으로 (금화교역)>

여름의 火氣는 가을의 金氣를 극하는 관계이므로 직접 넘어가지 못하기 때문에 중화(中和)의 기운인 土의 중재가 필요합니다. 午는 음의 성정이므로 己土(음)를 丙丁의 中氣에 포장시켜 여름의 강왕한 양기(陽氣)

午		
丙	己	丁

인 火의 기운을 설기 함으로써(火生土-土生金) 음이 주도하는 곤도(坤道)의 가을 金氣로 넘어가도록 토대를 만들어 줍니다. 그리하여 토기(土氣)는 여름의 뜨거운 火氣를 받아드려 설기 시킴으로써 가을 金氣를 극해하는 것을 막아주는 것이죠. 그러므로 상극에서 상생으로 자연스럽게 넘어갈 수 있도록 하는 것입니다.

午火가 내부에 음토인 己土를 품고 있으므로 火克金이 아니라 火生金이 됨으로써 음이 주관하는 곤도(坤道) 시대, 상생의 원리가 지배하는 후천으로의 전환이 자연스럽게 이루어집니다.

己土(☷坤)는 양이 주관하는 상극의 건도(乾道) 시대를 종결하고, 음이 주관하는 상생의 곤도(坤道) 시대로의 전환을 이행하는 중대한 역할을 담당하고 있습니다. 己가 丙과 丁 사이에 놓여있는 것은 단순한 문자 표기에 불과할 수 있지만, 그 안에는 "상극에서 상생으로", "건도에서 곤도로", "양의 주관에서 음의 주관으로" "선천에서 후천으로" 전환하는 거대한 우주의 변화원리가 숨어있는 것입니다.

<午宮의 地藏干 丙己丁과 12辟卦 天風姤(天風姤)의 相關性>

구괘(姤卦)는 陰氣가 처음 생하는 때로서 강왕한 火氣(63)를 31로 떨어트리면서 陽氣를 열매에 수렴하기 시작하는 것을 표상합니다. 확장 분열하는 강왕한 양기를 저지하는 새로운 음의 기운(初六)을 만나 양기가 수렴되기 시작하는 것입니다.

▶午火의 地藏干 丙己丁과 천풍구(天風姤)괘의 관계 분석

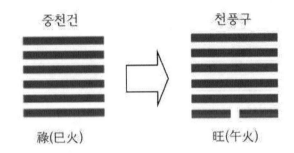

중천건 → 천풍구

祿(巳火)   旺(午火)

☞12벽괘와 12지지의 수리

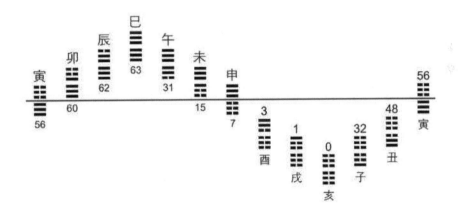

<午宮과 천풍구(天風姤)괘의 상관성>

12벽괘의 구괘(姤卦)는 12지지 중에 午火에 해당됩니다. 午火의 지

장간은 丙己丁으로 己(음)는 천풍구(天風姤)괘의 초육인 음의 역할을
합니다. 즉, 음기인 己土가 들어가 丙丁의 강왕한 기운을 설기 시킴으
로써 화기를 제어, 조절하는 역할을 하는 것이죠(火生土).

巳火의 록(祿)에 해당하는 강왕한 火氣가 午火에서 음기를 만나면서
확장하는 기세가 꺾이기 시작하고 양기를 수렴하면서 열매를 맺기 시작
하는 것입니다. 午火의 지장간 丙己丁 중에서 己土는 12벽괘의 천풍구
괘 초육과 그 역할이 서로 일치합니다.

<午未申궁에 己土(음)가 공통적으로 들어간 이유>

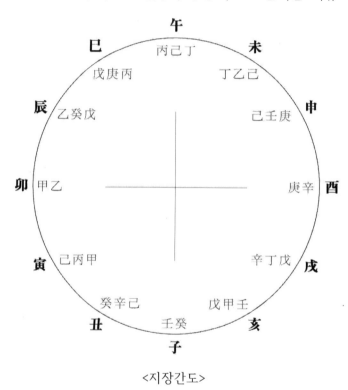

<지장간도>

午未申궁에는
己土(음)가 공통
적으로 들어가
있습니다. 이것은
양기가 주도하는
乾道에서 음기가
주도하는 坤道의
시기로 넘어가는
전환기에 陰土가
火와 金의 상쟁
을 중재하는 金
火交易의 역할을
하고 있음을 의
미하는 것입니다.

제47강 삶을 뒤흔드는 천간 합충

　어느 날 대로변을 운전하던 중 예기치 않게 골목길에서 튀어나오는 승용차에 차 우측 옆구리를 들이 받혔습니다. 갑자기 일어난 일이라 어찌할 도리가 없었죠. 이렇듯 우리의 삶은 눈에 보이지 않는 지뢰밭을 걷고 있는 것과 같습니다. 전혀 예상치 못한 불행이 밤손님처럼 찾아오거나, 우연히 산 복권이 1등에 당첨되는 행운이 문 앞에서 기다리기도 하죠. 우리가 보지 못하는 영역에서는 대체 무슨 일이 벌어지고 있는 걸까요?

　우리가 사는 세상은 보이는 세계와 보이지 않는 세계로 구분할 수 있습니다. 보이지 않는 세계에서 움직이는 음양의 기세는 알게 모르게 우리의 삶을 흔들어 놓거나 변화시키고 있죠. 보이는 위험은 피할 수 있지만 보이지 않는 세계의 위험은 예측하기가 쉽지 않습니다.

　합과 충이란 음양오행의 생극 원리라는 기본적인 루틴(routine)을 흔드는 또 다른 요소입니다. 만물은 음양오행의 생극에 따라 생로병사를 순환하죠. 합충이란 생극의 이치를 따라 순환하는 기의 흐름을 순간적으로 진동시키거나 묶어버리는 효과를 가져옵니다. 음양오행이 생극작용을 통해 중화를 지향하는 과정에서 일어나는 또 다른 변수라고 생각하면 됩니다. 물론 이러한 변수에는 합(合)과 충(沖) 외에도 형(刑)·파

(破)·해(害), 그리고 역마살, 화개살, 도화살 등으로 불리는 다양한 살(殺)이 있습니다.

사주명국에서 벌어지는 천간과 지지의 합충(合沖)은 사주 여덟 글자, 그리고 운에서 들어오는 간지를 흔들어 놓거나 서로 묶어 안정시키는 역할을 합니다. 우리의 삶을 뒤흔들어 놓는 충(沖), 생동감이 있게 활성화된 기운을 꼼짝 못 하도록 묶어버리는 합(合)(또는 불안정한 기운을 합으로 묶어 안정시키기도 한다), 어쨌든 합과 충은 보이지 않는 영역에서 우리를 흔들어 놓거나 변화시키는 기운이라 할 수 있습니다.

사주명국의 합충은 평생에 걸친 내재적 변화요인이라 할 수 있습니다. 합충(合沖)은 형파해(刑破害)와 같이 중화를 지향해가는 여덟 글자의 대립과 상호작용을 표현하는 요소 중의 하나입니다.

지지 합충은 천간의 기운을 강화시키거나 쇠하게 하거나 변화시키죠. 충은 합을 깨기도 하고 묶여있는 것을 풀어주기도 합니다. 운(運)이 들어오면서 잠자고 있는 명국을 깨워 합(合)하거나 충(沖)함으로써 사주에 안정과 활력을 불러일으킵니다. 음양과 오행에 의하여 펼쳐진 사주명국의 천간 지지 여덟 글자는 합과 충을 통해 안정이나 활력을 얻게 되는 것이죠.

1. 천간합(天干合)

천간합은 천간 오운도(五運圖)에서 비롯됩니다. 오운(五運)은 천도를 운행하는 오행(五行)이 인체 내에서 작용하면서 새롭게 생성하는 오행의 기운입니다(황제내경).

오행은 수(水)에서 시작하고, 만물은 토(土)로부터 생하죠. 水火木金 또한 土를 바탕으로 시작하니 오운의 시작은 土가 됩니다.

오행은 목기(木氣)가 주체가 되는 자연법칙이며, 오운은 토기(土氣)가 주체가 되어 갑기토운(甲己土運)을 머리로 삼아 [土-金-水-木-火]

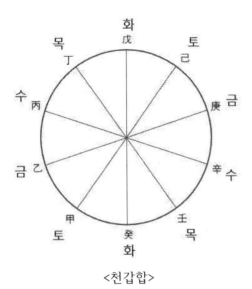

로 상생(相生) 순환하는 원리입니다. 천간 甲木이 여섯 번째 천간인 己土와 합을 하여 戊土 오행으로 바뀌게 됩니다.

<천간의 음양지합(陰陽之合)>

양간이 음간과 합할 때는 정재와 합하는 것이 되고, 음간이 양간과 합할 때는 정관과 합하는 것이 됩니다. 예를 들어 甲과 己가 합하는 경우 甲의 입장에서

<천갑합>

己는 正財가 되고, 己의 입장에서는 甲은 正官이 되죠. 남자가 官이 되면 여자는 財가 되고, 양과 음의 완벽한 결합체가 되는 것입니다. 천간지합(天干之合)은 남녀, 음양의 결합을 의미합니다. 부부, 남녀의 애정 관계를 의미하죠. 천간합은 정관(남편)과 정재(처)의 합입니다.

<천간합의 작용>

天干合	合化五行	쓰임
甲-己	土	戊
乙-庚	金	庚
丙-辛	水	壬
丁-壬	木	甲
戊-癸	火	丙

2. 천간충(天干沖)

천간충은 상반되는 오행의 기운끼리 부딪치는 것을 말합니다. 양은 양끼리, 음은 음끼리 충돌합니다.

생장하는 木氣(甲乙)와 수렴하는 金氣(庚辛)가 서로 대립하고 충돌합니다(金木相沖).

분열 확산하는 火氣(丙丁)와 응축 저장하는 水氣(壬癸)가 서로 대립하고 충돌합니다(水火相沖).

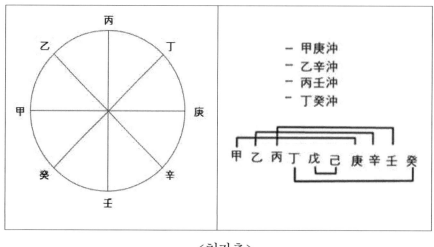

<천간충>

충은 음양이 조화되지 않고 서로 대립하며 기질이 상충되는 오행끼리 정면충돌함으로써 변화를 일으킵니다. 합은 음과 양이 합하여 만물을 낳는 부부의 도를 상징하나, 충은 편음(偏陰) 편양(偏陽)이 만나 음양의 부조화를 이루니 상극보다 더 큰 기세의 변화를 일으키게 됩니다.

천간은 동적인 기운이므로 충(沖)하면 강하게 요동치면서 운동에너지가 활성화됩니다. 충(沖)하면 갑자기 움직이게 되는 변화가 생길 수 있죠. 충격, 불화, 분리, 이동, 발동, 촉발, 혁신, 창조, 전화회복 등 적극적인 변화를 초래할 수 있습니다. 인사적으로 보면 이사, 이직, 여행, 유학, 사업확장 또는 축소, 주거변동, 이민, 별거, 이혼 등 상황에 따라 긍정적이거나 부정적인 변화를 만들어냅니다. 그런데 지지에 통근하거나 지장간에 뿌리가 있으면 천간충은 쉽게 일어나지 않습니다.

충(沖)은 충(沖)으로써 요동치는 기운을 충(沖)하여 기운을 잠재우기도 합니다. 잠자고 있는 기운은 일깨워 활성화시키는 역할을 하기 때문에 이를 받아드려 활력을 얻게 되면 좋은 기운으로 작용이 되고, 활성화된 기운을 제대로 수용하지 못해 그 기세를 올라타지 못하면 흉이될 수도 있습니다. 파도가 출렁일 때 서핑을 즐기듯 타이밍을 제대로맞춘다면 큰 성공을 이룰 수도 있지만, 준비가 되지 않으면 파도에 묻히게 될 수도 있는 것입니다.

합(合)은 안정성을 추구하지만, 충(沖)은 역동적인 활력을 불리일으킵니다. 그러므로 옛 농경사회에서는 합이 길하지만, 변화가 심한 현대사회에서는 오히려 충이 역동적인 삶을 가져오게 하는 역할을 하기도 합니다. 안정적이지만 변화 없는 지루한 삶이 반드시 행복으로 직결되는것이 아니듯, 역동적이고 활력이 넘치는 변화 있는 삶이 항상 불안한것만은 아닌 것이죠.

합(合)도 사주명국의 작용에 따라 긍정적인 면과 부정적인 면으로 나타나듯이, 충(沖)도 양면성을 가지고 있습니다. 戊己는 방위상 중앙(土)에 위치하여 상호대립이 없고, 또 모든 오행을 품는 중화적 기운이므로충이 일어나지 않습니다.

충(沖)과 충(衝)은 의미가 전혀 다르다는 것을 알아야 합니다. 충(衝)은 서로가 깨어지고 부서지는 물리적 충돌(衝突)로서 원상회복이 어렵죠.

그러나 충(沖)은 물리적 충돌이 아니라 기운의 부딪힘입니다. 예를들어 구름과 구름이 부딪히면 충격으로 흩어지지만 결국에는 서로를 휘감으며 하나가 되죠. 동등한 기운이 부딪히면 충격이 흡수되어 고요해집니다. 한쪽이 강하고 한쪽이 약하다면 처음에는 약한 쪽이 밀리다가결국은 서로를 휘감으며 타협을 이루고, 중화되어버리죠. 서로 부딪히는충(沖)이 약하다면 서로 휘감으며 쉽게 하나가 되기도 합니다. 그러므로 충(沖)은 득실(得失)을 동시에 내포하고 있는 작용이라고 할 수 있습니다.

『노자』 42장에 나오는 충(沖)의 의미를 음미해보시기 바랍니다.

萬物負陰而抱陽　沖氣以爲和
만물부음이포양 충기이위화

만물은 음을 지니고 양을 향하며,
음양이 융합된 충기(沖氣)로써 중화(中和)를 이룬다.

　　합이나 충은 중화를 지향하는 음양의 상호작용의 일환입니다. 상반된
성질의 음과 양이 서로 부딪히면서도 마침내 하나(一)를 지향해 나가듯
이, 같은 기운끼리의 충도 울림은 크지만 결국은 하나를 지향해 나가는
상호작용 중의 일환인 것입니다. 상호작용이 지향하고 있는 중화(中和)
는 음과 양이 대소·장단·강약으로 서로를 보완하며 하나의 원을 이루고
있는 태극을 상징합니다.

제48강 삶을 뒤흔드는 지지 합충

1. 육합(六合)

지구가 23.5도로 기운 상태에서 자전하는 원리에 따라 회전축을 중심으로 같은 위치에 있는 기운끼리 합을 이루며 새로운 오행의 기운을 생성합니다.

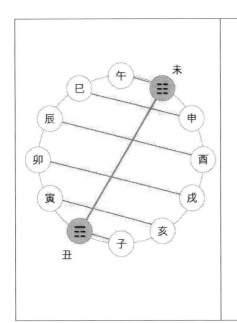

(天): **寅申巳亥**

寅亥 合木 (木星)

巳申 合水 (水星)

(人): **子午卯酉** + (地): **辰戌丑未**

子丑 合土 (土星)

卯戌 合火 (火星)

辰酉 合金 (金星)

午未 合火 (火星)

육합은 일월(日月)이 합삭(合朔)한 것에서 유래하며, 태양과 지구가 달을 중심으로 일직선상에 놓이는 경우를 말합니다. 2개의 지지합으로 생성된 오행의 기운은 계절적 기후의 특성인 한난조습(寒暖燥濕)이 융합되어 만든 환경적 기운으로서 천간오행의 기세를 도와주는 뿌리 역할을 수행합니다.

(1) 子-丑 合 土
어둡고 차가운 겨울 기운인 子와 丑이 만나 합을 이루면 土氣가 생겨나므로 은둔하면서 계획하고 준비하는 기운이 됩니다.

(2) 寅-亥 合 木
寅과 亥가 만나 합을 이루면 木氣가 생겨나므로 용출, 시작, 전진, 창조적 활동 등 봄에 만물이 생장하듯 새로운 일을 시작하는 기운이 됩니다.

(3) 卯-戌 合 火
卯와 戌이 만나 합을 이루면 火氣가 생겨나므로 완성, 질서, 절정, 명예, 겉을 치장하는 화려함 등을 의미하며, 밖으로 자신을 드러내려는 외향적 성향으로 적극적으로 활동하는 기운이 됩니다.

(4) 辰-酉 合 金
辰과 酉가 만나 합을 이루면 金氣가 생겨나므로 숙살지기, 결단, 분별, 냉철, 권력 등을 의미하며, 알갱이와 쭉정이를 가려내는 의로운 기질이 있습니다.

(5) 巳-申 合 水
巳와 申이 만나 합을 이루면 水氣가 생겨나므로 활동적인 기운이 점차 안정되고, 활동의 영역을 줄이며, 휴식을 취하는 기운이 됩니다.

(6) 午-未 合 火

뜨겁고 활동적인 午火와 여름 열매를 숙성시키는 未土가 만나 합을 이루면 火氣가 생성되어 일을 완성시키고, 양기를 모아 열매(결과)를 만들어내고자 하는 기운이 됩니다. 오(午)는 처음으로 음이 생기는 때로서 확산하는 양기를 저지하여 열매를 키우는 기운이고, 미(未)는 분열과 확산을 상징하는 양이 주도하는 건도(乾道)의 시대에서 수렴과 저장을 상징하는 음이 주도하는 곤도(坤道)의 시대로 대변혁이 일어나는 시점으로서, 중화적 성정을 지닌 대인배의 기질이 있습니다. 화합과 조화를 이루는 기운으로 협상, 교역, 중재를 다루는 환경이 조성됩니다.

2. 육충(六沖)

기운이 반대인 계절 간의 충(沖)으로서 한난(寒暖) 기후와 조습(燥濕) 기후 간의 충(沖)을 의미합니다. 12개월 순환을 나타내는 12벽괘(군주괘)로 비교해 보면, 계절적으로는 서로 다른 기운으로서 괘의 음양이 서로 반대가 됩니다.

인신사해(寅申巳亥)는 인신사해끼리, 진술축미(辰戌丑未)는 진술축미끼리, 자오

地支	子午	丑未	寅申	卯酉	辰戌	巳亥
충(沖)	沖	沖	沖	沖	沖	沖

<지지충>

묘유(子午卯酉)는 자오묘유끼리 서로 극하는 관계가 되죠. 양은 양과 부딪히고, 음은 음과 부딪힙니다.

인묘진(寅卯辰) 동방목국(東方木局)과 신유술(申酉戌) 서방금국(西方金局)이 금목충(金木沖)을 하고, 사오미(巳午未) 남방화국(南方火局)과 해자축(亥子丑) 북방수국(北方水局)이 수화충(水火沖)을 하는 것입니다.

계절적으로는 [춘(春)-추(秋), 하(夏)-동(冬)] 간의 상충(相沖)이며, 기후로는 [한(寒)-난(暖), 조(燥)-습(濕)] 간의 상충(相沖)이 되는 것입니다.

지지충은 지지에 암장된 천간(지장간) 상호 간의 충극(沖克)을 의미합니다. 예를 들어 子午沖은 子중의 癸水가 午중의 丁火를 극하고, 午중의 己土가 子중의 癸水를 극하는

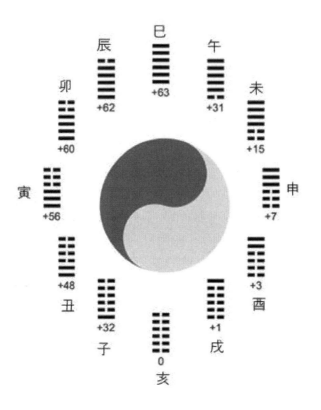

<12벽괘와 12지지 수리>

것이죠. 지지의 충돌이 암장된 천간 간의 충극으로 이어지는 것입니다. 다른 지지충도 같은 원리로 이해하면 됩니다.

12벽괘를 보면 충은 반대인 배합괘끼리의 충을 의미합니다. 반대 괘로서 서로 충하면서도 합을 추구함으로써 상호 보완관계가 되어 순수

기운인 건(乾☰)과 곤(坤☷)을 이루며 태극을 완성하는 것이죠. 수리적으로도 서로의 수를 합하면 63으로 태극이 됩니다.

자오충(子午沖)을 예로 들어보겠습니다.

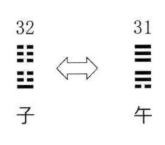

12개월괘(12벽괘)를 보면 자(子)는 지뢰복이 되고, 오(午)는 천풍구가 됩니다. 2진법으로 산정된 양효의 수리가 子는 32가 되고 午는 31이 되며, 이를 합하면 63으로 하나의 원(태극)을 이루죠(중천건괘 ☰63).

두 괘의 상호 대립하는 효는 대립인자인 음과 양으로 대립하면서도 서로 짝을 이루고 있습니다. 서로 충하면서도 중화를 추구하며 하나(一)를 지향하는 것이라 할 수 있죠. 즉, 충은 상호대립 관계이면서도 서로를 보완하는 상호의존관계라 할 수 있습니다.

그러므로 충이 내게 득(得)이 되기도 하고 실(失)이 되기도 하는 것은 결국 중화를 이루어가는 과정에서 내가 어떻게 처신하고 대응하는가에 달려있는 것이라 할 수 있습니다. 다른 경우도 원리는 모두 같습니다.

지지충(地支沖)은 지지 고유의 성질을 상실케 하는 작용을 합니다. 그러므로 하늘의 천간은 뿌리가 흔들리게 되고, 지장간에 암장된 천간은 집이 무너져 근거를 잃게 되니 오행의 쓰임이 약화되는 결과를 초래할 수 있습니다. 지지충은 근본적으로 기반, 터전의 충이므로 충하면 기반이나 터전이 흔들리고 움직이게 되는 동적인 변화를 유발하게 됩니다. 묶여있는 것을 풀어주어 활성화시키고, 흩어져 있는 것은 동하여 제자리를 찾게 해주기도 합니다.

충(沖)은 천간의 터전을 흔드는 것이므로 활성화된 에너지를 긍정적으로 받아들이고 활용하면 득이 되고, 부정적으로 받아들이게 되면 실이 되는 것이니, 애초에 좋고 나쁨이란 없다고 볼 수 있습니다.

제49강 슈퍼바이저, 용신

　살다 보면 똑같은 상황이 닥쳤을 때 개인마다 대응하는 방식이 다르고, 그러므로 전개되어 가는 방향도 서로 다르다는 것을 알 수 있습니다. 이것은 그 사람이 가지고 있는 특이성과 주어진 환경이 서로 다르기 때문이죠. 사주명국으로 보자면 나를 구성하는 간지의 배치가 서로 다르고, 들어오는 운도 서로 다르게 들어와 다양한 방식으로 부딪힙니다. 당연히 상호작용은 저마다 다르게 일어날 것이고, 그 결과 중화로 상징되는 변화도 다양한 방식으로 귀결될 것입니다.

　일간이 나를 상징하지만 나를 이끌고 주관하는 기운은 저마다 다르죠. 나를 주관하는 기운을 용신이라고 합니다. 당연히 용신을 모르고서는 사주 여덟 글자를 제대로 읽을 수 없습니다. 음양오행의 이치와 용신의 원리를 모르면 뿌리 없는 술법과 술수에 빠지게 됩니다. 사주 여덟 글자만을 가지고도 가지각색의 셀 수 없는 술법과 술수들이 묘법인 양 만들어지고 있습니다.

　사주명리학을 이해하기 위해서는 다양한 잡술에 유혹되기보다 오행의 생극제화, 천간 지지의 잠재적 가능태인 지장간, 간지를 인사로 표현한 십신(十神), 변화를 일으키는 합충, 출렁이는 기의 파동을 인사적 원리로 표상한 12운성, 텍스트에 불과한 사주명국에 접속하여 현재의 변화를 일으키는 운(대운, 세운), 근묘화실, 육친 등의 기본적인 이해에 집중하여야 합니다.

전에 읽었던 무협지 중에 기억나는 것이 있는데, 무술의 기본에만 집중한 칼잡이가 현란한 칼 솜씨보다는 단칼 일획에 승부를 짓는다는 장면이 있었죠. 아무리 현란한 칼솜씨를 가진 무사와 대결을 해도 단칼에 여지없이 무너뜨린다는 내용입니다. 어찌 보면 사주팔자에 대한 간명도 현란한 술수와 세 치 혀를 이용해 능수능란하게 통변한다고 해도 단칼 일획을 이길 수 없다고 할 수 있습니다. 통변에는 정답을 맞히기 위한 잡다한 기술과 현란한 말솜씨보다는 인간에 대한 진심 어린 애정과 사주 원리에 대한 깊은 이해, 그리고 인문적 차원의 높은 통찰이 더 요구되는 것이죠.

<용사신(用事神)과 소용신(所用神)>

용신은 월지장간을 쓰는 용사신(用事之神)과 일간 외 7개의 간지에서 일간의 억부를 통하여 도와주는 일반 용신, 즉 소용신(所用之神)으로 나뉩니다. 본서에서의 용신(用神)은 월지장간을 중심으로 하는 용신, 즉 용사지신(용사신)과 일간을 억부하는 소용지신(소용신)을 의미합니다. 일반적으로 일간의 소용하는 바에 따라 일간이 쓰는 일반적 의미의 용신, 즉 소용지신은 반드시 월령에서만 찾지 않고 일간을 제외한 나머지 7개 간지에서 모두 찾는다는 점이 월령에서만 찾는 용사지신과 다른 점이라 할 수 있습니다.

『자평진전』에서 「용신」은

八字用神 專求月令
팔자용신 전구월령

팔자에서 용신은 오로지 월령(月令)에서 찾는다.

라고 하여 용사지신을 지칭함으로써 일반적인 소용지신과 구별하고 있습니다.

서대승도『子平三命通變淵源자평삼명통변연원』에서

用神不可損傷 日柱最宜健旺 (……) 取用憑於生月
용신불가손상 일주최의건왕   취용빙어생월

용신은 손상이 되면 안 되고, 일주(日柱)는 전왕한 것이 가장 좋다. (……) 취용(取用)은 태어난 월(月)에 의거한다.

라고 하여 용신을 월령(月令)에서 찾고 있습니다.

『적천수』에서는 용신을 용사지신(用事之神)과 구별하여 소용지신(所用之神)으로 표현하고 있습니다. 즉, 월령의 인원(人元)은 용사지신이며 집의 방향을 정하는 것이라 정의하고 있습니다.

月令乃提綱之扶 譬之宅也 人元爲用事之神 宅之定向也
월령내제강지부   비지택야 인원위용사지신   택지정향야

월령은 제강부서이며 집으로 비유하면 인원은 용사지신으로서 집의 방향을 정하는 것이니 선택하지 않으면 안 된다.

月令如人之家宅 支中之三元 定宅中之向道 不可以不卜
월령 여인지가택 지중지삼원 정택중지향도   불가이불복

월령은 사람의 집과 같고, 월지 중의 삼원은 집의 방향과 도로를 정하는 것이니 선택하지 않을 수 없다.

인원(人元)은 지장간에 암장되어 있는 천간을 말하며, 용사(用事)는 '권력을 장악하다, 일을 처리하다, 일을 담당하다'의 의미입니다. 따라서

원문(原文)에서는 월령에 암장된 지장간 중 용사지신은 사주명국의 권력을 장악한 신(神)으로서 명(命)의 방향을 정한다고 보고 있습니다. 원주(原住)에서도 원문의 취지와 동일하게 월령(月令)을 강조하고 있죠. 삼명(三命)은 삼원(三元) 즉 천원(天元) 지원(地元) 인원(人元)을 의미합니다.

용사신은 [본기-중기-여기] 순으로 하며, 천간에 투출하여 드러난 것을 우선으로 삼고 있습니다. 월지가 일간과 오행이 같을 경우, 일간과 오행이 다른 여기나 중기가 투간하면 그것을 용사신으로 정하게 됩니다.

월지장간이 투출하지 않으면 월지의 본기를 용사신으로 삼고, 지장간이 동시에 투출하면 본기 중기 여기 순으로 용사신을 정합니다. 예를 들어 辛이 寅월에 태어나고 중기인 丙이 투간되면 용사신은 정관이 되지만, 또 본기인 甲이 투간되면 정재가 되는 것이니 정관은 이에 겸하는 神이 됩니다.

참고로 서락오는『자평진전평주』에서 심효첨의『자평진전』의 원의(原意)와 다르게 용사지신을 일반적 의미의 용신, 즉 소용지신으로 평주함으로써 혼란을 야기하고 있습니다.

用神者 八字中所用之神也 八字中察其旺弱喜忌 或扶或抑 卽以扶抑之神
용신자 팔자중수용지신야 팔자중찰기왕약희기 혹부혹억 즉이부억지신
爲用神
위용신

용신은 팔자 중의 소용지신(所用之神)이니, 팔자 중에서 왕약(旺弱)과 희기(喜忌)를 살펴서 돕기도 하고 억제하기도 하는데, 즉 돕거나 억제하는 신이 용신이 된다.

본서는 이명재 박사의 학술논문 「자평진전의 용신 고찰」에서 논리적으로 설명하고 있는 용신에 관한 이론을 따라 "용사신(用事神)"으로

칭합니다.

　　『자평진전』의 용신은 용어상으로는『자평삼명통변연원』의 용신을 따르고, 의미상으로는 『적천수』원문의 용사지신을 취한 것이다. 따라서 『자평진전』에서의 용신은 용사지신의 의미로서 사주의 전체 국을 '관장하는 신(神)'이라고 할 수 있다. 그러므로 『자평진전』의 용신(用神)은 용사지신(用事之神)의 줄임말이므로 다른 원전의 소용지신(所用之神)과는 확실히 구별할 필요가 있다. 그러므로 『자평진전』에서의 용신(用神)은 용사지신(用事之神)의 의미로서 '之'는 단순수식 기능의 어조사이므로 줄여서 '용사신(用事神)'으로 해석할 것을 제안한다.[27]

　계절 기운을 품고 있는 용사신은 명국과 운 전체를 통어하는 강력한 신으로서 이를 이길 수 있는 신은 없습니다. 다만 일간에 득이 될 수 있도록 월령을 중심으로 재관인식(財官印食)은 순용(順用)하고, 살상겁인(殺傷劫刃)은 역용(逆用)하는 것으로 중화(中和)를 조절할 수 있습니다.

　용사신이 천간에 투출되어 있을 때 운이 접응해 들어오면 용사신의 기세가 가장 강왕해집니다. 이때 용사신은 스스로 발동하여 적극적으로 운에 참여하여 활동하게 됩니다.

　월지장간이 명국을 통어하는 용사신이라면, 일지장간은 나의 잠재성, 가족, 부부 등 나의 백그라운드가 됩니다. 지장간이 투출하면 잠재성이 드러난 것으로 활동성이 강화되죠. 예를 들어 부부궁으로 통변할 경우, 일지장간이 투출하면 처 또는 남편의 활동성이 강화되고, 운이 접응하는 경우 응기(應氣)가 됨으로써 다양한 통변이 가능해집니다.

　시지장간은 미래시제이므로 일간보다 기세는 약하지만, 일간(나)의 미래, 또는 자녀(子女)가 되므로 활용도가 높습니다.

　년지장간은 선택할 여지가 없는 이미 지나버린 과거시제이므로 활용도에 있어서 다른 지장간보다는 약하다고 할 수 있겠습니다.

---

27) 이명재, 「자평진전의 용신 고찰」, 『동방문화와 사상』 제12집, 동양학연구소, 2022.

제50강 용사지신(用事之神)

<용사신(用事神)>

월지는 만물의 생사여탈권을 쥐고 있는 조후(調喉)입니다. 사시를 순환하는 계절 기운을 역행할 수 있는 만물은 그 어디에도 없죠. 그러므로 월지가 내장하고 있는 지장간이 투출하는 경우에는 사주 여덟 글자를 용사(用事)하는 강력한 용사지신(用事之神)이 됩니다. 용사신(用事神)은 명국 전체를 통어(統御)하는 조후의 중심으로서 월지가 품고 있는 지장간이며, 어떤 목적을 가지고 일간의 길흉득실에 간여하지 않습니다. 계절의 기후가 개개인에게 억하심정으로 길흉을 만들어내는 것은 아니죠. 자연은 누구에게나 공평하죠. 그러므로 일간의 길흉에 관계없이 투출한 용사신은 상신(相神)의 시의적절한 억부가 없다면 일간을 무시하고 폭주할 수도 있습니다. 일간을 위한 용사신의 활용은 상신에게 달려있다 해도 과언은 아니죠. 용사신은 변화의 흐름이 큰 대운을 중심으로 보며 상황에 따라 세운을 함께 분석합니다.

명국의 틀을 세우는 것은 월주입니다. 월간은 사주명국의 틀(그릇), 즉 꼴을 의미하고, 월지에 암장된 지장간은 명국 전체를 관장하고 제어하는 용사신이 됩니다. 즉, 월지장간은 사주명국에 시스템화되어 있는 용사지신인 것이죠. 월지장간 용사지신이 명국을 중화지기로 이끌면 명국은 안정되고, 기운이 편재되면 작용력이 활성화되어 명국은 활동적이 됩니다. 이 경우 기운이 지나치게 강왕하거나 쇠약하여 일간을 해치게 되면 상신(相神)으로 억부함으로써 중화지기(中和之氣)를 조절하게 됩니다.

『자평진전』은 용신(用神)에 대하여 다음처럼 정의를 내리고 있습니다.

팔자에서 용신은 오직 월령에서 구한다.28)

무릇 사주를 보는 자는 용신이 어떤지를 먼저 살핀 후에 비로소 순용할 것인지 아니면 역용할 것인지, 배합하여 균형을 이루었는지를 살피면, 부귀빈천의 이치가 자연히 드러날 것이다. 월령에서 용신을 구하지 않고 망령되이 용신을 취하려 한다면 거짓에 빠져 진리를 잃는 격이다.29)

사주명국은 우주의 기운이 모여 나라고 하는 존재를 특징짓는 좌표를 의미합니다. 일간은 나머지 7개의 오행과 시의적절하게 조화된 나 자신의 표상인 것이죠. 태어날 당시의 우주적 기운이 적절하게 중화를 이루어 나라고 하는 좌표를 찍은 것이라 할 수 있습니다. 사람은 저마다 특징화되어 있는 좌표를 가지고 있죠. 누군가는 음양의 편중, 오행의 편중 또는 중화적이라는 자신만의 사주의 특색을 가지고 있습니다.

어떤 이는 火五行이 편중되어 있고, 또 어떤 이는 木五行, 金五行 또는 水五行이나 土五行이 편향되어 있을 수도 있죠. 이것은 우주를 통틀어 다른 이와 차별화되는 나 자신의 모습을 의미합니다. 우주의 부분으로서 개개의 사물들은 음양오행이 편중되어 각각 특성을 가진 좌표를 가지고 있지만, 우주 전체적으로 보면 태극처럼 음양은 일체로써 균

---

28) 심효첨, 『자평진전』, "八字用神 專求月令"
29) 심효첨, 『자평진전』, "凡看命者 先觀用神之何屬 然後或順或逆 以年月日時逐 干 遂支 參配而權衡之 則富貴貧賤自有一定之理也 不向月令求用神 而妄取用神者 執 假失眞也"

형을 이루고 있습니다. 음이 부족하면 양이 채워주고 양이 부족하면 음이 채워주어 전체적으로는 균형이 잡힌 태극원(太極圓)을 이루는 것이죠. 만일 부분부분 모두가 중화를 이루고 있다면 우주는 그 순간 작용을 멈추고 말 것입니다. 사주팔자는 음양과 오행이 편재와 편중으로 저마다 특색이 있는 균형과 조화를 이룸으로써 설정된 나의 좌표인 것입니다. 그러므로 나의 특성이 기록된 좌표를 무시하고 무조건 중화를 지향한다면 나만의 독특한 개성을 무력화시키는 결과를 가져올 수도 있는 것입니다.

『주역』 건(乾)괘 「단전」에 "보합대화(保合大和)"라는 어마무시한 뜻을 가진 글이 나옵니다. 역학(易學)이 지향하는 최고의 목적지점입니다.

保合大和 乃利貞
보합대화 내이정

독특한 좌표를 가진 개개인이 모여서 상호작용함으로써 중화(中和)를 지향하고, 우주 전체적으로 다양한 중화들이 모여 더 큰 단위인 대중화(大中和)인 대화(大和)를 지향한다.

태극음양도에서 보듯이 음양의 불균형은 만물을 낳는 원리입니다. 中和란 상반된 대립적 성정의 음과 양이 서로 밀고 당기는 상호작용을 통해 합일점을 찾아 交合의 영역을 만들어 가는 과정이라 할 수 있죠. 완전한 균형과 조화란 있을 수 없으며, 완전무결한 균형을 상징하는 大和는 상호작용의 至高의 가치로서 中和가 지향하는 최고의 지향점이라 할 수 있으니, "保合大和 乃利貞"[30]이란 바로 이를 정의하는 것입니다.

그러므로 음양과 오행이 서로 다양한 편재와 편중을 이룸으로써 저마

---

30) 『周易』, 「象傳」 重天乾, "保合大和, 乃利貞."

다 독특한 좌표를 가지고 있기 때문에 사람과 사람이 만날 때는 중화지기(中和之氣)를 고려하는 것도 좋겠죠.

예를 들어 火氣가 강왕한 경우 水氣를 가진 사람을 만난다면 내 기운이 중화되어 절제될 수 있습니다. 사람과 사람이 모여 집단을 이룬다는 것은 독특한 사주팔자들이 모여 중화를 이룸으로써 또 다른 성격의 집단을 구성하는 것을 의미하며, 그러므로 무리마다 어떤 성향의 개개인들이 모였느냐에 따라 그 무리의 중화적 특성이 달라지는 것입니다. 즉, 중화라는 것은 모두가 동일한 것을 의미하는 것이 아니라 다양한 구성분자들에 의해 성격을 달리하는 것이죠. 보합대화(保合大和)란 중화(中和)가 모여 더 큰 우주적 중화인 대화(大和)를 지향한다는 의미입니다.

그러므로 개인적으로 볼 때 무조건 중화를 지향하는 것보다는 나 자신만의 독특한 사주팔자의 개성을 제대로 살리는 것이 좋습니다. 중화가 좋다 하여 무조건 중화를 지향한다면 오히려 나 자신의 특성이 무력해질 수도 있는 것이기 때문이죠.

명국을 해석할 때, 나는 너와 다른 독특한 존재라는 것을 우선 인식해야 합니다. 나는 음양오행의 상호작용으로 생화된 독특한 천상천하유아독존(天上天下唯我獨尊)이며, 천지 만물과 상호관계성을 통해 서로 고리(環)를 이루며 전일성(全一性)으로 존재하는 "환존(環存)"인 것입니다.

일간은 사주팔자 내의 다른 오행과 상호작용을 통해 특징화되는 나 자신입니다. 특히 계절의 기운인 월지의 영향이 일간의 특징화에 가장 큰 영향을 주게 되며, 그러므로 월지장간(용사신)을 일간의 득실을 위하여 가장 시의적절하게 쓰는 것이 최선의 방법이라 할 수 있습니다. 다만 월지장간 용사신이 지나치게 강왕하거나 쇠약하여 일간을 해하게 되는 경우 중화지기인 상신(相神)을 활용하여 용사신의 기운을 억부(抑扶)함으로써 일간의 득실을 저울질합니다.

제51강 소용지신(所用之神)

<소용신(所用神)>

소용신(所用神)은 일간을 억부하여 나머지 간지와의 힘의 균형을 조율하여 중화를 만들어 가는 용신을 말합니다. 소용신은 크게 억부용신와 조후용신으로 구분되지만 원리는 동일합니다.

-억부용신은 일반적으로 (억부, 조후, 통관, 병약, 전왕) 용신 등
을 가리킨다.
-조후용신은 일간의 생존에 필요한 소용지신으로서 조후를 바탕
으로 천간을 중심으로 본다.

소용신은 필요에 따라 시의적절하게 일간을 억부함으로써 일간의 중화를 조절하며 길흉을 판단합니다. 즉 신약한 일간은 생조 함으로써 기운을 부양하고, 신강한 일간은 극제 함으로써 기운을 억제하여 힘의 균형을 조율합니다.

일간의 신강 신약을 판단하는 데에는 월지를 중심으로 하는 조후가 중요한 역할을 합니다. 즉 사주팔자가 화기(火氣)로 기울어져 있다면 운에서 수기(水氣)의 흐름을 반기고, 수기로 편중되어 있다면 운에서는

화기의 흐름을 반기게 되는 것입니다.

예를 들어 일간이 목(木)일 때, 월지를 중심으로 조후가 뜨거운 여름이라면 목기(木氣)가 설기되어 신약해지므로 운에서는 이를 식혀주는 겨울의 차가운 기운이 들어오면 서로 기운이 상쇄되어 조화를 이루게 되는 것입니다.

소용신은 변화의 흐름이 빠른 세운을 중심으로 간명합니다.

월령을 얻은 천간이 있는 경우 용사신을 억부하고(用事之神),
월령을 얻은 천간이 없는 경우 일간을 억부합니다(所用之神).

일간을 억부하는 소용신은 일간의 신강·신약에 따른 사주팔자의 상황에 따라 달라지는 반면에, 월지장간에 시스템화되어 있는 용사신은 투출하여 천간에 고정되므로 상황에 따라 달라지지 않는 고정된 법칙을 가지고 있습니다.

용사신은 일간의 필요에 상관없이 강제력을 가지며, 파격이 되면 일간에게 도움이 되지 않으므로, 이 경우 상신의 도움조차 없다면 일간의 필요에 따라 쓰는 소용신의 도움을 받게 됩니다. 용사신은 만물이 거스를 수 없는 계절의 기운을 품고 있는 신으로서 용사신이 파격이면 소용신의 도움을 청할 수밖에 없습니다.

용사신(用事神)은 일간의 의지와 관계없이 사주팔자(四柱八字)를 이끌어 가는 강력한 힘이지만 소용신(所用神)은 일간의 소용(所用)하는 바에 따라 시의적절하게 활용하는 신입니다. 그러므로 소용신은 세운과 월운처럼 쉽게 출렁이는 개인 소사를 중심으로 간명하고, 용사신은 대운처럼 장기간에 걸쳐 변화하는 사회적 대사를 위주로 간명합니다. 반드시 그러한 것은 아니며, 명국 전체를 판단하여 상황에 따라 용사신과 소용신을 적절하게 활용하는 것이 좋습니다.

　상황에 따라 용사신은 대운, 소용신은 세운을 판단합니다. 용사신은 명국을 용사(用事)하는 월령용신으로서 사회적 활동의 대소사(大小事)를 위주로 분석하며, 소용신은 일간에게 소용되는 건강, 육친 등 개인의 대소사를 위주로 합니다.
　용사신과 소용신이 서로 다른 경우가 많죠. 이것은 용사신은 월령용신으로서 사회성(외부)을 판단하며, 조화용신인 소용신은 개인사(내부)를 판단하기 때문입니다. 그러므로 사회적 성공과 가정사는 서로 다르게 나타날 수가 있겠죠. 비록 사회적으로는 성공했어도 가정적으로는 불행한 경우가 있으며, 가정적으로는 안정되고 행복하지만, 사회적으로는 그럭저럭 평범하게 사는 경우도 많이 있습니다.

제52강 용사신의 활용

용사신(用事神)이 명국 천간에 투출해 있다면, 용사신은 명국 전체와 접응하는 운에 지배력을 강화하여 전체를 통어하게 됩니다. 운에서 용사신이 접응해 들어온다면, 즉 명국에 투출되어 있는 용사신과 같은 글자(간지)가 운에서 접응해 들어온다면 용사신은 명국과 현재 흐르고 있는 시간인 운을 제어하는 강력한 힘을 발휘하게 됩니다. 용사신이 과강한 경우 이를 제어하는 상신이 있으면 균형을 이룰 수 있어 길하게 되죠.

용사신이 명국 천간에 투출하지 않았다면, 명국은 소용신(所用神)을 찾아 균형과 조화를 위한 상호작용을 계산하게 됩니다. 이 경우 월지에 암장해 있던 용사신이 운에 발동한다면 이미 명국을 제어하는 소용신과의 힘의 균형을 통해 중화를 제어함으로써 득실을 판단합니다. 용사신이 운에 발동하는 경우 사주팔자와 더불어 운을 통어하는 것이죠.

<사주 용어>

용사신(用事神): 명국의 월지장간에 내재한 시스템화된 용신으로서, 천간에 투출 또는 운에 발동함으로써 용사(用事)한다. 용사신은 음양과 오행의 편재와 편중을 명주의 특성(identiy)으로 한다. 용사신은 계절

기운이 내재된 월지장간 용신으로 지구가 일간 명주에게 주는 특화된 나만의 기운이다. 주로 기(氣)의 큰 파도인 대운을 분석한다. 상신의 도움을 받는다.

상신(相神): 용사신을 억부하여 일간의 길흉·득실을 저울질하는 신이다. 용사신(월지장간)은 일간에 특화된 기운, 지구가 내게 주는 최적화된 에너지라 할 수 있다. 그러므로 월지장간이 투출하여 용사신으로서 용사(用事)할 때, 적절하게 제어해 주는 상신이 있다면 일간에게는 더 이상 바랄 것은 슈퍼바이저(Supervisor)다. 적절한 제어라 함은 용사신이 강왕하면 설기 해주고, 과약하면 생조해주는 것을 의미한다.

소용신(所用神): 일간을 억부하여 일간의 득실을 저울질하는 신으로서 일반적인 의미의 용신을 의미한다. 일간의 균형과 조화를 추구하며, 희기신(喜忌神)의 도움을 받는다. 기(氣)의 잔파도를 조율하는 년운과 월운을 분석한다.

일반적으로 활용하는 소용신에는 [억부용신, 조후용신, 통관용신, 전왕용신, 병약용신] 등이 있다. 이름은 달라도 모두 과강한 기운은 억제하고 과약한 기운은 부양하는 억부의 원리와 이치는 동일하다.

희신(喜神): 소용신을 억부하여 일간을 돕는다.

기신(忌神): 일간 또는 용신을 해하며, 일간을 병들게 하는 신이다. 병신(病神)이라고도 한다.

약신(藥神): 용사신과 소용신의 기신(病)을 제거하는 것이 약신(藥神)이다. 기신(병신)을 극파, 극설, 합거, 충거하여 병을 제거한다.

<용사신과 소용신의 분석의 예>

乙木일간에 식신상관이 강왕한 명국은 그 자체가 그 일간에게 최적화된 상태라 할 수 있습니다. 이 경우 강왕한 화기(火氣)를 적절하게 제어해 주며 일간을 생하는 수기(水氣)가 소용신이 될 것이고, 수기 없이 화기가 운(運)에서 들어온다면 乙木이 탈진되므로 기신(病)이 될 것입니다. 수기(水氣)가 적절하게 일간을 생조하고 화기를 극제하는 경우 일간은 식신상관 화기(火氣)를 도구로 쓰는데 거리낌이 없겠죠.

시 주 (정해)	일 주 (을미)	월 주 (병오)	년 주 (임인)
합	-	충	합충
식신	일간(나)	상관	정인
丁	乙	丙	壬
亥	未	午	寅
정인	편재	식신	겁재
戊 정재	丁 식신	丙 상관	己 편재
甲 겁재	乙 비견	己 편재	丙 상관
壬 정인	己 편재	丁 식신	甲 겁재

<건명(乾命) 사주팔자>

乙木일간 午火월지에 丁火가 투출하니 정화식신이 용사신(用事神)이 됩니다, 그러나 식상이 중하니 일간이 신약하여 식상을 제대로 쓸 수가 없죠. 이 경우 인성 壬水는 일간을 생조하고 동시에 식상을 억제할 수가 있으니 상신(相神)이 됩니다. 만일 인성이 없다면 파격이 되고 운에서 인성이 들어오면 성격이 됩니다.

소용신(所用神)의 관점에서 보면 식상이 중하여 일간이 신약하니 식상을 극제하고 일간을 생조하는 水가 억부용신이 되며, 조후(調喉)의 관점에서 보면 명국이 조열하므로 水運으로 흐르게 되면 팔자가 원활하게 움직이게 됩니다. 병약(病藥)의 관점에서 보면 병신(病神)인 火氣를 극제하는 壬水가 약신(藥神)이 됩니다.

제53강 사주팔자 해석의 원칙

<사주팔자는 균형과 조화를 지향한다.>

자연현상은 에너지의 균형과 불균형이 적절하게 배분되면 기후가 안정되지만, 어느 한쪽으로 치우치면 폭풍우가 일어나고 태풍이 불며, 화재가 발생하여 에너지의 이동이 급격히 발생하게 됩니다.

인간의 몸도 에너지의 순환이 적절하게 이루어지기 위해서는 균형과 불균형이 안정적으로 이루어짐으로써 기의 흐름이 원활하게 이루어져야 합니다. 그렇지 않고 어느 한쪽이 태과하거나 부족하게 되면 기의 흐름이 과속하거나 지나치게 느려짐으로써 혈관이 막히거나 터지게 되는 것이죠.

인생이라는 눈에 보이지 않는 운명의 흐름도 결국은 자연의 속성을 지닌 것이니 별반 다르지 않습니다. 예를 들어 인성과 비겁이 태과하여 일간이 태강한 경우 통계적으로 치매가 일어날 확률이 높다고 합니다.

(1) 오행이 과다(過多)하거나 과소(過少)하다는 것은 오행이 제대로 순환하지 못하고 한쪽으로 치우쳐 있다는 것이며, 이것은 십신이 적절하게 활성화되지 못하고 있음을 의미하고, 순환이 막히게 됨으로써 삶이 원활하게 돌아가지 못하게 될 수 있음을 의미합니다.

(2) 오행은 생과 극이 적절하게 분포되어야 있어야 오행의 순환이 자연스러워지고, 식신 육친 등 인사적인 문제가 원활하게 돌아가게 됩니다.

(3) 생(生)을 통하여 극(克)을 만들고, 극(克)을 통하여 생(生)을 만듭니다. 오행의 생극제화(生剋制化)는 생명 순환의 원리이며 그 자체가 길흉을 의미하지 않습니다.

(4) 사주명국은 기본적인 운세를 의미합니다. 기본적인 운(運)에 합(合)과 충(沖), 그리고 시간의 흐름에 따라 들어오는 대운과 세운을 통해 운세의 변화를 판단합니다.

(5) 운세를 분석한 후 처방을 해야 합니다. 처방은 생(生)과 극(克)이 적절하게 배분되도록 해야 하며, 제(制)와 화(化)를 통하여 견제함으로써 십신(十神)이 적절하게 활성화될 수 있도록 해주어야 합니다.

(6) 길(吉)만으로도, 흉(凶)만으로도 형상(形象)은 갖추어지지 않습니다. 吉이 지나치면 凶이 되고, 적절한 凶은 吉이 됩니다. 吉凶이 적절하게 조화를 이루는 것이 최고의 사주라고 할 수 있습니다. 길흉은 대립하면서도 서로를 의존하며 존재합니다. 吉 속에 凶이 있고 凶 속에 吉이 있는 것이죠.

(7) 오행이 부족하면 채워주고 과다하면 덜어주고, 막히면 뚫어주고 휑하게 뚫려 흉하면 적당히 막아줍니다. 더우면 차갑게, 차가우면 온기를 줍니다.

(8) 조후(調喉)는 실질적으로 우리의 삶에 직접 영향을 미치는 계절적 기운입니다. 사주 전체를 제어하는 월지(月支)의 기운에 따라 적절한 오행생극을 통해 생조(生助)와 생설(生泄), 극제(剋制), 극설(剋泄)을 적절하게 조절함으로써 中和(중화)에 이르는 길을 찾는 것이 좋은 사주 분석이라 할 수 있습니다.

(9) 완전한 균형은 존재하지 않습니다. 시소(seesaw)는 완전한 균형을 이루는 순간 상하작용을 멈추고, 태풍의 눈 속은 고요할 뿐이죠. 적당한 편재(偏在)와 편중(偏重)은 삶의 활력소가 됩니다. 조화란 음양의 적절한 섞임이지 완전무결한 균형을 의미하는 것이 아닙니다. 생장수장(生長收藏)의 순환은 음양오행의 시의적절한 편재와 편중으로 인하여 생생(生生)합니다. 적당한 기울기가 있을 때 물의 흐름이 좋다는 것을 이해하세요.

(10) 우리는 태어날 때부터 기본적으로 음양오행의 편재를 가지고 태어납니다. 사주를 볼 때 우리가 오해하는 것은 기운이 편재된 사주가 흉하다고 착각하는 것이죠. 그러나 기운의 편재는 만물(萬物)이 서로 독특함으로써 만상(萬象)을 달리하는 아이덴터디(identity), 즉 사물의 "자기동일성(自己同一性)"이라고 할 수 있습니다. 사주팔자의 음양오행이 불균형을 이루며 한쪽으로 편재되어있다고 해서 그 사람이 죽나요? 아니죠. 오히려 다른 사람과 차별화되는 음양오행의 편재는 그만의 독특한 주체성을 보여주는 요소라 할 수 있습니다. 그러므로 사주명국을 간명할 때는 사주팔자의 전체를 조망한 후 그만의 독특함을 이해하고, 생극제화를 통해 기운의 균형과 조화를 조절함으로써 그 자신만의 운세를 판단해야 합니다.

자연은 때를 따라 변화해 갑니다. 때를 놓쳐 변화를 따라가지 못한다면 그것보다 흉한 것은 없죠. 그러므로 명리(命理)는 때를 알고 그 변화의 때를 따라 적절히 대처해 나가는 수시(隨時)와 시중(時中)의 논리가 철학적으로 뒷받침되어야 합니다. 수시란 변화의 때를 알고 따르는 것을 말함이고, 시중이란 과하지도 부족하지도 않은 시의적절한 행위를 말합니다.

생년월일시(生年月日時)로 표현되는 사주(四柱)는 일월오성(日月五星)의 기운이 녹아 있는 코드로서 명주(命主)가 천상천하유아독존(天上天下唯我獨尊)의 존재임을 규정해 줍니다.

명리는 자연 속에서 그 구성원으로 태어난 사람의 사주를 통해서 시간의 흐름을 따라 변화해 나가는 생로병사(生老病死)의 과정을 분석함으로써 피흉추길(避凶趨吉)의 방법을 찾는 인문학입니다.

사주는 길흉의 때를 알려줄 뿐 자기 성찰과 수양을 통한 적극적인 해결을 추구하는 인문학적 철학이 부재하다고 할 수 있습니다. 그러므로 사주팔자 명리(命理)를 공부하는 자는 단순히 맞추는 것에 만족하기보다는 때를 따르는 시의적절한 대처행위를 상담해 줄 수 있는 인문학적 소양이 풍부한 철학적 논리를 갖추어야 할 것입니다.

사주명리학은 점쟁이 술법이 아닙니다.

사주팔자를 통하여 그 사람의 기본적인 운명과 성정, 성향, 기세, 방향성, 적성 등을 파악하고, 그리고 태어난 풍수적 환경, 부모의 교육환경이나 재산 정도, 교육 수준(전공), 직업, 배우자 궁합 등을 파악하여 현재의 상태를 분석한 후, 문점자(問占者)에게 맞는 방향성을 제시하고 확률적 판단으로 카운슬링(counselling)하는 것이 사주명리학의 기본이 되어야 합니다. 한날한시에 태어난 쌍생아도 삶의 방향이 서로 다른 것이 사실입니다.

송대의 주희(朱熹)는 "동즉변화(動卽變化)"라고 했습니다. 즉, 한날 한시에 태어난 쌍둥이도 언제 어느 방향으로 어떻게 움직이느냐에 따라 서로 득실이 달라집니다. 그러므로 전체를 통찰하지 못하고 부분에 지나치게 얽매인다면 결국 술수를 벗어나지 못하게 되겠죠.

사주를 통해 선천적으로 주어진 운과 성향, 기세 등을 파악하고, 본인의 자유의지에 의하여 선택하고 결정하는 후천적인 요소를 분석하여 100%의 확정성(確定性)을 추구하기보다는 잠재하고 있는 개연성(蓋然性)에 무게를 두어 활인(活人)하는 방향으로 상담하는 것이 올바른 자세라 할 수 있습니다.

제54강 사주팔자 실전 간명

사주팔자를 실전 간명해 보는 시간입니다. 사주는 문점자의 상황을 듣고 명국의 틀에 맞춘 다음 원하는 바를 상담하는 것이 원칙입니다. 물론 사주팔자의 전체를 조망하는 것이 우선되어야 하겠죠. 우선 자기 자신의 사주를 가지고 같은 방식으로 분석해 보시기 바랍니다.

시주 (정해)	일주 (을미)	월주 (병오)	년주 (임인)
합	-	충	합충
식신	일간(나)	상관	정인
丁	乙	丙	壬
亥	未	午	寅
정인	편재	식신	겁재
戊 정재	丁 식신	丙 상관	己 편재
甲 겁재	乙 비견	己 편재	丙 상관
壬 정인	己 편재	丁 식신	甲 겁재

<사주명국, 건명(乾命)>

복잡한 기술적 분석보다는 사주명국 전체를 조망해보겠습니다.

전체적으로 乙木 일간과 비겁 1개, 화(火)가 3개, 수(水)가 2개, 토(土)가 1개로 이루어져 있으며, 금(金)이 없는 것이 특징입니다.

목생화(木生火)로 식상의 활동성이라는 특징을

보여주고 있으며, 수기(水氣)가 소용지신으로서 조열한 화기(火氣)를 적절하게 제어하고 있는 모습입니다.

<나는 일간 乙木입니다.>

혈기왕성하고 직진성의 甲木을 지나 변화무쌍한 날씨를 겪으며 산전수전 공중전을 경험한 원숙한 나무라고 할 수 있죠. 그래서 바람이 불면 굽힐 줄 알고 세상과 타협할 줄도 아는 유연한 성정을 가지고 있습니다.

일지 未土는 나의 받침이 되는 백그라운드, 처(妻)가 자리하고 있는 가정입니다. 일간 乙木이 未土 지장간(丁乙己))에 뿌리를 내리고 있는 모습, 일간인 乙木의 성정이 강하다고 할 수 있겠죠. 처가 자신의 자리인 처궁을 지키고 있는 모습입니다.

월주는 계절적 기운으로서 사주 전체를 주관하고 이끌어가는 자리입니다. 그리고 일간(나)에게는 부모의 자리이기도 하죠. 나는 이미 주어진 계절의 기운을 역행할 수 없듯이, 부모를 선택할 수는 없죠. 의지하고 순리대로 따라가야 살 수 있습니다.

월지는 사주를 지배하는 계절적 조후입니다. 사주의 격(格)을 만드는 자리이죠. 일간은 가장 먼저 월지와의 생조(生助), 생설(生泄), 극제(克制), 극설(克泄) 관계를 분석하여 일간의 조건을 분석해야 합니다. 일간 乙木은 午火의 뜨거운 조후에 의해 기운이 생설(生泄) 당하고 있습니다. 전체적으로 일간의 입장에서는 화기가 3개이고 지지가 寅午合으로 굉장히 조열한 조건에 처해있는 상황입니다.

이런 경우 중화의 관점에서 수기(水氣)의 도움이 필요하겠죠. 그래서 壬水는 일간 乙木에게는 반드시 필요한 소용지신(所用之神), 즉 소용신(所用神)이 됩니다. 壬水는 乙木을 생조해 주면서 동시에 조열한 화기를 제어해 주는 역할을 하고 있죠. 바로 壬水가 일간에게는 소용신이 되는 것입니다.

운에서 화기(火氣)가 들어온다면 일간 乙木은 기운이 설기되므로 화(火)는 병(病)이 되므로 역시 병을 치료할 수 있는 것은 수기(水氣)라 할 수 있습니다. 수기는 소용신이면서 병을 치료하는 약신(藥神)이 되는 것이죠.

운에서 수기가 들어온다면 일간 乙木의 식신·상관의 활동성이 강화될 것입니다. 식상의 활동성이 강화되면 자연스럽게 식상생재(食傷生財)가 이루어지겠죠. 재(財)는 일지에 위치하고, 이는 바로 처궁(妻宮)이니 마누라의 말을 잘 들어야(?) 재물과 목적하는 바를 이룰 수 있다 할 것입니다.

월지 지장간 丙己丁 중에 丙丁이 투출했습니다. 丙은 상관이고 丁은 식신이죠. 丙이 꽃이라면 丁은 양기를 수렴하는 그릇, 열매라고 할 수 있습니다. 또 물상적으로 월간의 병화가 을목을 비추는 태양이라면, 시간의 정화는 장성한 을목에 달린 열매가 되겠죠.

월지장간 정기(正氣)인 정화가 시간에 투출하여 용사지신(用事之神), 즉 용사신의 역할을 수행하고 있습니다. 인생 후반을 담당하는 시간(時干)은 용사신(用事神) 정화가 자리함으로써 식신의 활동성이 강화되고 있음을 알 수가 있죠. 시지 해수가 일간을 생조하고, 일간은 용사신의 식신적 활동성을 마음껏 발휘할 것으로 예측할 수가 있습니다.

월간에 투출한 丙火는 일간의 추상적 사회성을 담당하는 자리입니다. 이에 반하여 월지 午火는 일간의 현실적 사회성을 담당하죠. 그래서 월지는 일간의 현실적 활동성인 직업 등을 상징합니다. 월지의 현실적 활동성으로 월간의 추상적 사회성, 추상적 가치를 추구하는 것이죠.

壬水 정인의 도움으로 식상(食傷)의 활동성이 적절하게 강화되고 있는 모습입니다. 이를 상관패인(像官佩印)이라고 하죠. 그래서 일간 명

주는 입시학원을 운영하고 강의하며 교육계통에서 종사하였습니다. 인성이 추구하는 공부와 철학적 성정으로 인생 후반은『주역』과『사주명리학』등 동양철학 계통의 공부를 지속적으로 추구하는 모습을 보여주고 있습니다.

식상이 많고 기운이 조열하므로 한 가지를 추구하지 못하고, 한꺼번에 여러 가지를 하려는 성정 때문에 정신적으로 많은 소비를 하는 성정이라 할 수 있겠습니다.

월지장간 丁火가 시간(時干)에 투출하여 용사신(用事神)으로서 미래의 사주를 이끌어가는 모습입니다. 또한 병화(丙火)가 월간(月干)에 투출하여 추상적 사회성을 강화시키고 있죠. 사주 전체가 화기(火氣)로 인하여 조열하고, 용사신도 丁火이니 더욱 화기의 특성이 강화되고 있습니다. 본 사주팔자의 주인은 목생화(木生火)라는 식상의 활동성을 아이덴터티(identity)로 가지고 있다고 할 수 있습니다. 년간 壬水정인과 시지 亥水정인의 적절한 제어로 인하여 일간 乙木은 멈추지 않는 기관차처럼 폭주하지 않고 시의적절하게 식상의 활동성을 지속하고 있다고 할 수 있겠습니다.

乙木 일간은 화기로 인하여 설기가 많아 신약한 사주입니다. 그래서 운에서 수기(水氣)가 들어오거나 乙木과 같은 비겁이 들어온다면 일간은 본인의 특성인 식상을 제대로 쓸 수가 있겠죠. 화기가 들어온다면 화(火)의 특성을 조심하고 자제해야 할 것입니다.

이때 운에서 들어오는 기운은 사주 전체를 흔들 수 있으므로 당연히 합(合)·충(沖)·형(刑)·파(破)·해(害) 등 여러 가지 요소를 함께 분석해야 합니다.

인생 후반을 담당하는 시주는,

시간에 용사신 丁火가 들어와 있고, 亥水정인이 일간을 생조하고 있으므로 일간 乙木은 본인이 가진 교육과 철학적 성정을 식신의 활동성으로 표출하는 계기가 될 수 있을 것으로 보입니다.

금(金) 관성이 없는 관계로 사회적 지위나 조직에는 관심을 보이지 않지만, 눈에 보이지 않는 명예를 중시하는 경향이 있습니다. 월간의 상관적 특성은 관을 쳐서 넓히는 성정입니다. 그러므로 사주에 관이 없다는 것은 현실적 울타리보다 추상적 울타리, 즉 정신적인 관성을 추구하는 경향이 있다고 할 수 있습니다.

일지는 부부궁, 월지는 부모궁, 시지는 자녀궁에 해당합니다.
처가 부부궁에 위치하고, 부모궁은 식신, 자녀궁은 정인으로서 길신(吉神)에 해당하므로 가정적으로는 특별한 변수 없이 안정적이라 할 수 있습니다.

년주와 월주는 내가 선택할 수 없는 숙명적 기운입니다. 년주가 나의 뿌리로서 과거시제라면, 월주는 이미 주어진 현실적 기운입니다. 탈진할 정도로 강왕한 식상의 활동은 일간을 지치게 하죠. 내가 선택할 수 없고 벗어날 수 없는 주어진 숙명적 조건이라 할 수 있습니다.
그러나 월지는 주어진 자연환경에 대하여 대립과 상호작용을 통하여 나의 사회적 특성, 나의 그릇의 크기, 직업 등 사회적 동물로서의 현실적 가치, 즉 '나'를 만들어 가는 자리이기도 합니다. 그러므로 일간(나)의 특성은 월지와의 상호작용을 통하여 만들어지는 것이라 할 수 있습니다. 그래서 월지에 의해 특정된 일간은 그 성정으로써 시간과 시지와의 작용을 통해 미래를 개척해 나가는 것입니다.

일주는 이미 주어진 오늘이지만 아직 끝나지 않은 현재시제입니다.

그래서 내가 스스로 선택할 수 있는 조건이기도 하죠. 오늘을 사는 우리는 오늘을 선택하며 주도적으로 나아갈 수 있습니다.

아직 오지 않은 시주는 미래시제입니다. 그래서 나는 오늘을 살아가며 내일을 계획하고 판단하며 선택할 수 있습니다. 시주의 기운은 오늘을 사는 내가 바꿀 수 있는 기운입니다. 일지장간 丁火가 시간에 투출하였다는 것은 인생 전반을 통하여 추구해왔던 가치가 삶의 귀결점인 인생 후반에 완성되리라는 것을 짐작할 수 있겠죠. 병화가 꽃이라면, 정화는 결과를 담는 열매에 해당합니다.

년주와 월주는 인오합을 맺고 있으며, 월지와 일지는 오미합 관계에 있습니다.

사주팔자는 이미 정해졌다는 숙명론(宿命論)이 아니라 내가 바꿔나가면서 명(命)을 운영한다는 의미의 운명론(運命論)이라 할 수 있습니다. 사주팔자를 들여다보며 한숨을 푹푹 쉴 것이 아니라, 내가 어떻게 팔자를 디자인하며 만들어 갈 것인가를 고민해야 합니다. 사주팔자의 본래 목적이 우주라는 망망한 삶의 바다에서 나의 좌표(사주팔자)를 읽고 주체적으로 선택하며 나아갈 수 있도록 방향성을 제시하는 등대의 역할을 하는 것이기 때문입니다.

제55강 확률게임

<생명의 탄생>

원자(atom)의 상호작용으로 형성된 물질에 생명이 내재하기 시작하고, 어느 순간 생명(理)이 주체적 자아로 자리 잡음으로써 개체화된 존재로 발현하게 됩니다.

주체적 자아는 개체의 주인으로서 관리자, 운전자의 소임을 하게 되죠. 주체적 자아란 생물이나 무생물과 관계없이 물질의 자기다운 특질을 의미합니다.

원자가 상호작용으로 어떤 특정한 물질을 생성해 내는 것은 원자의 어떤 특성 때문일까? 원자가 모여 생성된 분자 물질은 어떻게 각각의 특성을 가진 개체로 형성되는 것일까?

어떤 것은 사람이 되고, 또 어떤 것은 원숭이가 됩니다. 어떤 유형의 성질이 모여 동물이 되고 식물이 되며 바위가 되는 것일까?

미시계의 원자가 거시계의 물질을 이루면서 어느 시점에서 사물의 특성이 형성되는 것인지 아직 과학적으로 증명된 바는 없습니다. 폴 데이비스(Paul Davis)는 "독특한 성질은 전체의 형태 속에서 발견되는 것이지 낱낱의 구성요소 속에서 발견되는 것이 아니다. 이와 마찬가지로 생명의 비밀은 개개의 원자들 속에서는 발견되지 않으며, 그것들의 결합 형태, 즉 분자 구조 속에 암호화된 정보에 따라 그것들이 합쳐지는 방식 속에서만 발견될 것이다."라고 하고 있습니다.

「계사전」은 "비슷한 기운을 가진 유형은 서로 같은 방향으로 모이고, 사물은 무리별로 나뉜다(方以類聚 物以群分)."라고 하여 생명이 생성하는 이치를 개략하고 있습니다.

이는 유유상종(類類相從)으로 정의할 수 있는데, 방이유취(方以類聚)는 미시계의 원자들이 서로 유사한 기운으로 집중되어 서로 다른 각각의 유형으로 응결되는 것을 의미하고, 물이군분(物以群分)은 원자들이 응결되어 이루어진 물질들이 각각의 이치를 따라 무리를 지어 나뉨으로써 물질의 특성이 되는 것을 의미합니다.

거시계에서는 고유한 물질의 특성을 가진 개체들은 종족으로 모이고, 그 구성원들은 서로 비슷한 기운, 비슷한 성향끼리 무리를 지으며 유유상종(類類相從)하니, 이는 만물의 근원적인 속성이라 할 수 있습니다.

사물은 상호작용을 통한 신묘한 이치로 원자와 원자가 결합함으로써 비로소 개체의 특성을 갖는 전체 시스템을 갖게 됩니다. 음양의 상호작용에 내재한 신묘한 이치 없이 원자를 벽돌처럼 하나하나씩 쌓아 올린다고 해서 생명이 내재된 원자들의 집합이 되지는 않죠. 「계사전」은 이 신묘한 이치를 "예측할 수 없음(陰陽不測之謂神음양불측지위신)"이라고 정의하고 있습니다.

음과 양, 원자와 원자, 개체와 개체, 무리와 무리, 행성과 행성 간의 '상호작용' 없이는 우주는 존재할 수가 없습니다. 우주는 부분과 전체가 만유인력(중력)으로 서로 복잡다단하게 연결되어 상호작용을 일으키며 역동적인 관계망을 형성함으로써 상호의존하는 '환존(環存)'으로 존재합니다.

하나(一)에 내재한 천인지 삼재(天人地 三才)는 상반된 성질의 음양

(氣)이 대립과 상호작용을 통해 중화(中和)를 이루면서 만물로 드러납니다. 중화는 천지(天地)가 하나로 합일된 인(人)의 자리이고, 음양이 상호작용을 통해 이루어낸 중(中)의 자리입니다. 그러므로 인중(人中)이란 天地·陰陽이 균형과 조화를 이룬 합일의 영역으로서 서로 고리(環)를 이룬 교집합 영역이라 할 수 있죠.

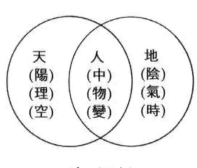

<환존(環存)>

人中은 천지·음양과 더불어 셋이면서 하나이고, 동시에 하나이면서 셋이 되는 '三卽一 一卽三'의 영역이라 할 수 있습니다. 天人地는 통일체로서 서로 고리(環)를 이룬 상호관계망 속에 존재하며, 그러므로 天人地 중에서 어느 하나라도 없으면 누구도 존재할 수 없는 환존(環存)의 뜻을 갖게 됩니다.

환존이란 상호관계망 속에서 서로 연결되어 있을 때 비로소 성립되는 존재를 의미합니다. 그러므로 나의 존재는 他者와의 연결 속에서 비로소 의미가 생기는 것이며, 그러므로 共存은 서로의 生存에 필수적인 전제조건이 되는 것입니다.

인중(人中)은 중화의 영역으로서 균형과 불균형, 조화와 부조화, 평(平)과 불평(不平)이 끝없이 순환하며 생로병사를 반복하는 생멸의 문입니다. 천하에 "평평하기만 하고 기울지 않는 것은 없으며, 가기만 하고 돌아오지 않는 것은 없는 것이니"[31], 그러므로 천지·음양이 합일을 이룬 인중(人中)의 영역은 "세상의 대립적인 음양(陰陽)·동정(動靜)의 상반된 두 측면이 상호감응을 통해 수많은 변화를 일으키면서도 궁극적으로는 균형과 조화의 질서 위에서 전체적인 통일을 이루어내는 우주의 변화"[32]가 한없이 일어나는 영역이라 할 수 있는 것입니다.

31) 『周易』, 地天泰 九三爻辭, "无平不陂 无往不來"
32) 김학권, 「장재의 우주론과 인간론」, 『철학연구』 77, 대한철학회, 2001, p.69.

우주 삼라만상은 天地人이 동등한 위상으로 참여하여 천지 만물의 화육(化育)을 함께 함으로써 상호 존재합니다. 홀로 고립되어 존재할 수 있는 이치를 가진 사물이라는 것은 있을 수가 없으며, 그러므로 '나의 존재는 他者의 존재를 필수조건으로 하는 상호 의존관계(環存)에 있다' 할 수 있는 것입니다.

『주역』의 팔괘(八卦)는 성인(聖人)이 사물의 모습을 본떠 만든 기호입니다. 공자님은 「계사전」에서 "역은 천지와 똑같다(易與天地準역여천지준)"라고 천명하셨죠. 물질이 단순히 원자를 뭉쳐놓은 덩어리가 아닌 수리적 이치에 따라 조직화된 물리체이듯이, 이를 표상한 괘상도 과학적이면서도 수리적인 이치를 함유하고 있다고 할 수 있습니다. 사물의 근원이라 할 수 있는 초미세 영역의 양성자陽性子(+) 중성자中性子(0), 전자電子(-)로 구성된 원자를 취상하여 天(양)·人(중)·地(음)를 표상한 삼효(三爻)로 전화(轉化)함으로써 팔괘(八卦)가 세워진 것입니다.

만물을 구성하는 기본요소인 원자는 양성자(+)와 중성자(0)로 이루어진 원자핵과 그 핵 도는 전자(-)로 구성됩니다. 그런데 원자핵을 도는 전자(음)는 그 위치를 정확하게 측정하려 하면 입자의 운동량(속도)이 정확하지 않게 되고, 운동량(속도)을 측정하려 하면 그 위치가 정확하지 않게 됩니다. 즉 이러한 두 양은 결코 동시에 정확하게 측정될 수 없다고 보는 것이 하이젠베르크의 '불확정성의 원리'입니다. 그러므로 양자의 미시적 세계는 불확실성이 지배하는 우연성에 기반을 두고 있으므로 예측은 확률적으로 판단할 수밖에 없겠죠.

불확정성(uncertainty)은 양자론의 근본적인 성분으로서 그것은 '예측할 수 없음(unpredictability)'으로 귀결된다.[33]

그렇다면 지금까지 우리의 삶을 지배해온 '원인과 결과'를 기본으로 하는 인과론적 사고의 틀은 완전히 무시하는 것이 옳은 것일까? 현대

33) 폴 데이비스, 류시화 역, 『현대물리학이 발견한 창조주』, 정신세계사, 2020, p.159.

과학의 주류인 양자물리학이 발견한 원자 세계의 불확정성이 자연의 본질이라면 우리는 어떻게 세상을 이해하고 예측할 수 있을까?

미시세계가 불확정성의 원리가 지배하는 양자물리학의 세계라면, 거시세계는 인식론에 기초한 뉴턴의 인과론적 기계역학이 여전히 영향을 미치고 있는 고전물리학의 세계라 할 수 있습니다.

그러나 미시세계와 거시세계는 결국 하나의 동일체로서, 다만 '나'를 이루는 보이는 영역과 보이지 않는 영역의 또 다른 이름일 뿐이죠. 보이지 않은 양자 세계의 불확실성은 보이는 물질의 영역에도 그대로 미칠 수밖에 없습니다. 다만 너무 미세해서 그 변화가 우리의 거시적인 눈에는 보이지 않을 따름이죠.

그러므로 불확실성은 오직 확률적으로 예측할 수밖에 없듯이, 인생행로도 태어나는 순간부터 그 어떤 것도 결정된 바 없으니 방이유취든 물이군분이든 모든 상황은 확률적으로 판단할 수밖에 없다고 할 수 있습니다.

어떤 기운은 응결되어 원숭이가 되고, 인간이 되며, 돌멩이가 되는가? 이는 미시세계를 불확정성원리, 비결정성이 지배하듯이 거시세계에서도 비슷한 기운끼리 유유상종하고 물이군분하는 확률적 이치가 통용됩니다.

그러므로 미시영역에서 '불확정성의 원리'로 작동하는 음양이라는 요소로 형성된 사주팔자도 100%의 적중보다는 확률적 판단으로 경향적 분석을 통해 카운슬링(counseling) 하는 것이 옳은 방법이라 할 수 있겠습니다.

제56강 아이덴터티(identity)

<세상에는 완전한 균형이란 없다>

음양과 오행이 적당하게 편재되고 편중이 된 사주가 좋은 사주입니다. 적당한 기울기가 있어야 기(氣)의 흐름이 좋죠. 물은 적당히 기울어져 있을 때 흐름이 원활하지만 급경사라면 주변을 깎거나 폭포를 형성하게 됩니다.

사주팔자는 기본적으로 결핍을 근간으로 하며, 그것이 바로 개개인의 아이덴터티(identity), 즉 자기동일성(自己同一性)을 규정합니다.

완전한 균형과 조화란 존재하지 않습니다. 다만 중화를 지향할 뿐이죠. 시소(seesaw)는 완전한 평형을 이루는 순간 상하작용을 멈추게 됩니다.

「태극음양도」의 S자 문양은 정 가운데 지점을 중심으로 기(氣)의 편재와 편중이 일어나 서로 대립하는 모습을 나타냅니다. 음과 양이 대소·장단·강약이라는 미세한 차이를 드러냄으로써 상반된 성질은 대립과 화해를 반복하며 상호작용을 일으키게 됩니다. 즉, 음양의 불균형과 모

순이 상호작용을 야기하며, 다양한 변화를 만들어내는 동인(動因)이라
할 수 있습니다.

<태극음양도>

양이 작으면 음이 보완하고, 음이 작으면 양이 보완하며, 완전한 원, 즉 태극을 이루게 됩니다.

사물 개체는 음양의 편재와 편중이라는 특이성을 가진 존재이지만, 사물과 사물이 모인 우주 전체는 상호균형을 이루고 있습니다.

그런데 완전한 균형을 이룬 시소는 본래의 목적성인 상하작용을 멈추게 되죠.
부분적인 음양의 편재와 편중이 일으키는 상호작용은 더 큰 범주의 상호작용을 불러일으킴으로써 만물을 낳는 우주작용의 근원적인 원리가 되는 것입니다.

제57강 동일한 사주의 다른 삶

　사주가 똑같은 쌍둥이도 다른 유형의 삶을 살고 있다는 것은 사주명리학에서 항상 논란거리가 되고 있습니다, 동일한 사주는 우리나라 인구를 약 5,000만 명으로 보면 대략 100여 명에 달하죠. 대통령의 사주를 가진 이가 100명이 된다고 해서 100명이 모두 대통령이 될 수는 없는 일이니, 이것을 설명하지 못한다면 사주명리학은 이론적 오류와 한계에서 벗어날 수가 없을 것입니다.

　사주명리학은 '확정성인가? 확률성인가?'를 먼저 고민해야 합니다. 사주명리학 이론으로 귀천과 길흉을 판단하기 위해서는 사주팔자로 이루어진 예정된 미래는 인간의 의지로 변경시킬 수 없다는 정명론(定命論)이 전제되어야 하고, 그러므로 동일한 사주를 가진 이는 삶의 궤적이 같아야 한다는 이론적 논리를 견지해야 합니다.

　그러나 알다시피 세상 사람들 중에 어느 누구도 동일한 삶을 살아가는 사람은 없죠. 같은 부모, 같은 환경에서 태어난 쌍둥이의 삶도 서로 다르게 흘러가는데, 하물며 동일한 사주를 가졌을 뿐 부모도 다르고 환경도 다른 사람들이 동일한 삶의 궤적을 같이 한다는 것은 언어유희에 불과할 뿐입니다. 어떤 말로 합리화한다고 해도 이해할 수 있는 범위를 벗어난 어불성설(語不成說)일 뿐입니다.

사주 여덟 글자로 구성된 사주명국과 운에서 들어오는 간지(干支)대로 운명은 흘러가는 것인가? 사실 사주명리학은 사주팔자로 구성된 간지에 대한 신뢰성을 바탕으로 성립된 이론입니다. 사주팔자가 움직이는 대로 삶의 궤적도 따라가야 하고, 그래야 그 논리를 바탕으로 사주해석도 가능하게 되겠죠.

그런데 동일한 사주를 가진 사람이 서로 다른 삶을 살아간다면 사주명리 이론은 근본적으로 오류를 내포하고 있다는 결론에 다다르게 됩니다. 동일한 사주를 가진 대한민국 내의 100명 중에 대통령은 당연히 한 명뿐이니, 다른 나머지 99명에 대한 사주 통변은 어떻게 해야 할 것인가? 근본적인 질문에 대답은 회피한 채 우리는 사주팔자를 해석하여 과거를 맞히려 하고, 앞으로 흘러갈 미래의 상황을 통변하고 있습니다. 동일한 사주를 가진 100명을 100가지 유형으로 서로 다른 통변을 해야 한다면 사주명리학이 미래예측학으로서 실효성이 있는 것일까요? 이것을 어떻게 변명해야 하죠?

사주명리학에 대한 인식과 정의가 처음부터 잘못된 것입니다.

천간과 지지라는 문자로 표현되어 구성된 사주팔자는 태어날 당시의 나를 구성하고 있는 우주적 기운을 표시한 텍스트일 뿐입니다. 그냥 종이 위에 쓰인 텍스트(text)에 불과할 뿐이죠. 현재 내가 존재하고 있는 지금, 이 순간의 흐름까지 내포하고 있는 비단 주머니는 아니라는 것입니다. 그러니 태어날 당시에 규정된 사주 여덟 글자를 아무리 분석하고 해석하고 사돈의 팔촌까지 들쳐 봐야 다 헛소리일 뿐입니다.

그래서 시간의 흐름을 계절과 월별로 구분한 대운과 세운이 접목되고, 시간의 흐름에 따라 사주명국과의 상호관계와 상호작용을 분석함으로써 과거와 미래를 통변하는 것이죠. 사주명국은 운(運)이 접속되지 않으면 작동하지 않는 시계와 같습니다. 내가 태어날 때 멈추어 서버린 시계와 같죠.

운(運)은 시계를 작동시키는 음양이라는 동력을 의미합니다. 양(+)과 음(-)이라는 동력(動力)은 시계를 작동시키는 풀러스 앱(+) 마이너스(-) 전기(電氣)와 같다고 보면 됩니다. 그런데 이 경우에도 음양오행의 기운을 표상한 천간과 지지는 시간별로, 계절별로 확정적인 이치를 담고 있어야 한다는 것을 전제해야 합니다. 그것이 전제되어야만 비로소 운에서 흐르고 있는 간지를 바탕으로 철도를 따라 기차가 달려가듯이, 인간의 삶도 류운의 간지를 따라 흘러간다는 것을 신뢰할 수가 있는 것입니다.

그런데 과연 철도를 따라 기차가 어김없이 달려가듯이, 인간도 류운(流運)에 놓인 간지(干支)라는 철도를 따라 어김없이 인생길을 흘러가고 있는가? 당연히 말도 안 된다는 것은 삼척동자도 다 알고 있죠. 다만 명리를 공부하는 사람만이 논리의 함정에 빠져 이 사실을 애써 간과하고 있는 것은 아닌지 모르겠습니다. 저도 그랬듯이 아마도 명리를 공부하는 사람들은 처음 공부를 시작할 때부터 지금까지도 이 문제를 항상 고민하고 생각하며 수수께끼를 풀어가듯이 공부하고 있을 것입니다.

저의 생각을 풀어보겠습니다.

이 세상은 보이는 영역과 보이지 않는 영역으로 구성되어 있습니다. 즉 사물이란 유형과 무형이 구성하고 있는 동체이면이라고 할 수 있습니다. 북송의 리본체론자(理本體論者)인 정이(程頤) 선생은 이를 현미무간(顯微無間)이라 정의하고 있죠. 즉 '보이는 세계와 보이지 않는 세계는 서로 간격이 없는 하나(一)다'라는 의미로서, 결국 나라는 존재는 '보이는 유형'과 '보이지 않는 무형'으로 이루어진 동일체라는 것입니다. 즉, 거시세계의 물질은 미시세계의 원자들의 모임으로 이루어져 있습니다. 원자는 어디로 튈지 모르는 불확정성이며, 물질은 생명(理)의 특성을 가진 나름의 질서를 갖추고 있죠. 이 두 세계는 성질이 다른 각각의 세계이면서도 결국은 서로 하나의 동일체를 이루고 있는 것입니다. 즉, 양자 물리학적 관점으로 바라보면 미시세계와 거시세계가 동시에 하나를 이루며 존재하고 있는 것입니다. 양자의 영역은 불확정성의 원리가 지배하고 있습니다.

　　금세기 초 원자 세계의 불확정성이 발견되기 전까지는, 모든 물체는 엄격히 역학의 법칙을 따르는 것으로 추측되었다. 그 역학의 법칙이 작용하기 때문에 별들은 궤도를 돌고, 총에서 튀어 나간 탄알은 곧장 과녁에 가서 맞는다고 생각되었다. 원자는 그 내부의 구성 성분들이 정확한 시계처럼 회전하고 있는, 마치 태양계를 축소한 모형과 같은 것으로 상상되었다.
　　그것은 환상임이 밝혀졌다. 1920년대에 원자의 세계는 암흑과 혼돈으로 가득 차 있다는 것이 드러났다. 전자 같은 입자는 전혀 정해진 궤도를 따르는 것 같지 않다. 한순간에는 그것이 여기서 발견되고, 다음 순간에는 엉뚱하게 저기에 있다. 전자뿐만 아니라 모든 원자 이하의 입자들-심지어 원자 전체-은 어떤 특정한 운동에 속박되지 않는다. 우리가 일상적으로 체험하는 모든 단단한 물체들은 그 내부를 자세히 들여다보면 덧없는 허깨비들의 대소동으로 변해버린다. 불확정성은 양자론의 근본적인 성분이다. 그것은 곧바로 '예측할 수 없음'으로 귀결된다.[34]

　　현대물리학이 발견한 사물의 초미세 영역으로 들어가 보면 거시세계에서 발견되는 원리와 법칙이 무시되는 또 다른 신비한 세계가 펼쳐집니다. 모든 물질은 초미세 입자인 원자로 이루어져 있으며, 원자는 그 안에 쿼크(quark)라는 이름의 더 작은 요소들을 포함하고 있죠. 입자는 더 깊이 안으로 들어가 보면 결국 파동으로 나타나고, 이는 양자장이라는 '입자와 파동의 이중성'[35]으로 귀결됩니다. 미시세계는 거시세계에서의 '위치와 운동량의 법칙'[36]이 무시되는 불확정한 상태에 놓여있습

---

34) 폴 데이비스, 류시화 역, 『현대물리학이 발견한 창조주』, 정신세계사, 2020, p.159.
35) 파동-입자 이중성(波動粒子二重性, wave-particle duality)이란 양자역학에서 모든 물질이 입자와 파동의 성질을 동시에 지니고 있음을 의미한다. 고전역학에서는 파동과 입자가 매우 다른 성질을 지니지만, 양자역학에서는 두 개념을 하나의 개념으로 통합한다. 토머스 영은 이중슬릿 실험에서 입자성과 파동성 동시에 나타날 수 있음을 밝혀냈다.

니다. 초미세 영역인 원자 세계에서의 모순적이며 무질서하고 불확정한 상태가 어느 시점과 어느 지점에서 거시세계의 기계론적인 인과율이 적용되기 시작하는지는 아직 과학적으로 증명된 바는 없습니다. 뉴턴은 신(神)이 입자와 입자들 사이에서 작용하는 힘, 그리고 변하지 않는 불변의 법칙을 태초에 창조하였다고 생각했죠. 그래서 '모든 사건은 그것에 따른 원인을 가지고 있다'라고 보았습니다. 그런데 양자론은 원인 없이 일어나는 결과를 허용함으로써 '원인과 결과'의 인과론적 사슬을 끊어버리게 됩니다.[37)]

양자물리학에 따르면 '입자의 위치를 정확하게 측정하려고 하면 그 입자의 운동량이 정확하지 않게 되고, 운동량을 측정하려고 하면 그 위치가 정확하지 않게 된다'고 합니다. 그러므로 양자의 미시적 세계는 불확실성이 지배하는 우연성에 기반을 두고 있으므로 예측은 확률적으로 판단할 수밖에 없겠죠. 이러한 미시세계의 근원적인 불확정성은 과학적 측정기술과는 아무런 관련이 없습니다.

그렇다면 지금까지 우리의 삶을 지배해온 '원인과 결과'를 기본으로 하는 인과론적 사고의 틀은 완전히 무시하는 것이 옳은 것일까요? 현대과학의 주류인 양자물리학이 발견한 원자 세계의 불확정성이 자연의 본질이라면 우리는 어떻게 세상을 이해하고 예측할 수 있을까요?

거시세계의 물질은 미시세계의 원자들로 이루어져 있습니다. 원자는 어디로 튈지 모르는 불확정성이며, 물질은 생명(理)의 특성을 가진 나름의 질서를 갖추고 있죠. 이 두 세계는 성질이 다른 각각의 세계이면서도 결국은 서로 하나의 체를 이루고 있습니다. 형상을 지닌 사물의 초미세 영역을 들여다보면 입자이면서 동시에 파장이라는 양자장의 세계로 들어서게 됩니다. 인간의 지각범위 안에 있는 보이는 사물은 실상

---

36) 거시세계를 다루는 고전역학에 의하면 전자의 위치와 운동량은 전자가 어떤 상태에 있든지 항상 동시 측정이 가능하지만, 미시세계를 다루는 양자물리학에서는 위치와 운동량을 동시에 측정할 수 없다고 본다(불확정성의 원리).
37) 폴 데이비스, 류시화 역, 『현대물리학이 발견한 창조주』, 정신세계사, 2020, p.159

보이지 않는 영역까지도 내포하고 있는 것이죠.

음양의 대소·장단·강약이라는 미묘한 차이가 만들어내는 다양한 상호작용은 복잡다단한 중화의 양태를 만들어냅니다. 고전물리학인 뉴턴의 기계역학에서는 운동량과 질량을 알면 위치의 정확한 측정이 가능하지만, 현대물리학인 양자역학에서는 위치를 알면 운동량이 불확실하게 되고 운동량을 알면 위치가 불확실하게 되어 모든 것이 불확정적인 상태에 놓이게 됩니다. 이렇듯 초미세 영역인 음양의 작용은 관찰자의 시선에 따라 영향을 받을 수밖에 없는 불확실한 상태가 되어 확률적 통계로 그 상태를 예측할 수밖에 없는 불확정성의 원리가 지배하는 것입니다.

극미세 영역을 탐구하는 양자물리학에서는 관찰자의 시선에 따라 대상이 영향을 받게 됨으로써 사실상 정확한 측정이 불가능하다고 합니다. 수많은 사람의 다양한 시선은 무수한 변화를 만들어내겠죠. 이러한 미시세계의 논리를 거시세계로 확장하면, 내가 동서남북 어디를 선택하느냐에 따라 다양한 변화, 즉 길흉·득실이라는 예측 불가능한 다양한 변수를 일으키게 된다는 것을 의미합니다.

모든 일은 이미 정해진 법칙에 따라 일어나므로 인간의 의지로는 아무것도 바꿀 수 없다는 설을 신봉하거나 주장하는 사람을 운명론자(運命論者)라고 합니다. 엄격한 의미에서는 숙명론자(宿命論者)라고 할 수 있죠. 숙명론자들은 미래의 사건들은 모두 전적으로 우리의 권한 밖이라고 주장하며 '미래에 일어날 일들은 이미 별자리에 모두 적혀있다'라고 말합니다. 그런데 이러한 추상적인 논리를 벗어버리고 거시세계를 구성하고 있는 사물의 본질 속으로 깊이 탐구해 들어가면 '모든 것은 불확실하다'라는 사실적 상황에 직면하게 됩니다. '어차피 일어날 일은 일어나게 되어있다'라고 당당히 주장하는 숙명론자들은 도대체 누구의 언어를 사용하고 있는 걸까요? 아마도 인간의 운명을 지배하고자 하는 신의 언어를 대리하고 있는 건 아닐까요? 아니면 오히려 신을 지배하고 있는 인간의 권력자들이 신의 언어를 대리함으로써 피지배자의 정신 세계를 가스라이팅하고 있는 건 아닐까요?

우리는 현실 세계를 '원인과 결과'라는 논리가 지배하는 인과론적 세상으로 인식하고 있습니다. 착한 일을 하면 복을 받고, 악한 일을 하면 벌을 받는다는 식이죠. 그래서 선악(善惡)이라는 이분법적 잣대를 들이대는 종교가 지속적으로 생겨나고, 천국과 지옥이라는 개념이 만들어지는 바탕이 되는 것입니다.

불확정성의 원리가 지배하는 미시영역의 원자들이 상호작용을 통해 만들어낸 물체가 바로 거시영역에 존재하고 있는 '나'라고 하는 존재이니, 당연히 거시영역도 불확정성의 논리가 통행 되어야 합니다. 그런데 거시영역에 사는 우리의 인식에는 왜 인과론(因果論)만이 보이는 것일까요?

결론적으로 말하자면,

우연과 우연과 우연이 모인 확률적 구름을 통해 보편성이 만들어지고, 우리는 그 확률적 보편성을 통해 생성되는 '원인과 결과'의 양상을 인과론적으로 해석하고 있을 뿐입니다. '원인과 결과'가 거시세계에서 우리의 눈에 더 잘 띌 뿐이죠. 불확정성이 만들어내는 우연성은 너무 미세해서 잘 보이지 않을 따름입니다. 아마도 광학현미경으로 바라보면 불확정성의 원리가 작용하는 우연성이 제대로 보일지도 모르겠습니다. 거시세계에서는 우리가 잘 느끼지 못할 뿐, 우연성이 만들어내는 불확실성은 여전히 우리의 곁을 맴돌며 작용하고 있는 것이죠.

그러므로 사주팔자를 확정성으로 통변한다는 것은 어불성설이라는 결론에 이르게 됩니다. 다양한 환경적 조건을 파악하고 상호작용을 통해 다양한 변수를 만들어낼 수 있음을 인식해야 하죠.

하루 24시간은 '자축인묘진사오미신유술해'라는 개념으로 정의되어 12개의 단위로 구분하고 있습니다. 즉, 현대의 시간적 개념으로 보면 2

시간 단위의 범위를 같은 기운을 가진 개념으로 범주화하고 있는 것이죠. 이것을 1시간 단위로 구분하면 24개의 범주가 만들어지고, 30분 단위로 구분하면 48개의 범주로 구분됩니다. 구분이 세분될수록 정확성이 있겠죠.

23시부터 1시 사이는 자시(子時)가 됩니다. 23시 10분과 12시 50분은 100분의 차이가 나지만 같은 자궁(子宮)의 기운으로 구분되죠. 그러나 22시 50분과 23시 10분은 불과 20분 차이임에도 불구하고 해궁(亥宮)과 자궁(子宮)으로 구분되어 서로 다른 기운으로 작용하게 됩니다.

이는 확률적 구름이라는 개념으로 이해할 수 있습니다. 23시부터 1시 사이에는 자(子)라는 기운의 확률적 구름이 분포되어있는 것으로 개념 정의가 이루어진 것이죠. 개념 정의가 이루어지지 않으면, 생년월일시가 간지로 전환됨으로써 구성된 사주명리학은 처음부터 논리 구성이 성립되지 않습니다. 물론 자궁(子宮)에는 임계(壬癸)라는 오행이 지장간에 들어와 '여기(餘氣), 중기(中氣), 정기(正氣)'로 월 단위의 시간을 세분하지만 역시 개념 정의라는 측면에서는 확률적 구름으로 볼 수 있겠죠.

사격할 때 영점을 잘못 잡으면 작은 차이에도 불구하고 총알은 전혀 엉뚱한 곳으로 날아갑니다. 이러한 사실에도 불구하고 우리는 어떤 논리를 전개할 때 개념부터 정의를 세워야 하죠. 그래야만 비록 엉뚱한 곳에 탄착점이 잡혀도 왜 그런지에 대한 논리를 세울 수가 있기 때문입니다.

우리는 사주팔자가 과학이 아니라 인문철학이라는 점을 인식해야 합니다. 양자물리학도 100%의 정확성을 자신할 수 없는데, 2시간 단위를 하나의 기운으로 퉁치는 사주명리학이 100%의 확정성을 담보할 수 있을까요?

그러므로 사주팔자 해석에 오차를 인정하지않는 과학의 잣대를 과도하게 들이대면 오류라는 한계에 봉착하게 됨으로써 인문학으로서의 사주명리학은 항상 불안한 위상을 벗어날 수 없게 될 것입니다.

사주팔자 안에는 한가지의 삶만이 존재할까요?

자유의지로써 사주 여덟 개의 글자 중에 어느 기운을 선택하고 실행하느냐에 따라 상호작용은 달라지고, 그에 따라 운의 흐름도 달라질 것입니다. 여덟 개의 간지 중에 어느 글자에 집중하느냐에 따라 결과는 다르게 나타나게 되는 것이죠. 당연히 쌍둥이의 삶도 각자가 어떻게 자유의지를 결정하느냐에 따라 다양한 삶의 양태를 그리며 흘러갈 것입니다. 즉, 환경적 조건이 똑같은 동일사주를 가진 쌍둥이가 삶을 서로 다르게 전개하며 살아가는 이유는 바로 '자유의지'의 선택과 실행에 달려 있다고 해도 과언은 아니죠.

같은 조건에서, '동쪽으로 가느냐? 서쪽으로 가느냐?'에 따라 득실(得失)은 서로 달라지겠죠. 동쪽으로 간 사람은 귀인을 만나고, 혹 서쪽으로 간 사람은 도둑을 만날지 어찌 알겠습니까? 주희(朱熹)는 이를 "동즉변화(動卽變化)", 즉 '움직이는 즉시 길흉·득실은 달라진다'라고 하고 있습니다.

어쨌든 태어날 때의 사주팔자와 류운(流運)의 간지(干支)는 시간의 흐름에 따라 어김없이 궤적을 그려내고 있으며. 우리는 그 궤적을 따라 서로 길흉·득실을 달리하며 흘러갈 것입니다.

동일한 사주를 가진 100명의 사람은 각자가 서로 다른 부모와 100가지의 서로 다른 조건, 서로 다른 직업, 서로 다른 배우자, 그리고 서로 다른 자유의지 등, 서로 다른 100가지의 환경적 조건을 가지고 있습니다. 이들은 우연히 같은 시간대에 태어나 서로 동일한 우주적 기운을 부여받았지만, 그 부여받은 우주적 기운이 부딪히는 외부적 조건은 동일한 것이 하나도 없습니다. 그러므로 동일한 사주가 품고 있는 동일한 우주적 기운은 100가지의 다른 환경적 조건 속에서 100가지의 상호작용을 일으키며 100가지의 삶의 유형을 펼쳐낼 것입니다.

동일한 사주팔자는 동일한 원리를 가지고 있으므로 내부적인 작용은 서로 같다고 전제할 수 있습니다. 그러나 그 동일한 사주팔자가 품고 있는 동일한 기운이 부딪히는 외부적 환경은 서로 다르기 때문에 서로 다른 상호작용을 일으킬 것이며, 그에 따라 서로 다른 다양한 결과를 만들어낼 것입니다. 그러므로 사주를 분석하고 통변하는 자는 사주팔자와 운이 작용하는 개개인의 환경적 조건을 간과해서는 사주 분석이 제대로 이루어질 수가 없음을 알아야 할 것입니다.

동일사주의 다른 운명에 관한 윤상흠 박사의 학술논문을 일부 인용해 보겠습니다.

丁 甲 甲 丁　　　　女命	
卯 子 辰 酉	
庚 己 戊 丁 丙 乙	
戌 酉 申 未 午 巳	
공 통 점	
두 사람 모두 중산층 집안에서 출생, 26살 같은 해에 같은 띠 癸巳생과 결혼, 28살에 같은 해에 아들 출산, 두 사람 모두 남편 사업이 실패, 31살 같은 해에 옷가게 시작, 44살 같은 해에 무일 푼으로 남편과 이별(A는 사별 B는 이혼)	
A	B
계속 옷가게를 경영하면서 부동산에 투자를 하여 결과가 좋아 치부하였으므로 아들을 유학 보냄.	가게를 경영하다가 접고 36살에 무역회사에서 직장 생활을 시작, 경제적으로 여유롭지 못해서 아들을 유학을 보내지 못함.

이 동일사주 두 사람은 거의 유사한 삶을 살았으나 두 개의 다른 선택에 따라 삶의 변곡점이 생겼다. 첫 번째 변곡점은 자영업과 직장생활이었고, 두 번째 변곡점은 부동산 투자였다. 이 명조는 辰月에 태어난 甲木으로 子辰水局을 이루고, 양인인 卯에 뿌리를 내려 매우 강하므로 金으로 무성한 가지를 다듬어줄 필요가 있다. 따라서 金이 필요하고, 나무에 비해서 땅이 부족하므로 土도 필요하다. 대운의 흐름으로 볼 때 戊申대운부터 庚戌대운까지 土운

과 金운이 왔으므로 발전할 수 있는데, A는 자영업을 하면서 뿌리내릴 땅(재물)을 선택하여 부동산 투자로 경제적 성취가 있었다. 반면에 B는 비겁을 견제해줄 金(관)을 선택하여 회사에서 간부로 활동할 정도로 명예의 성취가 있었으나 재물과 인연은 약했다. 사주와 운의 흐름으로 볼 때 자영업과 직장생활 모두 가능한 선택에 해당하나, 자유의지에 의한 선택의 차이로 경제적 차이가 크게 났다.

이와 같이 동일사주라도 선택에 따라 삶의 차이가 존재한다는 사실은 명리가 비판을 받을 수 있는 이유가 된다. 그러나 만약 동일사주에 하나의 삶만 존재하여 운명을 바꿀 수 없다면, 아무리 노력을 기울여도 미래를 바꿀 수 없으므로, 목표로 하는 추길피흉(趨吉避凶) 역시 선택할 수 없게 된다. 이는 미래를 아는 것이 의미가 없어지고, 명리의 필요성이 사라지게 된다는 것을 의미한다. 하지만 운명을 변화시킬 수 있는 가능성을 열어 놓고 있는 측면에서 보면, 오히려 명리의 장점이 부각된다. 게다가 인간의 삶은 선택의 연속으로 항상 최선의 선택을 찾아야 하는 문제를 안고 있다. 이때 이러한 선택을 돕는 명리 상담은 의미 있는 역할을 수행할 수 있으므로 명리학의 필요성은 더욱 강조된다.

동일사주에 존재하는 다양한 변수에 주목해야 하는 이유는 명리들이 상담하는 개인들은 약 100개의 동일사주 중 한 사람에 해당하며, 남녀 차이를 포함해서 그들이 처한 환경과 선택에 따라 각기 다른 삶을 살아갈 수 있는 가능성이 있기 때문이다. 따라서 내담자에게 정확한 정보를 제공하기 위해서는 명리 이론을 기반으로 운명을 예측하면서, 동일사주의 다른 삶에 영향을 미치는 다양한 변수를 파악하고 있어야 한다.

명리는 태어난 시간을 기반으로 운명을 예측하는 이론으로 타고난 환경, 직업, 결혼 등 삶의 방향성에 영향을 미치는 다양한 변수를 고려하지 않고 형성되었다. 그래서 선택에 따라 달라지는 운명을 판단하기 어려우므로 상담 과정에서 오류가 나타나기 쉽다. 이에 따라 명리 이론에 기반한 운명 예측에서 나타나는 오류를 막기 위해서는 동일사주의 다른 운명에 영향을 미치는 변수에 대한 연구가 절실하게 요구된다.[38]

개인의 삶을 다양하게 변화시키는 외부적 환경으로 대표적인 것은 '시대적 상황, 가정의 환경적 조건, 성별, 부모의 의식과 경제 수준, 교

---

38) 윤상흠, 「동일사주의 다른 운명에 관한 고찰」, 『동방문화와 사상』 제14집, p.41-73.

육 수준, 그리고 배우자, 직업' 등 다양한 조건을 들 수 있습니다.

　　동일한 사주를 가진 사람들은 비슷한 환경에서 태어나고, 성향, 학습, 직업, 재물의 성취가 유사할 것으로 판단이 되나 임상 결과에 따르면 공통점보다 차이점이 더 많아서 완전히 다른 사주로 인식될 때가 많다. 가정환경, 출신 지역, 경제적 상황, 성별 등 타고난 요인들은 우리가 인생에서 마주치는 기회와 제약, 그리고 성취할 수 있는 것들에 중요한 역할을 한다. 특히 부모의 경제 상황과 사회적 위치에 따라 교육적인 기회와 사회적 자본 등에 접근할 때 제약이 따르며, 이는 개인의 직업 선택, 경제적 상황, 결혼 등 개인의 삶에서 선택과 기회에 큰 영향을 미칠 수 있다. 고전에서 주장한 조상 음덕, 태어난 지역의 풍수 같은 운명의 변수는 후천적 노력으로 극복할 수 없으며 운명을 변화시킬 수 없다. 그러므로 명리 상담은 개인이 자유의지를 통해 발전할 수 있는 직업, 배우자와 같은 나아질 수 있는 변수를 발견하고, 이를 통해 좀 더 발전된 삶을 살도록 돕는 것을 목표로 해야 한다.39)

　　사주팔자는 그 안에 확정성을 품고 있지 않습니다.

　　무당이 그러하듯이, 마치 족집게 도사(?)가 되고자 한다면 사주명리학을 공부하기보다는 우연히 벼락을 맞고 초능력을 장착하는 편이 낫겠죠. 내담자의 인생을 맞추었다고 해서 그의 인생이 달라지는 것도 아닙니다, 단지 자기 자신의 장기자랑에 불과할 뿐이죠. 사주명리학은 논리학이자 인문철학입니다. 인생을 통찰하는 인문적 소양이 풍부해야 사주팔자를 통찰하는 힘도 역시 커질 것입니다.

---

39) 윤상흠, 「동일사주의 다른 운명에 관한 고찰」, 『동방문화와 사상』 제14집, p.41-73.

제58강 사주팔자 균형 잡기

<생극제화는 사주명리학의 기본원리>

균형과 조화를 근간으로 하는 우주적 상호작용 원리는 사주에서도 그대로 작용합니다. 즉, 명조에서는 중화와 기의 유통을 중요시하고 있죠. 오행이 편고하거나 유통이 제대로 되지 않는다면 흉하다고 봅니다. 생극제화라는 것은 기의 흐름, 즉 음양오행을 유통시켜 중화를 이루기 위한 상호작용의 원리라고 할 수 있습니다.

월간이 강왕하면 월간을 생조하는 오행을 극제하여 제어하고, 일간이 쇠하면 일간을 극하거나 설기하는 오행을 극제하여 일간을 보호합니다. 기운이 왕하면 극하거나 설기하여 흐르게 하고. 약하면 생조하여 사주의 균형을 이루어 줍니다. 막히면 뚫어주고, 휑하니 뚫려 기운이 누설되면 막아 기운을 보호하는 것이죠.

생극제화(生剋制化)는 사주팔자를 유통시켜 중화를 이루기 위한 원리입니다. 생은 생조(生助)하는 것이며, 극(剋)은 극해(剋害)로써 파괴하는 것이며, 제(制)는 극제(剋制) 함으로써 조절하는 것이며, 화(化)는 유통시키며 서로 싸움을 말리고 화해시키는 것입니다.

생극제화(生剋制化), 합(合), 충(沖), 형파해살(刑破害煞) 등은 과도한 기운을 덜어내고 부족한 기운을 채워 중화를 이루기 위한 수단으로써 작용하는 기운입니다. 개인의 관점에서는 중화를 이루는 과정에서 득(得)이 되면 길(吉)이 되고, 실(實)이 되면 흉(凶)이 되는 것이죠. 그러나 나를 벗어나 우주적 관점에서 보면 균형과 조화를 이루기 위한 중화 작용일 뿐 기운 자체가 길흉·득실을 의미하지는 않습니다. 그러므로 생극제화 합충형파해(合沖刑波害)가 작용할 때 기운을 시의적절하게 운용하여 득즉길(得卽吉)이 될 수 있도록 조절할 수 있어야 하며, 그것이 사주 간명의 목적이 되는 것입니다.

생극제화 합충형파해의 길흉·득실(吉凶得失)은 항상 시간이 흐름에 따라 발생하며 순환하고 있습니다. 그것은 만물을 생장성쇠의 이치로써 순환시키는 음양오행의 상호작용이니, 그 자체가 길흉이 아니라 우주 만물을 순환시키는 원리가 되는 것입니다.

음양의 상호작용은 중화(中和)를 만들어내고, 중화는 더 큰 중화를 이루며 궁극적으로 대화(大和)를 지향합니다(保合大和 乃利貞).

선악(善惡)은 생존 원리에 의해 중화적 가치가 만들어내는 윤리적 장치에 불과할 뿐이며, 이것은 무리(群)가 생존하기에 유리한 최적의 타협점이라 할 수 있습니다.

그러므로 무조건 사주의 틀을 짜 규정짓기보다는 음양오행의 생극제화의 논리를 활용하여 생(生)과 극(克)을 적절하게 배분하고, 제(制)와 화(化)를 통하여 균형을 맞추고 조화를 이루게 함으로써 오행의 순환을 원활하게 한다면 피흉추길(避凶趨吉)을 이루어 보다 안정적인 삶을 영위할 수 있을 것입니다.

십신(十神)이나 육친(六親)등 인사(人事)의 원리를 발생시켜 삶을 순환시키는 생극제화(生克制化) 원리와 실질적으로 생장수장(生長收藏)의 이치에 따라 만물의 생로병사(生老病死) 현상을 주관하는 계절적 기운인 조후(調喉)는 모든 오행의 상호작용에 적용되는 원리가 됩니다.

(1) 생(生)

생(生)은 '낳아서 기른다'라는 생조(生助)의 의미가 있는 동시에 기운이 누설(漏泄)되는 의미가 있습니다. 아생자(我生者)인 경우 我는 者를 생하면서 기운이 설기(泄氣)되고, 者는 생조(生助)를 받는 입장이 됩니다.

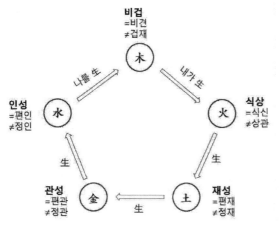

(예) 水生木 : 水가 木을 생함으로써 水의 기운이 설기되고, 木은 생조(生助)를 받는다(生我者). 木이 火를 생함으로써 木氣가 설기(泄氣)된다(我生者).

(2) 극(克)

극(克)은 '억제하다, 제압하다, 이기다'의 의미가 있는 동시에 내 기운이 소모(消耗)되는 의미가 있습니다. 아극자(我克者)인 경우 我는 者를 극제하면서 기운이 소모되고, 者는 제압당하는 입장이 됩니다.

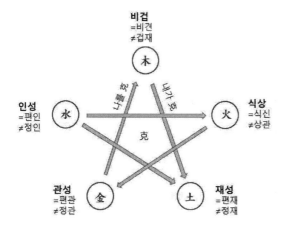

(예) 水는 火를 극함으로써 기운이 소모되고, 火는 水에게 제압당한다. 木은 金에게 수동적으로 억제당하고(克我者), 土를 능동적으로 극제한다(我克者).

나에게 길(吉)한 오행을 극하는 경우 극해(克害)라

하고, 나에게 흉(凶)한 오행을 극하는 경우 극제(克制)라 합니다.

(3) 제(制)

제(制)는 극하는 오행을 극함으로써 극을 제어하는 의미가 있습니다. 金克木의 경우 火氣를 써서 金氣를 극제 함으로써 木氣가 생(生)을 순환시킬 수 있도록 합니다.

▷(예-1) 金克木 ≫ 木生火 ≫ 火克金

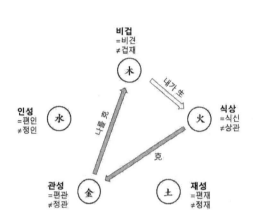

金이 七殺(편관)로 나(일간)를 극해(克害)하는 경우, 내가 생하는 식신으로 하여금 칠살을 극제(克制)하게 하여 제살(制殺) 함으로써 나(木)를 보호한다. 이때 편인(효신)이 식신을 극해(훼害)한다면 칠살을 제어하지 못하게 되어 흉이 된다.

▷ (예-2) 水克火 ≫ 火克金 ≫ 金克木

정관은 나를 규정해 주는 신으로서 나를 통제하여 바르고 안정되게 한다. 상관이 정관을 극해(克害)하는 경우, 정인이 상관을 극제(克制) 함으로써 정관을 보호한다. 이때 정재가 정인을 극해한다면 상관을 제어하지 못하게 되어 흉이 된다.

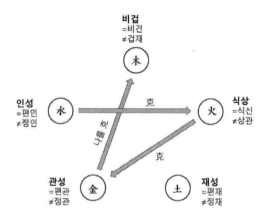

(4) 화(化)

화(化)는 극하는 오행 사이에 끼어들어 克의 기운을 生으로 바꿔줍니다. 金克木의 경우 水氣를 써서 金氣를 설기(泄氣)시키고 木氣를 생하게 합니다.

▷(예) 金克木: 金生水 ≫ 水生木

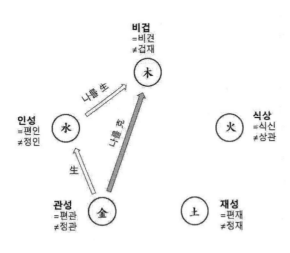

金氣가 과다하므로 칠살(七殺)이 되어 나를 克害하는 경우, 水氣인 인성(印星)을 써서 통관시킴으로써 극(克)을 생(生)으로 바꿔 상생하도록 한다(관인상생 官印相生). 이때 재성이 인성을 극해한다면 칠살의 기운을 통제하지 못해 흉하게 된다.

제59강 균형과 조화

<사주 명리학은 음양오행의 균형을 논하는 학문이다.>

　오행이 과다하거나 기운이 태왕하면 생이든 극이든 오행의 순환이 균형을 잃어 일간 명주에게 해(害)가 됩니다. 생극제화를 적절하게 사용한다면 균형과 조화를 이루어 기운의 흐름을 원활하게 할 수 있겠죠. 인간은 자연의 일부로서 자연의 변화 흐름 속에서 균형과 조화를 이룰 때가 가장 길한 삶을 영위할 수 있습니다. 사주명국의 오행은 균형 있게 배분되어야 생과 극이 적절하게 이루어져 건강한 삶의 흐름이 됩니다. 그러므로 자신의 삶에서 어떤 기운이 태과한지, 아니면 부족한지를 살펴 균형과 조화를 잃지 않는 것이 삶의 지혜라 할 수 있겠습니다.

　오행은 생극제화를 통하여 균형과 불균형을 오가며 순환합니다. 불균형과 모순은 조화를 이루기 위한 필수적인 요소라 할 수 있습니다. 에너지의 불균형이 역동적인 에너지 이동을 불러옴으로써 만물의 생장과 성쇠를 일으키는 화육의 원리가 되듯이, 음양과 오행의 불균형은 균형을 이루기 위한 중화 작용의 원리가 됩니다. 그러므로 생극제화(生剋制化)는 길흉을 일으키는 본질이 아니라 중화를 지향함으로써 우주 만물이 생장수장(生長收藏)의 이치로 순환하는 생명의 성장성쇠 원리라 할 수 있습니다. 막히면 뚫어주고 횡하면 막아주며, 기운이 태과하면 제어

<균형과 조화>

하고 설기(泄氣)시켜주며, 신약하면 생조(生助)하여 줍니다. 그러나 시의적절한 음양과 오행의 편재와 편중은 오히려 삶의 활력소가 됨을 또한 잊지 말아야 합니다.

사주 여덟 글자를 가지고 인생 전체를 모순 없이 조망할 수는 없습니다. 우주의 창조원리가 바로 모순과 불균형을 바탕으로 하고 있기 때문이죠. 모순과 불균형이 에너지의 이동을 야기함으로써 균형과 조화를 이루어가는 과정에서 사물은 길흉·득실의 발생을 경험하는 것입니다.

송대(宋代)의 기론자(氣論者)인 장재가 "고립되어 존재하는 사물이란 없다"라고 했듯이, 우주 만물은 상호관계망 속에서 서로 연결되어 대립과 화해라는 상호작용을 통해 중화를 찾아가면서 생로병사의 쳇바퀴를 돌립니다. 개인을 규정하는 우주 좌표인 사주팔자도 생극제화(生剋制化)라는 상호작용의 원리로써 중화(中和)를 찾아가며 최고 지향점인 우주적 대조화, 대화(大和)에 참여하게 되는 것입니다.

우주와 인생을 통찰하는 인문적 소양 없이는 완전한 사주팔자 간명이란 있을 수 없습니다.

그러므로 우주의 한구석, 우주의 티끌만도 못한 존재가 완전치 못한 지식과 지혜로써 인간과 사물의 생명을 함부로 예단하는 우를 범해서는 안되겠죠. 사주팔자는 완전성이 아니라 변화의 가능태를 품고 있는 우주의 기호이기 때문입니다.

『역(易)』이란 "천지가 드러내 주면 성인이 이를 근거해서 완성한 것
(天地形之 成人因而成之)"이니 "변화의 도를 아는 자는 신(神)의 하는
바를 안다(知變化之道者 其知神之所爲乎)"고 할 수 있습니다.
　또한 "만물은 음을 지고 양을 안으며 충기(沖氣)로써 조화를 이루는
것(萬物 負陰而抱陽 沖氣而爲和)"이니, "만물은 음양 양자가 서로를
낳으며 제삼자(中)를 드러내는 것(凡萬物陰陽 兩生而參視)"이라 할 수
있습니다.

　그러므로 세상만사는 균형과 조화의 산물인 중화(中和)를 이루는 것
이 최선이라 할 수 있겠습니다.

　정답은 없습니다.
　다만 방법이 있을 뿐이죠.
　사주팔자(四柱八字)에 좋고 나쁨이 어디 있는가?
　운명(運命)은 주인으로서 운영(運營)하기 나름입니다.

제60강 사주 디자이너

　지금까지 사주명리학을 공부한 목적은 한마디로 자기 자신의 운명 코드(code)를 담은 사주팔자를 디자인(design)하기 위함이라 할 수 있습니다. 자기 자신을 잘 아는 것만큼 인생 내비게이션을 제대로 운용할 수가 있겠죠. 자신을 구성하고 있는 코드, 천간과 지지를 제대로 활용할 수만 있다면 자신에게 적합한 길을 찾아가는 것은 훨씬 더 수월해질 것입니다.

　사주팔자대로 살아가는 사람은 없습니다. '사주 내비게이션'을 참고하면서 자신에게 적합한 길을 찾아갈 뿐입니다. 그러므로 사주팔자를 상담할 때, 마치 운명이 정해진 것처럼 간명하거나 상담을 한다는 것은 참으로 위험한 일이 아닐 수 없습니다. 타인의 운명을 마치 신이 된 양 좌우해서는 안 될 것입니다. 그리고 상담받는 경우 사주 상담가의 간명을 금과옥조로 떠받드는 것만큼 위험한 것도 없습니다.

　우리가 이 세상에 나온 것은 자신의 의지와는 전혀 관계없는 우연의 산물입니다. 부모, 주변 환경, 경제적 조건 등등 나를 둘러싼 모든 것들은 태어나면서부터 내 의지와 관계없이 주어진 것들입니다. 이 세상을 시작하는 출발선은 동일하지만 자전거를 타고 갈지, 자가용을 타고 갈지, 자신의 두 발로 걸어서 가야 하는지는 조건부터가 서로 다르죠. 어찌하겠습니까? 그것은 내가 싫다고 거부할 수도 없는 숙명인 것을요.

그러나 각자에게 주어진 사주팔자는 모두가 다르죠. 거지로 태어났든, 금수저를 물고 태어났던 누구에게나 공평하게 우주적 기운이 프로그래밍이 된 사주팔자를 부여받습니다. 금수저라고 해서 특별히 거지보다 우월한 기운이 내재된 사주팔자를 받지는 않죠. 세상에 거지 팔자는 없습니다. 왜냐구요?

지금까지 공부해온 것을 바탕으로 판단해본다면, 사주팔자(四柱八字)는 숙명(宿命)이 아니라 운명(運命)이라고 할 수 있습니다. 즉 명(命)이 내재된 사주팔자는 자신의 명(命)을 스스로 운영할 수 있도록 각자에게 부여된 시스템입니다.

금수저를 물고 태어난 사람도 있지만, 대개는 자수성가한 사람이 대부분이죠. 옛말에 부자는 3대를 가지 못한다고 하는데, 요즘은 1대도 못 가는 것 같습니다.

세상은 당연히 불평등합니다. 모순으로 가득하죠. 음과 양은 한쪽으로 편재된 상태일 때 상호작용이 일어나지만 완전한 균형을 이루면 상호작용은 멈추게 됩니다. 시소(seesaw)는 완전한 힘의 균형을 이루게 되면 상하작용이 멈춰버리고 말죠. 세상은 근본적으로 불균형과 모순을 숙주 삼아 작용함으로써 존재한다는 사실을 인식해야 합니다. "테스 형, 세상이 왜 이래"라고 하면서 쉽게 좌절한다면 당신은 아직 세상의 이치를 잘 모르는 것입니다.

부유한 부모에게 태어난 사주팔자는 외부적 환경과의 상호작용이 부모의 보살핌 아래 무난하게 이루어짐으로써 운의 흐름을 잘 탈 수 있습니다. 반면에 가난한 부모 밑에서 성장한 사주팔자는 외부적 환경과의 상호작용이 마치 투쟁과도 같을 수 있겠죠. 그러나 결과는 예상대로 흘러가지 않습니다. 상호작용이 손쉽다고 해서 성공하는 것이 아니듯, 투쟁과 같은 삶을 산다고 해서 반드시 실패하리라는 법도 없습니다. 오히려 그 반대가 많은 것 같습니다.

쌍둥이도 같은 삶을 살지 않습니다. 쌍둥이도 당연히 부인은 다르죠.

남편을 공유하지는 않습니다. 그러니 살아가는 양태는 서로 다르게 나타날 수밖에요.

같은 부모, 같은 환경에서 유사한 조건으로 성장했기 때문에 생각은 서로 비슷할 수도 있습니다. 그러나 같은 상황에서 동쪽으로 갈지, 또는 서쪽으로 갈지에 대한 선택은 서로 다를 수밖에 없습니다, 아이덴터티(identity)가 다른 두 인격체의 자유의지는 서로 같을 수가 없기 때문이죠. 아무리 비슷하다 해도 미세한 차이는 있기 마련입니다.

부모도 다르고 환경도 다른 동일사주는 더 말할 나위도 없습니다. 동일사주도 쌍둥이 사주와 마찬가지로 자유의지의 실행은 서로 다르게 나타날 수밖에 없죠, 그래서 만나는 우연도 서로 다를 수밖에 없을 것입니다.

동(東)과 서(西)의 선택은 각자 자유의지의 실행에 대한 결과입니다. 당연히 동쪽에서 만나는 우연과 서쪽에서 만나는 우연은 서로 다르게 나타나겠죠. 동쪽으로 간 사람은 귀인을 만나 성공의 기반을 다지는 행운을 만날 수도 있고, 서쪽으로 간 사람은 강도를 만나 가진 것을 모두 빼앗길 수도 있습니다. 아무도 장담할 수 없죠. 자유의지의 발현으로 인한 선택의 결과는 당연히 서로 다르게 나타나기 마련입니다.

북송의 주희(朱熹) 선생이 말한 "동즉변화(動卽變化)"인 것이죠. 움직이는 즉시 변화가 일어나고, 득실(得失)은 서로에게 다르게 나타날 것입니다. 결국 우연을 만나는 것도 자유의지의 선택으로 일어난 결과라고 할 수 있습니다. 우리가 사주팔자를 분석하고 공부하는 이유는 자유의지를 실행함에 있어 예측하고 준비하며 더 나은 길을 선택하고자 함에 있는 것입니다.

사주팔자에는 이미 결정된 한가지 운명만이 존재하는 걸까요.

사주팔자를 해석하다 보면 마치 미리 설정된 운명의 실타래 풀어가듯 해석하고 있는 나 자신을 보게 됩니다. 과거에는 이런 일이 있었고, 그래서 미래에는 이런 일이 있을 것이니 조심하라.

그런데 만일 내가 과거에 안 좋은 운을 운 좋게 피해갔거나, 두려움과 노력으로 전화회복을 하였다면 이 사실을 사주 속에서 찾아낼 수 있을까요?

아무리 좋은 운을 가진 사람도 지진이나 전쟁터에서는 무용지물일 뿐입니다. 운이 좋았다면 애초 지진이나 전쟁의 소용돌이에 휘말리지 말았어야죠. 포탄이 오가는 전쟁터에서 태어난 아기는 정말로 최악의 사주를 가지고 태어났을까요? 거대한 운의 흐름 속에서 우리 인간 하나하나의 운명은 그다지 대단한 것도 아닙니다. 거대한 운명의 쓰나미에 휩쓸리면 나 자신의 운은 보이지도 않겠죠.

각자 태어날 때 부여받은 사주팔자는 우주 속에서 나 자신을 규정하는 좌표이며, 나 자신을 구성하는 코드입니다. 자기 자신을 제대로 안다면, 그래서 자신의 구성요소를 제대로 활용할 수 있다면, 앞이 보이지 않는 인생길에서 자신만의 등불을 켜고 걷는 것과 같다고 할 수 있습니다.

우리는 태어날 때 우주로부터 부여받은 자신만의 고유한 사주팔자를 가지고 있습니다. 그리고 사주팔자는 확정적인 것이 아니라 유동적이며, 자유의지의 실행 여부에 따라 변할 수도 있다는 사실을 우리는 잘 알고 있습니다. 여덟 개의 팔자 중에 어느 것을 선택하고 어느 것에 집중하는 것이 좋은지를 안다면 우리는 운의 흐름을 바꿀 수 있습니다. 서쪽으로 가는 것이 좋지 않다면 나는 동쪽을 선택할 수 있습니다. 그것은 나 스스로 내 운명을 결정하는 나의 자유의지입니다. 그 결정에 의해서 만들어지는 우연성도 결국은 나의 선택으로 일어난 결과라 할 수 있습니다.

우리는 우주로부터 인생이라는 사주팔자를 부여받았습니다. 그 사주팔자를 가지고 어떤 결과를 도출하는 것이 좋을까요? 그것은 스스로 선택하기 나름이라 할 수 있습니다. 똑같은 사주팔자를 가지고도 어떤

선택을 하고 어떻게 실행을 하는지, 자유의지를 어떻게 발현시키는지에
따라서 결과는 얼마든지 달라질 수 있기 때문입니다.

우리는 사주팔자를 가지고
자신에게 맞는 운명을 디자인해야 합니다.
매일매일의 삶을 디자인해 보세요.
우리는
우주로부터 부여받은
사주팔자를 디자인하는
사주 디자이너(designer)입니다.

본서는 사주프로그램으로 「천을귀인」을 사용하였습니다.

<참고문헌>

<원전>

『주역』, 『천부경』, 『노자』. 『정몽』. 『주역본의』. 『황극경세』.

『적천수』. 『자평진전』. 『자평진전평주』. 『궁통보감』, 『명리약언』

<단행본>

김상일, 『현대물리학과 한국철학』, 고려원, 1991.

박규선, 『양자물리학과 주역』, 부크크, 2024.

프리초프 카프라, 김용정·이성범 공역, 『현대물리학과 동양사상』, 범양사, 1979.

카를로 로벨리, 김현주 역, 『모든 순간의 물리학』, ㈜쌤앤파커스, 2016.

폴 데이비스, 류시화 역, 『현대물리학이 발견한 창조주』, 정신세계사, 2020.

<논문>

박규선, 「易學의 中和論 研究」 -易理와 量子物理의 共通性을 中心으로-, 동방문화대학원대학교 박사학위 논문, 2023.

박규선, 「卦爻의 數理化에 따른 易의 과학적 해석연구」, 『동방문화와 사상』 제10집, 동양학연구소, 2021.

박규선, 「음양의 대립과 통일에 관한 인문학적 고찰」, 『동양문화연구』 제36집, 동양문화연구원, 2022.

이명재, 「자평진전의 용신 고찰」, 『동방문화와 사상』 제12집, 동양학연구소, 2022.

윤상흠, 「동일사주의 다른 운명에 관한 고찰」, 『동방문화와 사상』 제14집, 2023.

사주 프로그램, 「천을귀인」.